パンの文化史

舟田詠子

講談社学術文庫

はしがき

パン。このたった二文字の小さな、しかし広大な世界に迷いこんで、二〇年になろうとしている。「なぜまたパンを?」とよく人に訊かれるのだが、事のはじまりの記憶は今なお鮮明である。

ある日パン生地をこねているとき、ふと思った。いつから人類はこんなことをやっているのかしら。私のように、子どもに食べさせようと、お母さんたちがこねてきたパンには、どんな知恵と思いがこもっていたのかしら。こんなことを考えるうち、過去には、パンをこねて焼いてきた女たちの、滔々たる系譜があり、今その末尾に私もつらなっていることに気がついた。私というちっぽけな人間がこの世に生まれ、ささやかな生を営み、やがて消え去るという一回性の現象も、その系譜という連続性のなかにあるという発見であった。喜びが沸きあがった瞬間、そのときが私の出発になった。

実は私のパンづくりの背景には、ひとつの思い出があった。一九六〇年代のはじめ、ドイツ文学の勉強のために留学したドイツで、私を家族として迎えてくれたシュスター家。そこでは日曜日ごとに夫人お手製のパンが朝の食卓を飾っていた。そのパンが、ときにはレースのフリルにうずまるように、銀のパン籠におさまっている、おシャレな日曜もあれば、使いこまれた木皿に無造作にのっている、さりげない日曜もあった。ともかく土曜の昼前に必ず、スープ用の骨肉をぐつぐつと煮出す湯気のたちこめる台所で、夫人はこねたり焼いたりしていたものである。

「ヘーフェタイク」〈発酵生地〉とその家で呼ばれていたのは、私にしてみれば、それはおいしいパンであった。パン屋さんでもない、ひとりの主婦がパンをつくるのを、はじめて見て、味わって、おいしいとはこういうことかと思った。長さ三〇センチほど、卵や砂糖、レーズン入りの発酵させた生地を、たて長に三つ折りにして焼いたものであったが、そのパンはさわやかな日曜の朝のシンボル、そして新たな週のはじまりを意味するものでもあった。

ところがある日曜日に突然もっとすてきなパンが現れた。紐状の生地を六本どりにして、細長く編んだパンだ。どの角度からも三つ編みに見えるという、お下げ髪のようなパンに、私は歓声をあげた。「まあ、今日はなんの記念日!」。するとシュスター氏はこんな冗談を言った。「今日は、おかあさんの〝ごきげんうるわしい記念日〟だ」。

いつもの「ヘーフェタイク」のパン生地を、ただ六つ編みしたもの〈レーズンは入れない〉だったが、「紐」を編むことで表面積が増える分だけ、かりっと焼きあがる。けれどつくる手間も技術もいるので、編むかどうかは夫人の気分まかせなのだという。以来この編みパンが私の最高の好物になった。後に私はそこから一〇〇キロも離れた所で寮生活をすることになったのだが、夫妻はときおり日曜の早朝にアウトバーンを飛ばして会いに来てくださった。おみやげの籠には「ヘーフェタイク」が入っていた。もちろん六つ編みの。

こうして、「ごきげんうるわしい六つ編みパン」の思い出が、私のパンづくりの原点になった。パンを焼いてきた女たちの系譜を想像したとき、私もあの夫人とパンをとおして、そこにつらなっていることに気づいたのである。

そのようなわけで、パンの文化史に関心をもち、研究することになった。その具体的経緯は「あとがき」で記すことにするが、いざ調べはじめてみると、この国に資料はほとんどないことがわかった。パンの文化史に関心が払われてこなかったということであろう。ところがパン屋さんへ行けば、棚はフランスのパン、ドイツのパン、アラブのパン、ユダヤのパン、イタリアのパンなどなど、パンの世界万博さながらに、各国語の名前のついたパンが勢ぞろいしているのだ。パンというモノの国際化が進む一方で、文化は貧弱なままということなのであろうか。

日本のパン用コムギの年間消費量は、一九八〇年頃一二〇万トンに達し、九六年には一二三万トンを越えた。その内訳の比率は、九六年度で食パン約四九、菓子パン約三〇、その他のパン（クロワッサン、ペストリー、調理パンなど）約一五・四、学校給食パン約四（パーセント。食糧庁加工食品課しらべ）である。これを七八年の統計と比べると、食パンが減少し、そのぶん菓子パンや、クロワッサン、ペストリー、おかずの入ったパンなど、リッチなパンが増えつづけている。つまりパンは朝のトースト、昼の軽食や間食に消費され、年々パン食そのものはぜいたくになっている現状なのである。

しかも日本人の食べるパンのほとんどは、市販品で、一般家庭でパンを焼きはじめてから一九九七年現在、まだ三〇年たらずである。普及度のバロメーターの一例、NHKテレビの「きょうの料理」に、はじめてパンづくりが登場したのは一九七一（昭和四六）年で、インスタントラーメンの出現から一三年後のことである（「NHKテレビ『きょうの料理』三〇年の歩み」部内資料）。今でこそパンを焼く家庭も増えてはいるが、それでも圧倒的多数の人びとは、明治以来市販のパンを買って食べることだけがパンとのかかわりであり、いまもってその状況がつづいている。

こうしたパン食の暮らしの中から生じるのは、パンの文化といっても、つくり手側は製パン業者だけなので、製パン業のための売れ筋商品の製造や技術開発にかたより、他方、食べる側は、パン店のパンのうまさ、珍しさ、はやりに注意がむけられるだけで、どちらの側も、パンというモノの背景にある、パンをつくり食べてきた人の、長久の文化の全貌を予感することはなかったようだ。パンというモノの製造技術だけを西欧から取りこんだが、そのモノをつくりだしてきた人間や、文化の過程は切り捨てられたままなのである。こうした日本の文化受容の態度は、パンにかぎったことではないだろう。他国から技術のみを採り、精神を採らないのは、親から子を引き離して奪うようなものである。和魂洋才のゆがみを私たちはいまだにひきずっているのかもしれない。

ひとつのモノにからむ文化は、そのモノがつくられるところからはじまる。コメの文化が、田でコメをつくる人のもとから、ムギの文化が麦畑にムギをつくる人のもとから生まれるように、パンの文化はパンを焼く人のもとから生まれ、育まれると、私は考えている。パン屋、あるいはパン職人という職業が生じるはるか以前に、家族のために無償でパンを焼いていた人びとの長い過程がある。そこにはパンになる素材があり、人がいて、道具が考案され、はじめてパンができる。そしてそのパンを食べる人がいて、社会があってこそ、パンの文化は形成されるのである。パンというモノを即物的にとらえ、モノや技術についてだけ語ってみても不十分なのである。歴史の主人公は人間である。パンの文化史も人間のいとなみの歴史でなければならないはずである。

この小著は『パンの文化史』と題しているが、もとより通史ではない。パンの文化史はこう書くものだというきまりも、手本もないところでは、著述の方法はいろいろあるかと思うが、ひとまず私なりに組み立ててみた。暮らしの足下から、今述べたような視点にたって、パンを焼いた人間を軸に展開させたものである。

目次

パンの文化史

時代のもたらしたパン

図版：スタジオ・トンボ、舟田うらら、吉澤和希子

パンの文化史

序　章　米偏世界へ渡来した異邦人

わが国にムギが伝えられたのは、紀元前三〇〇年頃である。それ以来、私たちの先祖は、それなりのくふうをもってムギを食べて来たのだが、水で練った麦粉を発酵させ、オーヴンで焼くことはついぞ考えもつかなかったのである。

一六世紀半ば、ポルトガル船に乗って現れた、フランシスコ・ザヴィエルにはじまる、キリスト教の宣教。このとき、パンというものが伝えられた。仮にそれが発酵させていない、ごく平たいものであったら、麦煎餅とでも命名したことだろう。あるいはふくらんだ、蒸し物であったら、麦饅頭とでも言っただろうか。

しかし渡来したのは、わが国に類を見ぬ食べ物であったために、「パン」という言葉をそのまま受け入れざるを得なかった。ポルトガル語のパオン pão の音を「パン」と聞いたのである。当時伝来したポルトガル語に、「コンペイトウ」「カステラ」「シャボン」「ジュバン（襦袢）」「メリヤス」「カルタ」などがあることはよく知られている。こうした言葉は外来語として土着し、ときには漢字まで宛てがわれて、今日に至っている。

その「パン」という言葉は、本邦初の印刷機で印刷されている。天正遣欧使節の帰国時に持ち込まれた印刷機である。それで印刷された、キリシタン版とよばれる一連の書物の中に、ラテン語から口語訳した『イソポのハブラス』(天草、一五九三年、日本語ローマ字)つまりイソップ物語もあった。その一話、「盗人と、犬の事」にパンは登場する。原文のローマ字を国字に直した文で紹介しよう。

前段のあらすじは、盗人が金持ちの家に忍び込もうとしたが、番犬に吠えられて入れない。そこで一計を案じる。

先づ度々パンを持つて来て犬に食はせて、その身を見知られうとしたと。ようやく犬が慣れたと見えるころ、忍び入ろうとすると、犬どもはいつもより一層吠えたてた。盗人が恩知らずをなじると、犬は言った。

「そちが偶々《たまたま》一口のパンをくれ、多年の主人の過分の財宝を取りごとは曲事ぢや、急いでそこを立ち去れ(1)」

この「パン」の原綴は日本語ローマ字でPanとなっている。ここでいうパンとは、人も食べれば犬も食べる、まさに暮らしの中の食べ物としてのパンである。

このほかに、キリシタン版の宗教書にも「パンと酒」という表現は現れる。ところがひとつだけ、原意はパンなのに、「パン」と訳されなかったケースがある。「主の祈り」と呼ばれている祈りの一節で、「我らの日々のパンを今日も我らに与えてください[2]」と唱える条《くだり》である。「主の祈り」はイエスがみずから弟子に教えたとされ[3]、キリスト教では最も古く、かつ基本的な祈りであるから、キリシタンも当然知っていた。キリシタン版ではこのように訳されている。

我等が日々の御やしなひを今日あたへたび給へ[4]

「養い」は、植物の肥料、動物の栄養、人の食事など、養分となる一切を表す言葉である。なぜここでは「パン」でなく「御やしなひ」と訳されたのか、その経緯は不明であるが、興味深い問題である。先のイソップの「パン」も、この「御やしなひ」も、原意はともにパンなのである。

私にはこの使い分けに意味があると思えてならない。犬も食べるパンは、即物的にパンそのものを指す。祈りの中の「パン」はパンそのものと、加えて、食べ物すべてを指し、さらに、精神的な、命の糧をも意味している。そのことゆえに「御やしなひ」と訳されたとしたら、なんと優れた言葉の理解であろうか。

実はこの「パン」はラテン語のパニス pānis やイタリア語 pane スペイン語 pan フランス語 pain などと同類で、語源は〈食べ物〉である[5]。パンとはこのように食べ物そのものを意味していたわけである。そうした「パン」と「御養ひ」の使い分けのできる邦語の素養が、当時の宣教師やキリシタンに備わっていたとすれば、感嘆のほかはない。

後にキリスト教は弾圧され、厳しい禁令下にあった。にもかかわらず隠れて信仰を死守したキリシタンのあったことは、今日よく知られている。禁教令の解除はようやく明治初期のことで、その歳月は実に二五〇年に及ぶ。そのかん、かれらの宗教はおのずと変容してしまったが、この「御養い」の言葉は、オラショ（キリシタンの祈り）の中で、明治時代まで、しかと口承されたのである。

一方「パン」という語は、キリスト教と関連して導入されたために、禁教令下に潜む運命をたどるのである。さまざまなオラショに「パンと酒」は出ていたが、声に発せられることもなくなり、時の経過にまぎれ、何のことだか分からなくなってしまったようである。

一例だけ挙げよう。隠れキリシタンの間に口伝された「天地始之事《てんちはじまりのこと》」と題する長い物語がある。元は聖書の抜粋だが、奇々怪々に変容してしまっている。その中に「最後の晩餐」の場面がある。イエスが弟子たちとその夕食を始めたとき、そこにいる弟子の中にイエスを裏切る者がいる、と言い出した。弟子たちは動揺する。

御身は人の心中をさとりたまへば、これを御しりあつて、「此十弐人の弟子の中に、我に敵対《てきと》うものあり」とのたまへば、弟子きいて、「さようなる心底《しゆる》のもの、一人もこれなし」と、口揃ていふければ、御身のたもふは、「朝ごとに飯《はん》に汁かけ食するもの、われに敵対う徒なり」とぞ仰せける。(6)

口伝えで練り上げた語り口である。ところで、聖書の叙述では次のようであった。

「私と一緒におなじ鉢にパンを浸している者がそれである」（「ヨハネによる福音書」13・18—26）

この「おなじ鉢にパンを浸している者」が「天地始之事」では「飯に汁かけ食するもの」に変容したのである。(7)

パンを食べたことのない人々が、「ぱん」を「はん」と聞きちがえても不思議ではない。「鉢」「パン（はん）」「浸す」からイメージし得たのは、毎朝の汁かけ飯だったのであろう。実体を知らず、書き残すことも許されず、ただ暗誦に頼らざるを得なかった状況で、パンというモノを理解するのはむずかしい。御養ひという美しい和語は理解し継承できても、外来の、しかも未知のモノが捨て去られていくのは必然である。

イエスはこの場面の後にもパンを自らの身体にたとえる、重要な話をするのである。パンは、麦を食べる民族には、毎日欠かせぬ食べ物である。と同時に、すべての食べ物の総代でもある。そのうえキリスト教世界では、「最後の晩餐」でのイエスの言葉によって、パンはいっそう深い宗教的意味を備えることになったのである。

「ぱん」というものについて、ザヴィエル渡来から約二四〇年後の一七八八年、蘭学者大槻《おおつき》玄沢《げんたく》と弟子がこんな問答をしている。

問ていはく、おらんだ人常食にぱんといふものを食するよし、何をもて作れるものにや。答ていはく、これは小麦の粉に醴《あまざけ》を入れ、ねり合はせて蒸焼にしたるものなり。(中略)「ぱん」といふは、何国の詞かいまだ詳ならず、荷蘭にては「ぶろふと」といふ。おらんだ隣国払郎察《ふらんす》といふ国にて「ぱいん」といふよし、この語の転ぜるか。(8)

ポルトガル人追放後、出島に居住するようになったオランダ人が、パンなるものを常食にすると伝え聞いた弟子。オランダ語なら「ブロート」と言うところ、往年のポルトガル語の方がまだしも知られていたことがうかがえる。しかしそれも言葉上の知識であって、実際どんなものかは分からないのである。そしてかの大学者にして、「パン」の由来は「いまだ詳ならず」だと。不明はキリシタンばかりではなかったのだ。

その一〇年後の一七九九年、長崎の通詞、楢林重兵衛は次のような情報をわれわれに残している。

蘭人常食にパンと云ものを用ゆ、長崎にこれを売ることを業とするものあり、パン屋と云、蘭人皆パン屋より買て食す、パン屋年中の利二百両ばかりなりと云。(9)

このように、パンを知るのは、長崎出島の蘭人とそこに出入りを許されたパン屋ばかりとなっていたのである。しかし見方を変えれば、「パン」という言葉は実に強かったとも言える。禁教令下、しかも鎖国状態でパンのイメージはうすれてしまっても、言葉としてはしっかりと根付いてしまったのである。後の世にパンがオランダから来ようと、フランスから来ようと、イギリスから来ようと、私たちは今も依然として「パン」と呼んでいる。言葉の刷り込み現象なのだろうか。

地上のほとんどの民族に、主食となる穀物がある。その穀物は食生活のよりどころであるばかりか、精神文化の支柱でもあることは、私たちの国の米がよく示している。田植えから収穫までの農事暦につれて、行事がある、祭りもある。同じ稲作文化に由来する、元々は中国の発明にかかるものであった私たちの文字に、米偏のつくものが多いのも必然だったのであろう。米を立てると粒。米を分けると粉。弓のあいだに米がはさまると粥。そしてなんと米の変化した状態が糞。まじりけなく純粋なことは精。これは米をついて白くする意味だという。

米偏世界では、麦のツブでも粒、麦のコナでも粉と書く。日本という米偏世界にやってきた異邦人のパンは以上のような経過をたどってきたのだが、今や知らぬ人はいない時代になった。とはいえ、食べ始めてたかだか一〇〇年のパン。それも、すっかり完成したパンづくりの技術を外国から取り入れ、商品としてできあがったパンを食べることから始まったにすぎない。食べ物を創出すること、改良すること、人と分け合って楽しむこと、それによって人類が命を支え合い、共栄すること、これこそ食文化の神髄である。その意味では、わが国のパンの文化は、まだほんの表層に生えた夏草のようなものかもしれない。本来パンとは、樹齢およそ七〇〇〇年とも一万年ともいわれる、人類の苦心のうえに屹立する大木にたとえてもよい。それをここで展望してみることは、今を生きるためにも、また将来の地球全体の食のためにも、意味のあることではないだろうか。

第一章　パンとは何か

1　パンづくりとは何か

パンとは何か

江戸の蘭学者は、パンとは「小麦の粉に醴《あまざけ》を入れ、ねり合はせて蒸焼にしたるものなり」としていたが、世界を広く見渡せるようになった現代は、パンとは一口で言えばどういうものと説明すればよいのだろう。私たちの知っている食パンやフランスパンなどを見れば、パンとは、小麦粉を水でこねて、発酵させ、オーヴンで焼いたものということになる。しかしそれはごく狭い意味でのパンの定義にすぎない。地球上にある多種多様な穀物食を見ると、パンについてもっと広範な解釈が必要になってくる。しかしこれまで、パンとは何か、どんなものをパンというのかを定めた国際的基準はない。そこでまず、本書ではどんなものをパンとするか、その概念を整理しておこう。私は次の要素がパンの条件と考えている。

素材は火を通していない生の穀物つまりコメ、ムギ、アワ、ヒエ、キビ、トウモロコシなどの種子。それを砕いたり、すりつぶしたり、ついたり、挽《ひ》いたりして、ともかく粉にする。これを水でこねて焼いた固形物ならパンである。個条書きするとこうなる。

1　生の穀物を
2　粉にする
3　水でこねる
4　焼く
5　焼きあがると固形物になる

これを基本に、さらに次のようなヴァリエーションを付け加えてもよさそうだ。
1　穀物のほか木の実やソバなど、でんぷんの多い植物ならパンになる。ただしどれも生である。
3　水のほか、家畜の乳や卵、果汁などでもこねられる。
4　焼く以外に、蒸す、揚げる、稀にはゆでるといった方法でもできる。揚げパン、蒸しパンは私たちの身近にあるし、ゆでたパンは東欧にある。しかし前記の方法で加工されたものに限る。
5　そしてできあがりは、丸でも、四角でも、薄くても、厚くてもよいが、ともかくかたまりである。

このようなヴァリエーションを加え始めると、もう究極の境界ははっきりしなくなる。今は、はじめに挙げたパンの基本的概念にそって、パンの要件をひとつずつ順に考えてみることにしよう。

ムギはなぜ粉にしなければならないのか

パンをつくるには、生の穀物をまず粉にしなければならない。コメは粒のまま水で炊けば食べられるのに、パンはなんと手間のかかる食べ物だろうか。粉に挽いても、その先にまだ仕事がひかえている。汗だくでこねたり、のしたり、丸めたり、そして焼きあげて、ようやく口にできるのだ。

ムギの穀粒（種子を一粒含んだ果実）はおおまかに言えば、でんぷんを主成分とする胚乳、胚芽、それらの外側を取り巻くフスマ（外皮）とから成り立ち、さらにこの穀粒を殻（内穎《ないえい》、外穎《がいえい》、苞穎《ほうえい》）が包んでいる。殻は食べられないから、穀粒だけを取り出す。この作業が脱穀である。その穀粒のうち、フスマ（麩。これはムギ専用語なので、さすがに麦偏は繊維質やビタミンなどは豊富だが、硬くて不消化なので、これもこすり取らなければならない。ヒトの食糧として是非必要なのは、でんぷんやたんぱく質に富んだ胚乳（内胚乳）で、粒全体の七〇―七五パーセントを占めている。この胚乳がヒトのエネルギー源となる。ムギにかぎらず、穀物の確保が人類生存の鍵といっても過言でないのは、この胚乳のためなのである。

コメの場合、籾殻を取り除いた粒が玄米。これは薄い皮をかぶっている。この皮はつくと、つまり精米すると、かんたんに剝がれて、内部の胚乳が現れる。剝がれた皮は糠、胚乳が白米だ。コメの皮は薄く、胚乳はとても硬い。そのためコメはついても胚乳は壊れずに、粒のままである。粒のまま食べられれば一番手っ取り早い。だから日常食では、コメをわざわざ粉食する習慣がないのである。

ところがもしコメと反対に、外側の皮がとても硬くて、内側の胚乳がやわらかい穀物だったらどうしよう。まさにその特質をもっているのが、ムギなのである。胚乳を取り出そうと、幾層も重なる、硬い繊維質の皮をこすり取る。そのためについていると、粒全体が粉々になってしまう。フスマをこすり取るには、どうしても粉にする過程を通らなければならないわけである。こうしてフスマも胚乳も砕かれてしまうのだが、フスマの方は硬い繊維質なのできめが粗《あら》く、胚乳の方は細かく砕かれる。これをふるいにかければ、細かい粉の方が下に落ち、フスマがふるいに残るというしくみである。ムギが粉食されるのは、こうした形質構造上の宿命だったのである。

しかし粉ができても、加熱したとしても、そのまま食べればむせてしまう。粉を水で練って、嚙んだり、呑み込んだりできる状態にしなければならない。その練ったものを焼いたのがパンである。このように見てくると、パンとは、生の穀物を粉にして、水で練って、焼いたものだということになる。そしてこれは、硬い皮をかぶった穀粒の中にふくまれる栄養分だけを取り出し、手軽に食用にするための知恵から生まれたということができるだろう。

パンコムギの穂

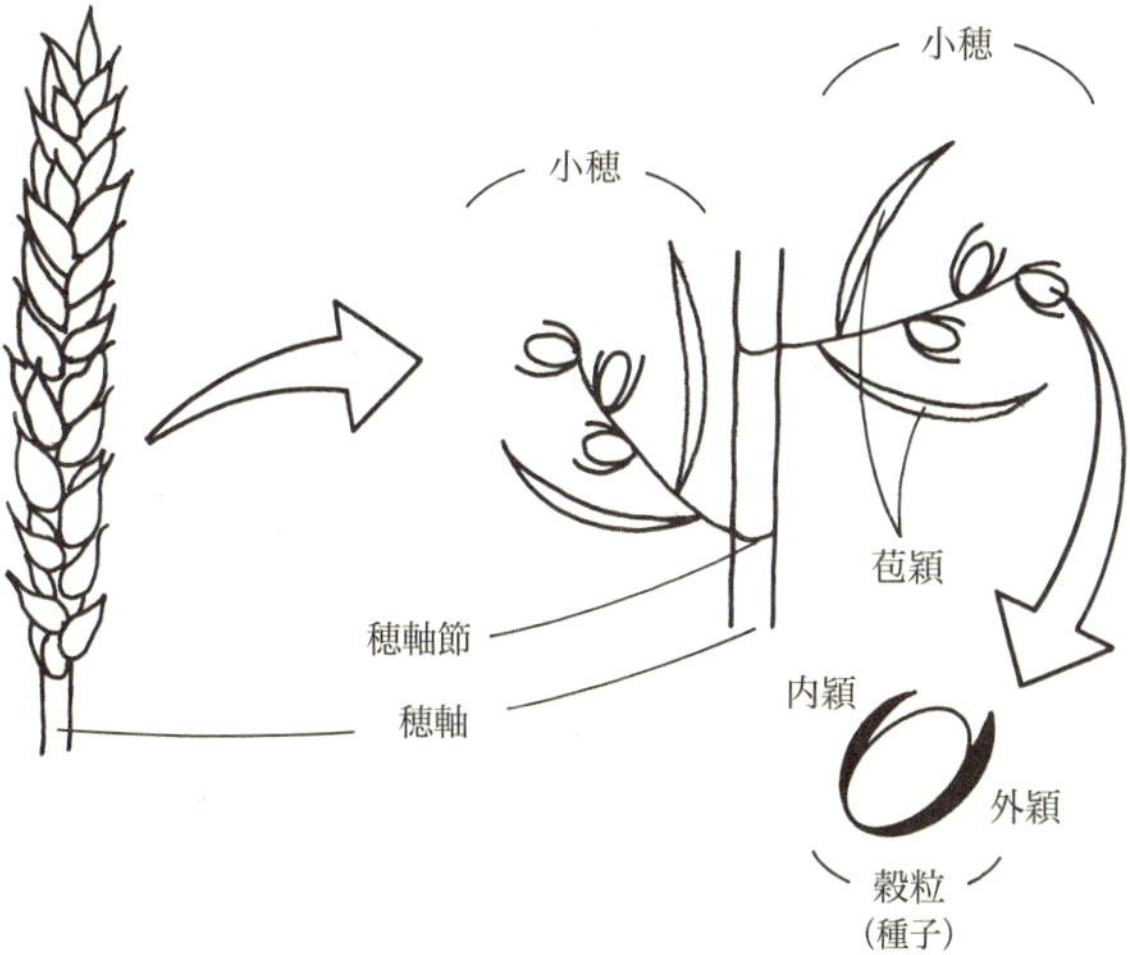

図１　コムギの穂の構造（略図）

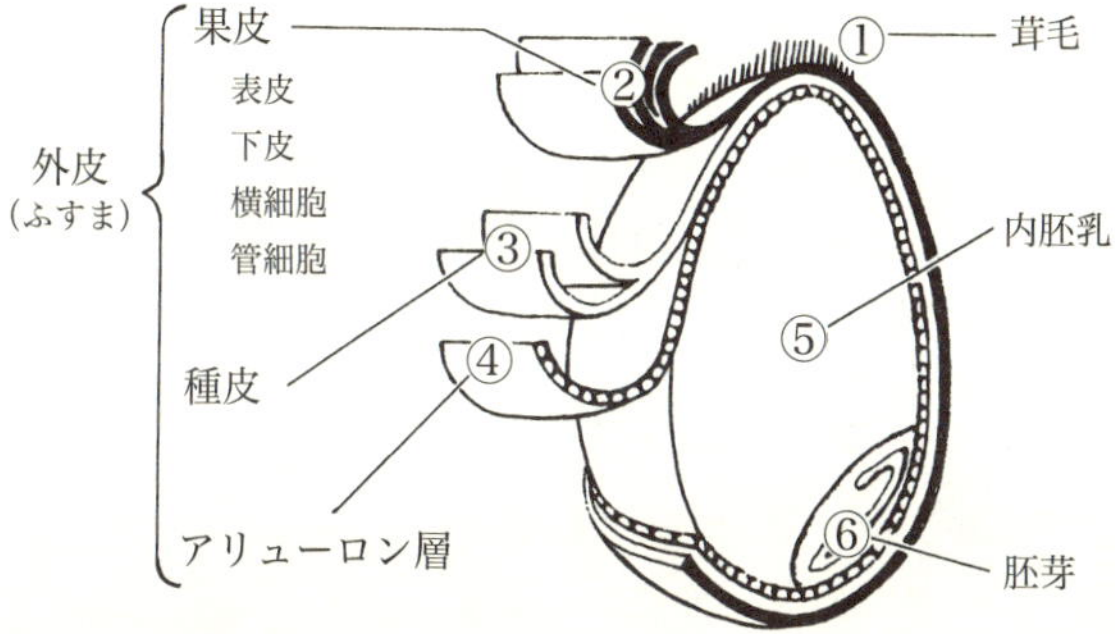

図２　コムギの粒の構造（略図）

挽き臼、またはその上石を質にとってはならない。これは命をつなぐものを質にとることだからである。(「申命記」24・6)

粉挽きの道具

イスラエルの律法に記されるように、ムギは粉に挽かなければ食べられないので、臼はムギ食文化の要なのである。この粉挽きの道具は、どのようにくふうされてきたのだろうか。
聞くところでは、近頃のカラスは、くわえていた木の実をわざと道路に並べて置き、高所で見張っていて、通りがかった車がそれを轢きつぶしてくれると、またさっと舞い降り、それをくわえて飛び去るのだとか。このちゃっかり者たちは粉挽きの原理を心得ていることになりそうだ。しかも汗水たらさず、車という動力をちゃんと利用しているかに見える。

古代人の考えた、木の実や穀物の中身を取り出す方法は、それを平らな自然石の上に置き、別の自然石を手に握って、実を叩きつぶすことであった。次第に自然石を加工し、改良を加えて道具ができあがる。深鉢状の石臼と、棒状の石杵は、まだ土器のなかった旧石器時代の終末期(紀元前一万五〇〇〇—八五〇〇年)からすでにパレスチナで出土があるから[1]、ムギの起源地オリエントですでに粉にしていたことになる。

どんな臼も原理は、下石と上石の組み合わせを基本としている。三輪茂雄氏によると、そ

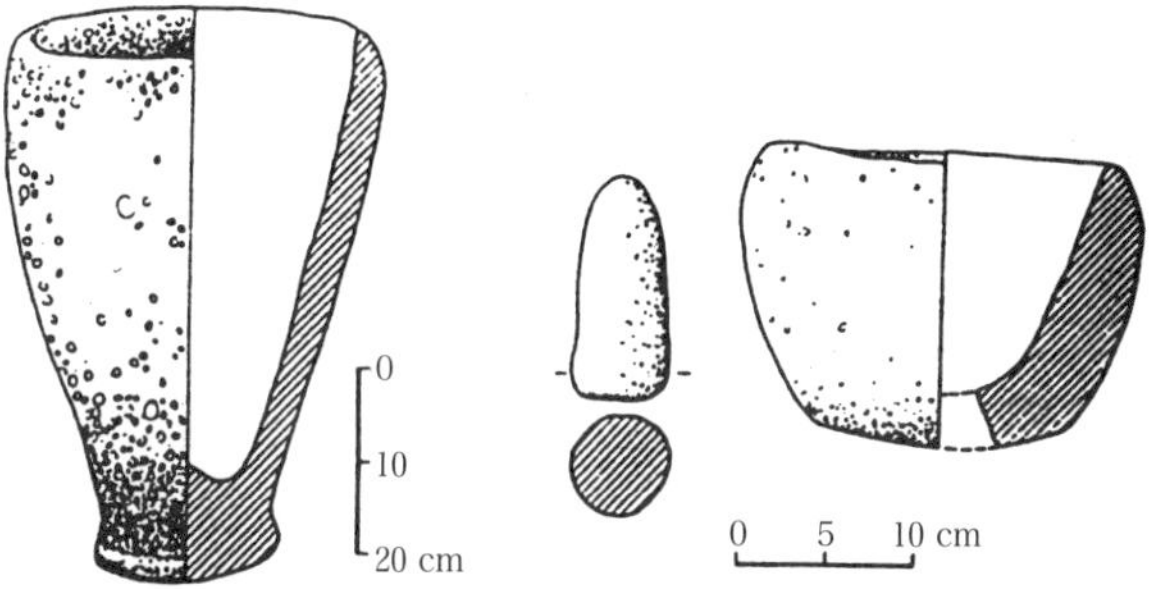

図３　西アジア、旧石器時代の石臼と石杵　旧石器時代の終末期（ナトゥーフ初期）の玄武岩の乳鉢（臼）と杵と石灰岩の鉢。イスラエル

図４　サドルカーン　石皿とすり石の組み合わせ。古代エジプトでは女奴隷の仕事であった。第六王朝

図5　古代ギリシャのつき臼　鉢風の臼と棒状の杵。粉をつくほか、こね鉢など多目的に使われたのだろう。ボイオティア、前5世紀

の発展段階には、上石を上下に動かす叩き石と、上石を前後に動かす磨り石の二通りのタイプがあった。はじめは杵でついていた（上下の運動）。これはコメやアワ、キビなどの皮を擦り取るには適しているが、コムギのような皮の硬いものには、つくよりすりつぶす方が効率よい。そのためサドルカーンに移行した（前後の運動）と考えられている。[2]

こうした新石器時代のサドルカーンを用いて、小麦粉を挽いた実験報告によると、現代とほぼ同程度のきめの細かい小麦粉を作るには、挽かれて下に落ちた粉を集めて、また石皿に載せ、挽きなおす。これを一五回繰り返さなければならないという。五回挽く程度では、粒度（粉のきめの細かさ）の細かい粉は三割にも満たないことが分かっている。[3]

次の段階がロータリーカーンと呼ばれる回転臼である。回転臼というのは、上石を下石の上に載せ、上下貫通させた心棒を中心に、上石を手で回しながら、上下の石の間にあるムギを挽く仕組みである。この上石は手で持ち上げなくてもよいので、大きくすることができる。大きくすると、その重みで粉はよく挽ける。だから量産できるうえに、回しながら上からムギを加えたり、挽いた粉が自動的に落ちてくるという便利さもある。こうして回転臼がその後の製粉技術のもとになったのである。このような回転臼の初期段階のものが、トルコ

東部のウラルトウ（紀元前一二七〇―前七五〇年）の遺跡から出ているという[4]。

便利なモノができると、その先の人類の関心は、どうやってより楽に効率よく臼を回すかという、動力の問題へ移る。人力（奴隷）や、畜力（ロバ、馬）から、水力、風力利用に、さらに電力へと発展するわけである。

水車は、紀元前一世紀にギリシャで記録がある。ストラボンの伝えるところでは、ミトリダテス六世が黒海とカスピ海に挟まれたポントス国、カベイラに築いた王宮に水車があったという[5]。しかしはたしてそれが王の在位中（紀元前一二〇―前六三年）に造営されたのか、その後、ローマのポンペイウス時代（紀元前一〇六―前四八年）になってからなのかははっきりしないが、前者とすれば水力利用の最古の記録になると言われている[6]。

ローマ時代には、水車の遺構はいくつも発見されているが、いぜんとして畜力利用が主であった。水車が経済効果をあげはじめるのはようやく四世紀以降である。

川のない所では、畜力か風力に頼らざるをえないが、風の強い地方にはもちろん風車が適している。しかし風車による粉挽きは、水車よりずっと遅れて始まった。その初めの記述はペルシャのオマル一世の代（六三四―六四四年）である[7]。十字軍によって一二世紀にヨーロッパへ。風車の国オランダでは、製粉用の水車にかんする最古の文書は、一二七四年、伯爵フロリス五世がハールレム市民に定めた製粉機に対する税についてのもので、風車の場合は馬の二倍で六シリングだったという[8]。

こうした粉挽き設備のメカニズムについては、それぞれの専門書にゆずるとする。けれどここで思いを新たに、パンは粉挽きという重労働なしにありえず、粉挽きあっての存在であることを理解しておこう。

手回しの臼は今日でも使われている。水車と風車のはじまりを見たのは、それによって労働が軽減される過程を知るためであったが、ローマ帝国時代、粉挽きが水車に移行する過程は大変緩慢であった。畜力のほか、奴隷の労働力が豊富にあったことが背景にある。古代の上層社会では、粉挽きの労働を担ったのは、女奴隷であった。旧約聖書では、一方、古代エジプトで、神がモーゼにこう語っている。

「真夜中ごろ、私はエジプトの中へ出ていくであろう。エジプトの国のうちの初子《うい ご》は、位に座するパロをはじめ、挽き臼の後ろにいる、はしための初子にいたるまで（後略）」（「出エジプト記」11・4―5）

粉挽きの女奴隷がファラオ（古代エジプトの王）と対比される最下位の身分である。「挽き臼の後ろ」とは、サドルカーンの後方で、膝をついたり、中腰の姿勢で粉を挽いていたことを指している。

ベイキングとは何か

粉の主成分であるでんぷんは、生では不消化。熱を加えアルファ化する必要がある。

粉を水で練る理由は前に記したが、ではそれをなぜ焼いたのだろうか。煮ようとすれば水のもれない容器がいる。まだ土器のない時代でも、たとえば、窪みのある石や、大きな硬い果実の殻や、動物の革などを容器とし、そこへ食べ物と水と熱した石を放り込めば煮ることはできる。しかし焼くことは、容器を使わずに食べ物を加熱できる、もっとも手軽な方法なのである。

ところで、私たちが「焼く」といえば、火のまわりか真上で、じかに熱を加える焼き方を思うけれども、パンの世界では、二とおりの焼き方がある。これを整理しておこう。

一つめは、われわれの身近な焼き方で、いわゆる串焼き、網焼き、石皿焼き、現代では、鉄板焼き、フライパン焼きなど、ともかく直火の上にのせて焼く方法。

二つめは、オーヴンで焼く方法。英語のベイキングだが、日本語にはぴったりする言葉がない。「ベイキング」はパンやケーキなどをオーヴンで焼くことなのである。

私たちの伝統料理は、カマドで焚いた直火の上に鍋釜をかけ、煮炊きするか、蒸すか、網で焼くことで、火はいつも下方にある。

ところが、オーヴン焼きの原理は、熱を下（一方向）から加えるだけでなく、多方向から間接的に加えること。たとえばサツマイモをアルミ箔に密封して、火中に放り込んで焼くような方法もその原理に当てはまる。

直火の上でパンを焼こうとすれば、下面ばかり焦げて、上面は生焼けになる。そこでひっくり返せば、両面焼けるには焼けるが、パンに厚みがあれば、やっぱり中は生焼けになる。

このように、火が下方にあるだけでは、平たい薄いパンしか焼けないのだ。ふっくらとしたパンを焼くには、多方向からの熱、しかも直火でなく間接熱でじっくり加熱しなければならない。オーヴンはこうした使命をもっており、このように焼くことがベイキングなのである。今日オーヴンと呼ばれるものは、世界にさまざまな形態があるが、元はパンを食べる民族が、ふっくらしたパンを食べるために工夫、改良した設備であった。ここではこれを、カマドと区別して、パン窯《がま》と呼ぶことにする。このパン窯の発達過程については後で述べる。

ところで、ふっくらしたパンをつくる方法は、ベイキングばかりとは言えない。容器にたちこめる蒸気の中で蒸してもできる。ところが、西欧には蒸しパンはない[9]。現代の蒸し器はジャガイモ専用で、ジャガイモが普及する以前にはなかったのである。

しかしコメ食圏には、甑《こしき》（釜と蒸籠《せいろう》）で蒸す伝統が古代からあるし、イモ食も蒸すことが一般的である。こうした世界にパンが導入されれば、ベイキングより蒸す方がなじみやすい。中国のマントウ（饅頭）の類の出現となったわけである。

2　ムギ

コーンとは

「コーン」と言えば、コーンスープ、ポップコーン、コーンオイルなどを連想するように、トウモロコシのこと。そして「コーンフラワー」と言えば矢車草だが、ではこれはトウモロコシ畑に生える花かというと、そうではない。ムギ畑に生えるから、その名がついたのである。「コーン」は、アメリカでは確かにトウモロコシのことだが、イングランドではコムギを指す。スコットランドではオートムギ（エンバク、カラスムギ）。さらにドイツでは「コルン」（＝英語のコーン）はライムギ。北欧へ行けばオオムギを意味するのである。このように、「コーン」「コルン」がどの穀物を指すのかは決まっていない。ともかくその地域の主となる穀物を意味するのである。言いかえればこうした国々や地方では、日々のパンとなる穀物を「コーン」と特別に呼ぶと言ってもよいだろう。

ライムギもコムギも、秋に種を播き、冬を越して夏に刈り取る品種と、春に播いて初秋に刈り取るものとがあるが、伝統的には秋に播き、畑で冬を越して春を迎えた。

このようなムギの生態を知っている人びとは、しばしば人の生き方のたとえにムギを引いたものである。現代でも次のようなムギの詩が愛好されていることにもそれは現れている。

冬の夜に

冬の夜に
いくつものパンが育つのです。
小麦が若々しい緑の芽をふくのは

雪の下なのですから。

春になって
お日様が笑顔を見せて初めて
きみは気がつくのです
冬が為した良い行いを。

だから　この世が
侘びしく、空しいものに思われても
だから　この世が
厳しく、辛いものに思われても
静かに、そして
変化に耳を澄ませるのです。

冬の夜に

いくつものパンが育つのですから。

F・W・ヴェーバー（小谷一夫訳）⑩

厳寒に耐えて育つムギが、やがてパンとなることにたとえて、試練に耐えて生きる人に慰めと希望をあたえる詩である。

世界の白パン地帯と黒パン地帯

パンの原料となるものはムギ、トウモロコシ、ソバ、そのほかキビやアワなどの雑穀、というように地域によりさまざまである。このうちパンの素材としてもっとも優れているのは、グルテン質に富むコムギである。ムギにはコムギのほかに、ライムギ、エンバク（オートムギ、カラスムギ）、オオムギの四種がある。この四種、どのムギでもパンをつくることができる。このムギたちはそれぞれ生態にちがいがあるため、栽培に適した地域が異なり、その結果、世界に白パン地帯や黒パン地帯という、素材の異なるパンの地域が発生したのである。この四種のムギの特性を少し紹介しよう。

コムギは経済的生産のためには摂氏一四度以上が必要であるが、秋播き種、春播き種があるので、栽培地に出穂条件の適した方を選ぶことができる。また乾燥に強いもの、湿潤な気候に強いものなど、幅広い適応性があるので⑪、栽培地域は広く、世界最大の穀物生産量を誇っている。小麦粉は色が白いので白パンができる。（「小麦色の肌」というのは、小麦粉の色ではなく、稔ったコムギの穂の色を指している。)

ライムギはコムギに比べ、耐寒性にすぐれ、摂氏零下二五度以下の所でも越冬でき、痩せ地でも容易に生育する。(12) しかし栽培地域は限られている。現在ではロシア、ポーランド、北欧、ドイツ、オーストリア、スイスといった国々である。ライムギパンは色が黒いので、黒パンと言われる。

エンバクは稔った小穂がちょうど燕《つばめ》が羽根を休めている姿に似ていることから、中国で燕《えん》麦《ばく》と名づけられた。カラスムギ属で、別名はオートムギ。パンのほかカユ(オートミール)の原料にもなる。ライムギよりさらに厳しい自然環境下で生育する。北フランス、スコットランド、アイルランド、アルプス山中はもとより、北欧でも北緯六〇―六九度まで、アフリカでは南緯四〇度、(13) 標高は二八〇〇メートルまで栽培できる。コムギやライムギの育たない地域では、パンやカユの好材料である。エンバクパンにはコムギを少量混ぜるが、それでも煎餅のように薄く、色は薄黒いので、黒パンの部類にはいる。現在、ヨーロッパでは廃《すた》れてしまったが、第二次世界大戦後まで、前記地域の主要な食糧であった。エンバクはたんぱく質や脂質に富み、他のムギより栄養価が高いため、今日でも馬の飼料としてよく栽培され、世界の穀物生産高では、コムギ、トウモロコシ、コメ、オオムギに次いで第五位である。

オオムギはコムギに比べ生育期間が短く、耐寒性もあるので、コムギより高地、北方で栽培できるが、現在オオムギはパンにするより、粒のまま煮たり、ビールやその他の醸造原料、飼料に利用されている。しかしメソポタミアでは、灌漑による塩害に強いため、パンの初期段階から、新約聖書の時代まで、オオムギパンはコムギパンより庶民のあいだでは一般的だったようである。しかし、コムギの生産高が安定するにつれて、しだいにパンにより適したコムギにとって代わられた。

このように、ムギはそれぞれ特徴があり、さまざまな異なる栽培条件にも適応できる。そのためにムギは、粉挽きという重労働をするにもかかわらず、広い地域にわたって人の食用とされてきたのである。しかし現在では、パン用にはほとんどコムギとライムギに絞られ、それが白パンと黒パンの地域をつくっているわけである。

ムギの起源と伝播

ムギがどこで起源し、どのように伝播したのかは、遺伝学や考古学の分野からすでにかなり解明されている。ムギの今あるのは、ムギと人間が共生関係のうちに、途方もない歳月を重ねたはてに得た結果であり、その恩恵をうけてパンはつくられてきたのである。その進化の過程をおおまかに見ておくことにしよう。

コムギとオオムギは野生種、栽培種ともに、パレスチナ、シリア、イラク、トルコ、イランなど西南アジアの多くの遺跡から出土している。こうした遺跡群の年代測定から、チグリス、ユーフラテス河流域からパレスチナをふくむ半月状の地域で起源したムギは、紀元前八〇〇〇年頃にはすでにこの一帯で栽培化が始まっていたことが明らかになったという。[14]この地はムギをはじめ、豊かな植物性食料に恵まれていたため、「肥沃な三日月地帯」と呼ばれ、世界最古の農耕文化の発祥地となり、オリエント文明へ至る原動力が蓄えられたのである。

ムギの品種は世界には多くあるが、私たちが現在食べているパンやケーキやうどんなど、コムギ食品の素材となるのは、パンコムギといわれる品種である。そのほかにはマカロニ、スパゲティなどがつくられるマカロニコムギ（デュラムコムギ）や、ごく限られた地域に残る古代の種々のムギがある。

現在パンの素材となっているパンコムギは、どこで、どんな祖先から生まれたのか、その氏素性をただしておこう。

ヒトがまだ狩猟生活をしていた頃には、草原に野生のムギを見つけては、採集して食べていた。阪本寧男氏によると、ヒトの居住地付近は、ヒトが生活したことによってしだいに環境が変わり、そこには、その環境になじむ植物（雑草性植物）が自生するようになる。ムギの祖先種もその例外ではない。今でも実際ムギの祖先型は、ヒトによって攪乱された環境によく適応して群生しているものだという。こうしてヒトの環境になじんだ雑草のムギの中から、ヒトがより有用なものを選び、これを収穫しては、その種をまた耕地に播く。このサイクルの繰り返しが、ムギの栽培化の原動力になったのだろうという(15)。

ムギの野生種は熟すと、各穂軸節《すいじく》のすぐ上か下（品種により異なる）に離層が生じ、小穂をつけたまま折れて、脱落してしまう（図1）。つまりムギの穂はばらばらになって地に散らばってしまうから、そうなる直前に収穫しなければならない。するとムギを一斉に刈り取ることができない。そこで野生種の中から、折れにくいものを選んで栽培を繰り返すと、穂の脱落しない品種が生じる。栽培種はこのように、より収穫しやすいものをヒトが選んできた結果なのである。

他方、自然もムギを交雑させることで、進化に関与してきたといってもよいだろう。その系統立てた経過が明らかになっている。コムギの祖先種は、野生の一粒系コムギというものであった。これは一つの小穂に一粒しか稔らない。これをヒトが栽培化した。野生種の方は、野生クサビコムギと自然交雑し、野生二粒系コムギが生じた。これは小穂に二粒稔る新種であったから、それをヒトがまた栽培する。この二粒系栽培種のひとつ、エンマーコムギの栽培化は、地中海東岸に沿ったレヴァント地方からはじまったと見られている[16]。

エンマーコムギは広汎に普及し、古代エジプトや、さらにギリシャ・ローマ時代の主要な穀物となり、パンの好素材となったのである。しかしこのムギの欠点は一粒系と同じく、穎（殻）が厚くて硬く、穀粒をしっかり捕らえているので、脱穀しにくいことであった。

紀元前一〇〇〇年頃のナイル河やチグリス河畔の遺跡で、穎がやわらかく脱穀しやすい二粒系コムギの品種が見つかっている。マカロニコムギといわれるもので、グルテン質にも富んでいるために急速に分布を拡げ、エンマーにとって代わった。この品種は現代でもマカロニやスパゲティ用のムギとしておなじみである。

二粒系コムギは他方、カスピ海南東部からトランスコーカサスあたりで、野生タルホコムギと交雑して[17]、そこから小穂に三―五粒もの実がつくほど、収穫量の多い、普通系コムギが生まれたと考えられている。その原種はスペルタコムギなど数種あるが、ここから進化したのがパンコムギで、紀元前五五〇〇年頃に出現した[18]。このパンコムギは、稔り多いうえに脱穀しやすい特性をもっているので、以来七五〇〇年にわたって、もっともすぐれたパン用ムギとして、他のムギを凌駕しつつ存続してきたのである。

このようにムギの進化は、野生のムギや雑草が自然交雑して生じた新種の中から、より多く稔り、脱穀しやすく、粒が大きく、自然環境によく適応するものなど、有用な特性をヒトが選択してきた結果であった。ムギの人為的な改良が強力に行なわれるようになったのは二〇世紀、それも一九六〇年代からで、穂軸が折れにくく、収量が多く、粉質もよく、病気に強い品種へと改良されたのである。

コムギ、オオムギは、「肥沃な三日月地帯」で起源し、そこから直接栽培型が生まれたと言われているが、エンバク、ライムギは、もとはコムギ、オオムギの畑に混入していた雑草であった。阪本寧男氏の調査によると、アフガニスタン山岳部にはコムギやオオムギ畑には雑草ライムギや雑草エンバクが自然に混じっていたそうである。こうした雑草コムギや雑草ライムギは、コムギやオオムギと一緒に刈り取られ、また一緒に播かれもする。栽培ライムギの成立は、冬や夏の気候に耐えられる強いムギとして、コムギの代りに雑草の方が選択されたことによるものだという[19]。厳しい生存競争に勝ち抜いた品種だけに、冷涼地、痩せ地にも強いのであろう。エンバクは「肥沃な三日月地帯」の紀元前七〇〇〇年紀の遺跡（アリ・コシュ）で野生種が検出されている[20]。

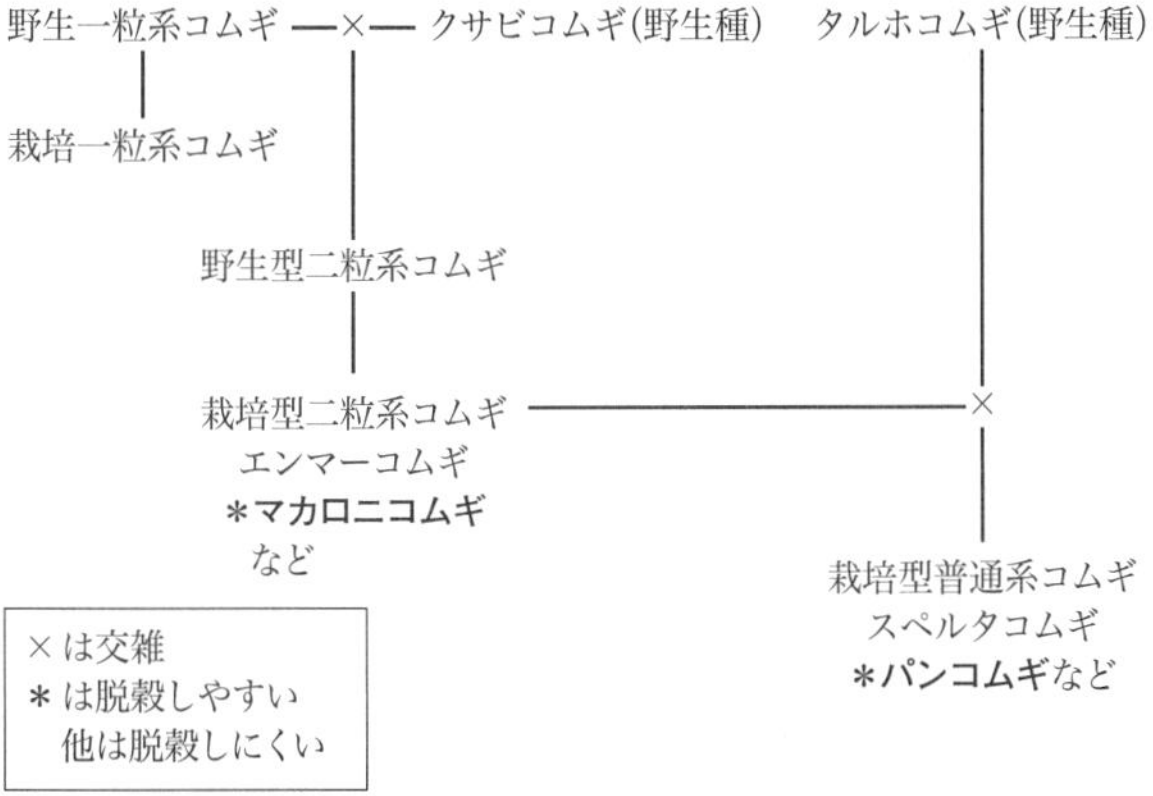

図６　パンコムギの祖先

図７　種々のコムギの穂　左から一粒系コムギ、エンマーコムギ、スペルタコムギ、パンコムギ、ライムギ、エンバク

「肥沃な三日月地帯」で栽培化されたコムギ類はムギ農耕文化とともに世界へと普及していった。その伝播経路は次のようである。

ドナウ河とライン河流域には紀元前五〇〇〇―前四〇〇〇年に、その他のヨーロッパ全域には前三〇〇〇年代に到達した。南ロシアへはかなり初期に、イラン高原を経てアラル海南部地方には紀元前二五〇〇年頃に、メソポタミア沖積平野を経てインダス渓谷にはとても早く紀元前六〇〇〇年という早期に、ナイル河下流には紀元前四五〇〇年頃に到達した。なお、中国には中央アジアを経て紀元前三〇〇〇年に、わが国には朝鮮半島を経て紀元前三〇〇年代に到達したという(21)。

ヒトとムギの歴史は、このように一万年あまりになる。この悠久の時を縫って、私たちの祖先はムギを選び、栽培し、種《しゅ》を保存してきてくれた。ムギはまさしく地球の遺伝資源。人類の大いなる遺産。そしてパンはその果実である。

3　無発酵パンと発酵パン

世界には無発酵パンと発酵パンがある

パンというものは、地域によって決まったものがあり、それは代々伝承されるという特徴がある。パンと土地柄は縁の深い関係である。

現在、世界には、パン生地を発酵させないで焼く地域と、発酵させてから焼く地域とがある。無発酵パンは、例の「肥沃な三日月地帯」と南方のエジプトや東方の中国にいたる国々で食べている。

発酵パンには二とおりある。ひとつはごく薄くて平たいもの。これは無発酵パン地域と混在していたり、隣接する地域にある。もうひとつは、ころんと厚みのあるもの。これは欧米にある。日本のパンは欧米型の厚い発酵パンが主である。(しかし近年は従来の習慣を破って欧米型のパンが、アラブ圏の都市へも進出しつつある。都市の国際化現象の一端であろう。)

その地域ではどのタイプのパンを食べるか、それを決定するのは各地域が備えているいくつかの特性である。たとえばその土地の自然環境から、どのようなパンの素材(たとえばムギの質、グルテンの含有量など)が得られるか。その地域で得られる燃料で、どのようなパンが焼けるか。その地域の人々は定住者か、非定住者か。あるいはその地域はパンの保存にどの程度適した気候であるか。こうした諸条件が、その地域のパンをおのずと決定する。

無発酵パンと豊富なおかず

無発酵パンを食べている地域では、コムギのタンパク含有量が少ないうえに、コムギ以外の穀物などでもパンをつくるので、無発酵パンになる。無発酵パンは気泡をふくんでいないため、厚くすると、石のように堅くなり歯が立たなくなってしまうから、必ず薄く焼く。コムギパンでは、生地を薄くのすには、生地を寝かせておかなければならない。そのため、だいたい前夜にこね、翌朝焼くという習慣である。

無発酵パンは、四種のムギはもとより、その他トウモロコシ、キビ、アワ、モロコシ、シコクビエなどの雑穀（穀物からコメとムギを除いたもの）あるいはソバなどの粉からもできる。また数種混ぜ合わせることもある。このパンはふくらまないので平べったい形をしているため、一般に「平焼き」と言われている。無発酵パンはさらに焼く設備によってa、b、cの三タイプに整理できる。

aは直火のうえに鉄板をのせて焼くもので、フライパンでもできる、もっとも手軽な方法による。トルティーヤ（中南米）、中国の餅《ピン》類、フランスのクレープなどがそれに当たる。こうした現代の無発酵パンの代表例によって、つくりかたを簡単に紹介しよう。

＊トルティーヤ（中南米）

乾燥トウモロコシを石灰水に一晩浸し、サドルカーンで挽き潰す。その粉を水で練ったものをマサ（スペイン語）と言い、これを円形に薄くのす。その方法は、片手から片手へ、マサを叩きつけながらのす。あるいは、台に大きな木の葉（またはビニール）を敷き、その上で生地を回しながら、手のひらで叩いてのす。これを鉄板か素焼きの皿の上で焼きあげ、一瞬直火に当てる。トルティーヤも後出のチャパティ同様、冷めると堅くなるので、熱いのが身上である。食べ方としてよく知られているのは、ありとあらゆるおかずを、これで手巻寿司のように巻いて食べるタコス。その種類は無数と言われる。(22) またトルティーヤを焼くときに、縁を土手のようにつまみ上げ、中におかずを入れて焼きあげることもある。

- 1. 無発酵パン
  - a 平鉄板
    - トルティーヤ
    - クレープ
    - フラット・ブロー
    - ほか
  - b 凹面鉄板
    - チャパティなど
  - c 凸面鉄板（サージ、サチ）
    - フブス
    - ユフカ
    - タンナワー
    - ほか
- 2. 発酵パン
  - a タヌール（タンドール）
    - ナーン
  - b 変形丸天井型
    - アエーシ
    - ピ　タ
  - c かぶせもの
    - ポガチャ
  - d 丸天井型
    - 食パン
    - フランスパン
    - アンパン
    - ライムギパン
    - ほか
  - e その他の設備
    - 蒸しパン
    - 揚げパン
    - ほか

図８　世界のパンの代表例

＊フラット・ブロー（ノルウェー）

ノルウェーの〈平たいパン〉の意味をもつ薄いパン。小麦粉（全粒粉と普通粉の混合）、温めたミルクと水、油脂を混ぜ合わせ、よくこね、一晩寝かす。これを直径七〇センチから一メートル、厚さ一ミリに均等にのす。専用の円形鉄板を熱して粉をふっておく。のした生地を麺棒にゆるく巻き取って、鉄板のうえに拡げ、二分間焼く。

直径一メートルもある大円をしかも薄くきれいに焼きあげるのは熟練の業である。乾燥させておけば一年でも保存できるが、噛むと口の中が切れそうに薄くて、堅い。[23] 祭りや、結婚式、葬式、誕生日などには、さらに薄く、一ミリ以下に仕上げるのだという。[23]

b　これまで平たいプレート状の鉄板などで焼く無発酵パンの代表例を見てきた。次に私たちにはなじみの薄い、しかし大変便利な設備を使うパン焼きを紹介しよう。まず、表面が軽くへこんでいる鉄板で焼く例を挙げる。

＊チャパティ（インド、パキスタン、ネパール、アフガニスタン、イランなど）

コムギの全粒粉（皮つきの粒の成分を、すべてふくんだ粉）に水を加え、よくこね、約一時間寝かせ、これを少しずつ取って、団子状にまるめ、麺棒で円形に薄くのす。これを熱しておいた鉄板（内側が軽くくぼんでいる）で焼く。片面が焼けたら裏返す。焼きあがったものをさらに炭の上にじかに置き、一瞬ぱっとふくらませ、中の水分を一気に蒸発させることもある。[24] コムギのほかオオムギ、トウジンビエ、シコクビエなどを混ぜたり、私の見たものには、大根おろしを混ぜる例もあった。また、円形にのした生地の表面にギー（煮とかしたバター）をぬり、さらに四半分にたたみ、最後に元の形になるようにのすものもある。食べるときは一口大にちぎって、親指、人さし指、中指で円錐形にまるめ、カレーの煮込み料理などをその中にすくって口へ運ぶ。

c　次に、直火のうえにサチまたはサージという凸面の鉄板（大きさは二〇センチから一メートルぐらいまでさまざま）をかぶせ、そのうえで焼く方法。ちょうど、中華鍋を伏せたような格好をしている。サージはエジプト、パレスチナ、シリア、トルコ、イラク、イラン、北パキスタンなど、広域に普及している。とくに遊牧民には必需品である。実例を挙げよう。

＊フブス（シリアほか）

一晩寝かせておいた小麦粉の生地を早朝に焼く。こね台に打ち粉をしてのすこともあるが、伝統的には、両手を広げ、その片手から片手へ、腕を軸にして生地を回しながら叩きつける。左右の手のひらの間を行ったり来たりするうち、遠心力で、生地は外側へどんどん拡がっていく。麵棒も、のし板もいらない。しかもそれよりずっと薄くきれいにのせるのである。これを熱したサージで焼く。（あるいはタヌールという円筒形のパン窯で焼くこともある。）このフブス・サージというパンには、さまざまなものを巻き込んで食べる。川辺に自生するパセリや青菜類を芯に巻いて、弁当にしたりもする。[25]

南イランの村に伝わるものは、直径二五センチ、厚さが一・五―二センチぐらい。小麦粉一キロで三枚つくれる。これを最低毎食一人一枚は食べるという。[26]

図9

図11

図10

図9　古代中国の平焼きパンづくり　4人の女性の作業は、左から脱穀、箕でふるう、ロータリーカーンで粉を挽く、生地をのす。中華鍋を伏せた形の設備で平焼きを焼いている。唐代、女子泥俑群、1972年トゥルファン出土
図10　チャパティ　コムギ全粒粉でつくる無発酵のパンで、インド、ネパール、パキスタン、アフガニスタン、イランあたりの常食のパン
図11　トルティーヤ　トウモロコシの粉でつくる無発酵のパン。メキシコ・シティ

図13

図12

図14

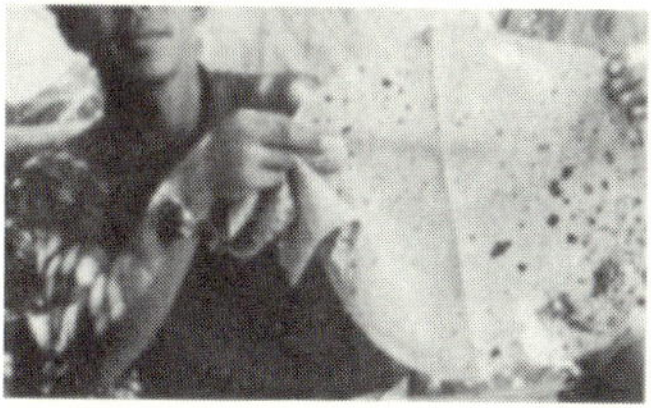

図15

図12　フブス　イラクの家庭で焼く無発酵パン。屋外のパン焼き小屋で。右側に布をかぶせたパン生地、左側地中にタヌールが埋めこまれている

図13　ユフカ　トルコの田舎の家庭でつくられる無発酵パンで、凸面の鉄板で焼く

図14　ナン・サンジャッキ　テヘラン（イラン）のパン屋が焼く、無発酵の石焼きパン。水平の窯で砂利を焼いて広げ、その一ヵ所に生地を固定し、手前へひっぱって薄くのばし、生地を砂利におしつけてくいこませる。その上をバーナーであぶって焼く。ぶら下げたパンには砂利が見える

図15　タンナワー　紙のように薄い無発酵パン。トランスコーカサスから、イラク、シリア、エジプトにかけて分布している

図17

図16

図18

図16　シシャウ　ヒマラヤの奥地、カフィリスタン（パキスタン）の冬至祭で、女を清める儀式のために、男が焼く、聖なるパン。コムギの収穫から、粉挽き、パン焼きまで、全工程を聖別された状態でつくる
図17　フラット・ブロー　ノルウェーのコムギの無発酵パン。専用の電気プレートで焼く。昼食（主餐）時に肉や魚の料理、スープとともに食べるハレの日のパン。薄ければ薄いほどハレにふさわしいとされる
図18　ナーン　コムギの発酵パン。タヌールは、向きあった２人の職人のあいだ、床下に埋まっている。アフガニスタン、ヘラート郊外のパン屋で

図20

図19

図22

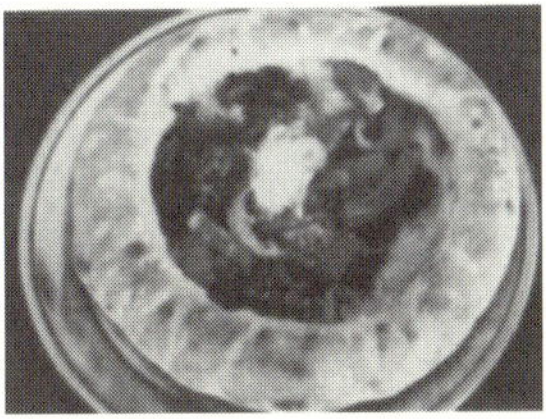

図21

図19　ナーンとケバブ（串焼き肉）　脂のしたたる焼き肉にタマネギや香草をそえて、パンといっしょに食べるナーンはインド、パキスタン、アフガニスタン、イラン、イラク一帯に分布している
図20　トルコのドーナツ形の発酵パン　この形のパンは、エジプトのパン屋でもたくさん見かけた
図21　トルコのピッツァ風の発酵パン　パンを皿がわりに、うえに好みのおかずをのせて焼く
図22　エジプトの発酵パン、アエーシ　直径は小が約12センチ、大が約20センチ。小は1（約3円）、大は2−2.5ピアストルで売られ、この日このパン屋は9000個も焼いたという。カイロ

＊ユフカ（トルコ）

これもフブスとほぼ同じように、サージ（トルコではサチ。直径一メートルほど）で焼く。フブスとちがうのは、二、三人がかりで一週間分まとめて一度に一〇〇枚以上も焼くことである。そして三ヵ月間も保存できる（図83）。冷めるとぱりぱりに堅くなるが、食べる前に水を打って湿らせ、四角に折り畳む。サラダや白チーズなどを包んで食べる。冷たいユフカで、マッシュポテト、みじん切りタマネギ、パセリを混ぜたものを包んで、油で焼いたものはボレックという。中身はその他卵、ホウレンソウ、チーズなどを入れたりもする。(27) 田舎のお母さんが町の娘を訪ねるときは、おみやげにする。家を出るときユフカに水をふりかけ、布巾《ふきん》にくるんでいくと、着く頃にユフカも食べ頃になるという。(28)

＊タンナワー（イラク）

ユフカ、フブスよりさらに薄く、直径は五〇センチ以上もある。クレープをつくるときのような液状の生地を、サージで紙のように薄く焼きあげる。熱いうちに折り畳み、中におかずを包み込んで食べる。

ヒマラヤ奥地、カフィリスタンの住民は、この生地を手で掬い取って、指の間から垂らしながら生地を鉄板に広げるという。(29) 古代の焼き方を示唆する方法である。

一方、ウィーンには、アプフェル・シュトゥルーデル〈リンゴの渦巻き〉と呼ばれる人気の菓子がある。これもタンナワーのように、薄くのばす。新聞紙の上にかぶせても、記事が透けて読めるほど薄くのばせ、と言われる。その上に薄切りのリンゴを散らし、くるくると巻いてオーヴンで焼く。この菓子は東方の無発酵パンの影響を多分に受けたものである。このように、薄い無発酵パンは、春巻や、このリンゴの菓子のように、ヴァリエーションが無数にあり、おかずの一品になったり、菓子に発展したりもする。

薄い発酵パンとタヌール

つづいて平焼きの発酵パンをみよう。

＊ナーン

円筒形またはフラスコ状のパン窯の底で火を焚き、パン窯の内側の壁に張りつけて焼く、薄い発酵パン。おもにイラン、パキスタン、アフガニスタン一帯と、インドの一部のパン屋、レストランで焼いている。

＊アエーシとピタ

エジプトでポピュラーなパンがアエーシ・バラディ〈私たちの命〉、略してアエーシと呼ばれている。「命」と「パン」とが同義なのである。元来はタヌールで焼くものであったが、私がカイロで見たのは、構造は西洋のパン窯風で、その下部で灯油を燃やしながら高温で焼いていた。アエーシは発酵させたものと、無発酵のものとがある。ここでは一応発酵パンに分類しておく。平円形（直径二〇―三〇センチ）の小麦粉の薄い生地を、高温で一気に短時間加熱する。すると風船のように丸くふくらんで、中には空洞ができる。これを二つに切ると、半円状のバッグができる。ここへおかずを詰めて、パンごと食べる。

ピタは近東、バルカン半島一帯で食べている、アエーシと同様のパンで、薄いものと厚みのあるものとがある。日本でも知られるようになった。ピタもアエーシも袋状に開き、中にマメのペーストなどのおかずを入れて食べる。

燃料で決まるパンの厚さ

平焼きの発酵パンと無発酵パンの代表例を見てきたが、いくつか共通点がありそうだ。まず第一に平焼きはもっとも簡単なカマド設備で焼ける。第二におかずと一体にして食べる。第三に菓子への発展性がある。この三点についてここでひとまずまとめておこう。

湾岸戦争の最中、イラクの国境からトルコ方面へと山岳地帯を徒歩で越える、クルド難民の姿がテレビに映し出されていた。その人びとの背にはときおり、大きな荷物の上に、あのサージと呼ばれる中華鍋のような鉄板がくくりつけられていた。逃避行中、腰を下ろしてこれでパンを焼く人びともいた。これがあれば、どこでもパンが焼けるのだ。

このパン焼き鉄板はなぜ凸面なのだろう。二、三個の石を置き、その上にサージをかぶせ、下で火を焚く。凸面の内側で火を焚けば、熱が均一に伝わり、しかも熱が外へ逃げにくいので燃料の無駄がない。つまりこれは少ない燃料で効率良くパンを焼く知恵から生まれた鉄板で、同時にポータブルカマドでもある。チャパティを焼くには、カマドと鉄板がいる。サージならば、鉄板とカマドを一緒に背負っているようなもので、しかも道中拾い集める少ない燃料でも、パンは焼ける。そのうえ煮物をするときは、サージを逆さにすれば鍋にもなる。サージは、無駄なものを持たず、移動しながら遊牧生活を送る人びとに最適の道具なのである。

平焼きを食べる地域は、概して燃料が乏しい。薪のたっぷりあるヨーロッパの森林地帯では、太い薪をどんどんくべてパンを焼くが、森のない地方ではそうはいかない。しかし許された環境から何か燃料を獲得しなければパンは焼けない。このためパンの諸条件は、この燃料で決まってしまうと言ってもよいほどなのである。環境から得られる燃料によって、まずパン焼き設備が決まる。そしてその設備によってパンの形、厚さなどがおのずと決まってきたわけである。パンの厚さはそのほか、その土地で生育できるムギの品質にも左右される。コムギタンパクの含有量の少ないムギでは、当然ふくらんだパンはできないのである。

おかずと一体で食べる平焼き

西欧の発酵パンは、内部に無数の気泡をふくみ、厚みがあるので、おかずと一緒にするには、切れ目を入れるかスライスしてから、おかずをはさんだり、のせたりすることになる。おかずに水分があると、やわらかくふくらんだパンの中身に吸収されて、パンはまずくなる。ふっくら発酵したことがあだになるのだ。サンドイッチやオープンサンドに水分の多いものが不適なのはそのためである。ところが平焼きのばあいは、スライスしなくてもすでに薄い。しかも表面は焼いているあいだに水分が奪われ、目のつんだ皮が形成されるので、多少の水分は、短時間には影響を受けない。そのため平焼きは煮込んだおかずでも巻き込んだり、はさんだり、のせたり、あるいは焼くまえにおかずをのせておいたり、パンでおかずを包んでからさらに油焼きしたりできる。ピッツァを見ればパンとおかずは見るからに一体である。こうしたパンとおかずの豊富な組み合わせは、パン用の穀物や、野菜、乳製品に恵まれた環境があってこそ生まれるものである。

平焼きの世界にはスプーンもフォークもない。パンを使って食べものをつかんだり、掬い取ったりする。パンがスプーンやフォークの役目をしているわけである。そのうえ、皿もいらない。おかずをのせた平焼きは、食べられる皿である。皿の縁《ふち》を土手のように高くすれば、多少汁気のものも入れられる。するとこのパンは、食べられる器。このように平焼きパンは食べものと食事道具を兼ねる、しかもゴミも汚水も出さない生活ができる大変便利なものなのである。

平焼きのヴァリエーション

中国の春巻。この薄く焼いた「皮」も平焼きの部類にはいる。トルコのボレックも同様で、ユフカにおかずを包んで揚げる。クレープと言えばお菓子と思いがちだが、これも元は平焼きのパンである。フブスやユフカのように、クレープもやはり四つに折り畳んで、ジャムや果物を入れたりする。コムギの穫れないノルマンディ地方（フランス）の農民は、ソバ粉で焼く習慣であったが、ブルゴーニュでは、これが牛乳や卵入りの復活祭の菓子に昇格している。このように、平焼きは組み合わせしだいで、パンの域を越えて食事の一品や、祭りの菓子にもなり得るのである。

無発酵パンはその原初の姿をとどめている。そのため厚い発酵パンを食べる地域でも、祭りや儀式など、いわゆるハレの日には無発酵パンに先祖返りすることがしばしばある。ノルウェーのフラット・ブローも一例だし、卵や牛乳を入れた、ワッフルやパンケーキなどのような祭りの菓子となった例もある。中世には、このパンケーキが、「卵の菓子」とか、「フラーデン」〈平焼き〉と呼ばれていた。

一方、厚い発酵パンの地域では、パンとおかずは別々に食べるのが伝統であった。と言っても中世のアルプス以北の食生活では、おかずと言えるようなものはほとんどなかった。社会の上層でさえ、マメのスープと焼いた肉が中心だった。そのような社会では、パンをおかずと組み合わせることでおいしく食べようとすることよりも、パンそのものをおいしくすることの方へ意を用いた感がある。この人びとの目指したことは、最初からパンをよりふっくらと発酵させることであった。だから西洋では、ぺちゃんこなパンを、いかにふくらませ、香りよいものにするかということを究極とした、直線的なパン発達史ができあがった。この視点に立つと、平焼きは原始的なもの、ふくらんだパンがより発達したものと捉えがちである。「どこそこでは、いまだに未発達な平たいパンを食べている」などという表現に出くわす。しかし無発酵は未発達ではないし、ぺちゃんこは技術の未熟を指すものではない。ちゃんと訳あって平焼きなのであって、この世界には西洋的「発達」の必要はなかったのである。第二章からはその発酵パンを中心に話を進めよう。

第二章　パンの発酵

1　パンはなぜふくらむのか

パン生地を発酵させないで焼いた場合と、発酵させてから焼いた場合の、パンの焼きあがりの大きなちがいは、パンがぺちゃんこか、ふくらんでいるかということである。よく発酵させたパンは、無数の細かい気泡をふくんでいる。これがふんわりとした感触を与えているわけである。舌触りがよくなるばかりか、発酵させ、こんがり焼けた焼きたてのパンには、メイラード反応によるよい香りもある。パン生地をわざわざ発酵させるのは、まさにこの二つの魅力にあると言ってもよいだろう。ではこの魅力はどのような仕組みから生じるのだろうか。

パンがふくらむためには次の条件がいる。まずそのパン生地を発酵させること。さらにパン生地に多少なりとも小麦粉が混じっていること。（ライムギの場合はそれだけでも多少はふくらむが。）しかも小麦粉の混じる割合が高いほど、パンはよくふくらみ厚くなる。ではなぜ、小麦粉の発酵パンはよくふくらむのだろうか。

小麦粉の中にはグリアジン、グルテニンなどを主成分とするタンパク質がふくまれている。グリアジンには粘展性、グルテニンには弾力性がある。この二つの性質を備えているコムギタンパクは、水を吸わせ、強くこねると、弾力を帯びてガムのようになる。このタンパク質の混合物がグルテンと呼ばれるものである。

グルテンをガスでふくらませれば、風船のように粘展する。だからもしパン生地に、自然界に存在する酵母菌（イースト菌）が働くと、その生地は発酵する。すると生地中の酵母菌によって生じた炭酸ガスが、グルテンをゴム風船のようにふくらましはじめる。これがパンのふくらむ原理である。

グルテンはコムギにしかふくまれていない。さらにコムギの中でも、グルテン成分の多い品種ほどよくふくらむので、パンに適している。これが強力粉。コムギ以外の穀物には、グルテンがふくまれていないので、生地は発酵するがふくらまない。ただ、ライムギはグリアジンだけはもっている。粘展性はあるので、多少はふくらんだパンができるわけである。そのためライムギはコムギについで発酵パンに適している。しかしライムギだけのパンは弾力がないので、ふんわりというわけには行かない。手に持てば重く、噛めば顎の力がいる。まして

やオオムギ、エンバク、その他の穀物だけでパンをつくれば、どうしてもぺちゃんこで、堅くしまったパンになってしまうのである。

2　パン種

発酵の仕組み

パン種と俗に言うものは、パンを発酵させるために生地に入れる発酵の元である。現在市販の「生イースト」とか「ドライイースト」と呼ばれる製品は、自然界に存在するイースト菌（酵母、酵母菌）を人工培養し、使いやすく加工したものである。これもパン種のひとつと言える。

パンの発酵は酵母菌のはたらきによって起きる。その発酵の仕組みを簡単に説明しよう。

粉の中にはでんぷんのほかに麦芽糖などさまざまな糖がふくまれている。酵母菌がパン生地に入ると、酵母菌は生地中の麦芽糖を取り込み、炭酸ガスとアルコールとに分解しながら、増殖していく。一方、生地の中では、その炭酸ガスがグルテンをふくらませ、無数の気泡をつくる。この状態が発酵である。つまりわれわれが、生地の中で酵母菌を飼うと、菌は糖という餌を食べながら育つ。そのときに菌が出す排出物を利用して、われわれはパンをふくらませている、というわけである。

イーストという語はギリシャ語の〈沸騰する〉にちなんでいる。そしてパンはゲルマン語では、ブレッド（英）、ブロート（独、オランダ）、ブロー（北欧一帯）。原意は〈ぶくぶく泡立つ〉。どちらの言葉も発酵の様子を表したものである。

酵母菌をパン生地に入れれば、パンはふくらむことが分かった。では、酵母菌は何ものでどこにいるのか。野生の酵母菌は何百種もあり、カビの親類でもある。住み処《か》は至るところ、もちろん日本にもいる。とくにリンゴ、ブドウなどの果物やジャガイモなどに高密度で存在している。そして増殖に快適な温度は、摂氏二八―三二度で、三八度以上になると弱り、六〇度で死んでしまうという特性がある。

すっぱくなるパン種

パン種には古代からさまざまなものがあったが、なかでもよく知られているのが、発酵させたパン生地を一部、焼かずに残しておくもの。そのため残し種とも老麺とも言われる。現代でもライムギのパンやフランスパンなどの一部には使われており、酸味のあることからサワー種とも言う。

一度発酵した生地には、イースト菌が高密度で住んでいるのだから、次のパン生地づくりには、それをもとにすれば、発酵を一から始めるよりずっと確実で早い。こうした発想から種を残すことが始まったのだろう。けれどそのパン種はすっぱくなる。なぜすっぱくなるのか、そのストーリーはおよそ次のようなあらすじになる。

パン生地の一部をパン種用に、焼かずにそのままにしておくと、生地の中のイースト菌は、さらに繁殖しつづける。が、だんだん食べものが足りなくなってくる。生地の中には他の菌たちも割拠しており、これも増殖する。すると生地の中で、イースト菌、乳酸菌、ほかの酸類をはじめ、その他種々雑多な腐敗を起こす菌が生き残り競争を始め、パン種は戦国時代にはいる。勝ったかに見えるのは腐敗をうながす菌である。パン種は悪臭を放ち、なめようものならすさまじい吐き気をもよおすのだから。ここでイースト菌に支援の食べ物を送らなければならない。それには粉を足してやればよい。するとイースト菌はまた勢いを盛り返し、再び炭酸ガスとアルコールを出し始める。腐敗させる菌はこの炭酸ガスとアルコールにあって弱っていく。けれど乳酸菌はびくともしない。これはどんどん酸を出すので、ついに悪玉菌はこの酸にやられてしまい、乳酸菌とイースト菌が生き残る。こうして戦場は、甘酸っぱい乳酸とアルコールの香気漂う、平和な時代となるのである。このイースト菌こそ、じっと時に耐え天下をとった、百戦錬磨のイエヤス菌。しかしそれも、乳酸菌の協力なしにはかなわぬことなのである。残しておいたパン種がすっぱくなるのは、こうしたわけである。

アルプスの村のサワー種

このサワー種（すっぱいパン種）を元にしてパンを発酵させることは、古代から広く行なわれていたが、現在でも、ライムギパンづくりに使われている。サワー種の乳酸には、ライムギ粉の粘展力をよくする作用があるため、生地中の炭酸ガスをしっかり閉じこめ、生地をふくらますことができるからである[1]。実際のサワー種には二通りある。

一つは乾燥型。アルプスの農家で「サワー種はどこだ？」と訊くと、たいていの人は台所の棚の上を指さす。握りこぶしひとつ分の残し種に、予め「支援」用の粉をまぶして皿に載せ、無造作に放置してある。ちょうどお供え餅のようにひび割れているが、真ん中に十字の印がぼんやり見える。このサワー種は、イースト菌の戦いがすんだ頃には乾燥してしまう。乾燥すると菌は増殖を停止するので、次回まで保存できる。(現在では、冷凍保存する家も多くなった。)そしてパン焼きの前日、こね桶に粉を入れたら、その真ん中を凹ませ、そこへサワー種を置き、ぬるま湯をかけて、粉を少しまぶす。こうして一晩ふやかしながら、発酵をよみがえらせ、翌朝、生イーストも加えて、粉全体をこね合わせるのである。生イーストがなかった時代は、サワー種は生地全体量の三分の一ほど必要であったという。

もう一つは液状型。年に数回しかパン焼きをしない地方では、前回分の生地を残さず、パン焼きのたびに数日かけて、サワー種を一からつくり、それをもとにパン生地を発酵させる。このパン種はすぐ使うので乾燥させず、液状に仕上げる。チロルの山奥の農家で、そのサワー種を見た(一九八九年三月)。伝統的なパンづくりの方法を知るうえで貴重なので、そのメモを記しておく。

【第一日、午前一〇時】

ライムギ粉をスープ皿で三杯(約三キログラム)、木製のこね桶に入れ、バケツ一杯(約一〇リットル)の水を注ぎ、塩ひとつかみ入れ、泡立て器でかきまわし、桶のふたをする。室内を温める。

【第二日、午後五時】

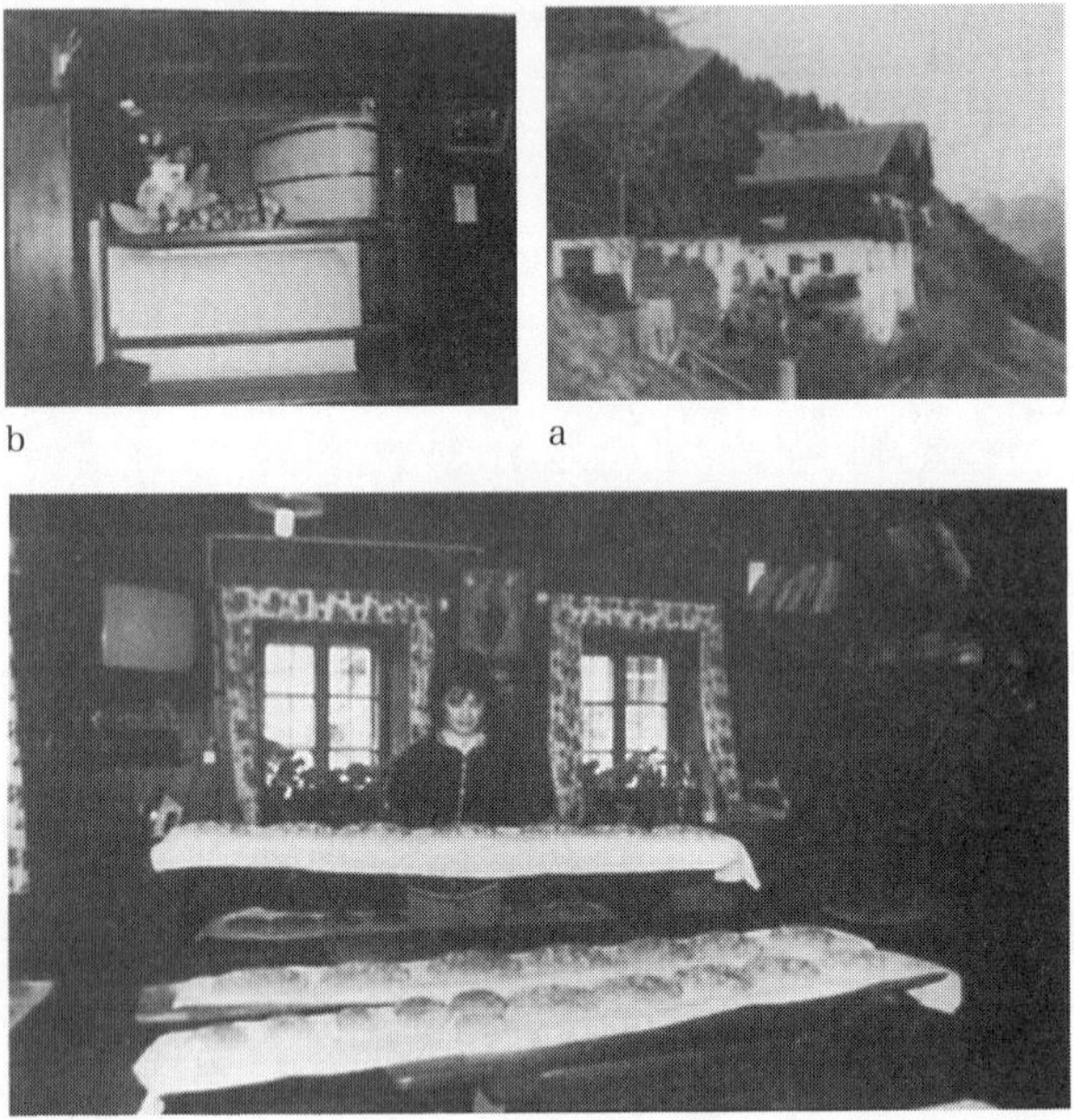

図23　アルプスの村のサワー種づくり　aイルマが家族と住む家　bこね桶を横型ストーヴの上にのせて種を暖める　cその種でつくる、ライムギだけの薄い発酵パン　イタリア、チロル、サン・カンディド

こね桶は、畳一枚分もある耐火レンガと粘土製の横型居間ストーヴの上にのせてあり、ぷつぷつ泡だっている。ここへまたライムギ粉を四キログラム、バケツ一杯の水を加え、かきまわし、表面をならし、手で十字の印を描き、ふたをする。

【第三日、午前九時】

生地には細かい気泡が一面にできている。サワー種完了。ふくらんだ生地が沈みかけたところである。このタイミングを捉えて、パン生地用の粉を全部加えてこねると、発酵パンの生地ができあがる。

本職のサワー種

アルプスの農家では三日間でサワー種をつくったが、現在ドイツの本職がやっている方法はもっと徹底している。それだけにすばらしい芳香のパンができあがるので、これもごく簡単に紹介しておこう。[2]

【第一日】　ライムギ粉一〇〇グラムと水六〇グラムを三、四分こねる。ボールに入れ、ライムギ粉一〇〇グラムを上にまぶし、摂氏三〇度で二四時間おく。

【第二日】　前日の生地全量に水一〇〇グラムを加え、三、四分こねる。表面を覆い、二五度で八時間。次にここへライムギ粉九〇グラム、水二〇グラムを加え、またこねて二二度で一六時間おく。

【第三日】 二日目の生地を七五グラムだけ残して他は捨てる。さらにライムギ粉五〇グラム、水五〇グラムを加え、こね、二五度で八時間おく。次にその生地一五〇グラムだけを残し、他は捨てる。ここに、ライムギ粉八〇グラム、水四〇グラム加え、こね、二二度で一六時間おく。
【第四日】 前日の生地を一五〇グラムだけ残し、ライムギ粉八〇グラム、水四〇グラム加え、こね、二二度で二四時間。
【第五日】 前日と同様。必要なら、第六日も同様に繰り返す。
こうしてできあがったものを「おこし種」と言う。この「おこし種」二五グラムと、ライムギ粉二五〇グラム、水二〇〇グラムを、三、四分こねて、二二―二五度で一六時間寝かすと、ようやくサワー種ができあがる。パンには、このサワー種と粉をおよそ半々の割合いで使う(3)。

アルプスの農家では三日をかけ、支援に粉を入れたのは途中一度だけであったが、本職はイースト菌に、なんとまめまめしく支援物資を送りつづけることか。とくに三、四日目には、腐敗臭を放ち、食べるのは危険な状態になるので、日に二度も粉を加えてイースト菌を激励する。その一方、不純物をふくんだ古い生地を減らし、温度を調整し、戦場の環境整備をする。このように手間暇かけると、サワー種はより純度の高いものとなり、乳酸類の放つ芳香がいっそうよくなるのである。

古代のパン種

古代人はサワー種を使うほかに、パンを発酵させる術をいくつか知っていた。いずれにしてもよく発酵する元を経験的に見つけたのである。『博物誌』を著した、古代ローマのプリニウス（一世紀）は、パン種にブドウが利用されていたことを伝えている。コムギの、細かい最上のフスマを、三日間発酵させた白ブドウの絞り汁でこね、天日で乾かしたもの。あるいはキビをブドウの絞り汁でこねて、同様にしたものがあったという。(4) 古代のドライイーストである。ブドウの果皮には酵母が一グラム中に約一〇万個もいる。その酵母のつくる酵素が、ブドウの糖を分解して発酵させることは、ぶどう酒づくりで経験ずみである。発酵の始まりから二四時間たつと、酵母は四〇〇倍に、四八時間で二〇〇〇倍に増える。(5) この知識をパン種にも応用したのである。フスマを利用するのもまた理にかなっている。ムギのアリューロン層（製粉するとフスマの一部になる部分）に、でんぷんを糖に分解する酵素が多くふくまれているので、パン生地に入れると、麦芽糖を生成し、発酵を促進させるのである。(6)

その他ガリア（フランス）、ヒスパニア（フランス、スペイン）では、エンマーコムギの酒を製造するさいにできる泡をパン種にしたそうだ。そのパンは他のものよりやわらかかったというから、(7) ふっくらと発酵していたのだろう。そしてもちろんサワー種もプリニウスは見逃してはいない。こう伝えている。

コムギ粉を塩を加える前に捏ねて、粥状になるまで煮つめ、酸っぱくなるまで放置する。だが実際、一般には熱を加えずに、前日から保存しておいた材料が使われる。酸味がパンを発酵させることは全く当然のことである[8]。

そのほか「肥沃な三日月地帯」やエジプトでは、ナツメヤシがムギと並ぶ主産物で、これは実に多種多様な食べ方ができる、ブドウと並ぶ、用途の多い植物であるが、今でも北アフリカではこのナツメヤシの実をパン生地に入れて自然発酵させるそうだ。それを一日寝かせて焼くという[9]。これなどもおそらく古代から伝わったパン種製法だろう。ブドウやナツメヤシなど、土地の果実を利用して、酒をつくるとともに、パンをふくらますことも知ったと考えられる。

古代エジプト人はサワー種でエンマーコムギのパンをつくっていたらしい。「キュラスティス」という名の「すっぱいパン」があり、このパンはギリシャにまで知られていたことを、アテナイオス（二世紀）が記している[10]。また、このパンはオリュラという穀物（エンマーコムギ[11]）でつくったもので、エジプト人の常食パンであったと、ヘロドトス（紀元前五世紀）も伝えている[12]。

もうひとつ過去に愛用されたのはホップ入りのパン種。これは小麦粉と麦芽汁にホップを加えて発酵させたもの。ホップは桑科の植物で、その雌花の成分に抗菌効果がある。そこでこの花を煮沸して得た抽出液をパン種に入れれば、イースト菌が腐敗をうながす菌と悪戦苦闘しなくてもすむのである。このパン種はビールの製造工程からヒントを得て、一五世紀頃からドイツでつくられてきた[13]。

ところで例の蘭学者は、パンとは「小麦の粉に醴《あまざけ》を入れ」と薀蓄《うんちく》を示していたが、本当は醴だと発酵力が弱い。江戸時代はともかく、現代日本の酒種で発酵させるパンには、パン麴か酒麴が使われている。

培養イースト

これまで見てきたパン種は、いずれも自然の成り行きまかせで発酵させるものであった。しかしパン製造が近代化されるにしたがい、合理的かつ確実なパンの大量生産が課題となった。一九世紀中頃、自然界に存在するイースト菌を人工的に培養したものが現れた。これは純粋な酵母菌培養生地（どろどろした液状）を圧搾した固形物で、現在の「生イースト」の原形。圧搾酵母と言われている。しかし工業製品として良質の培養酵母を大量生産できるようになったのは第一次世界大戦以降である。

製品化された「生イースト」は、サッカロミセス・セレヴィシエ・ハンゼンという醸造用酵母を培養したもので、サワー種に比べ発酵が確実、短時間、簡便で、しかもすっぱくないなど、多大な長所があるので、めざましい速度で普及した。たとえばアルプスの山奥のような保守的な地域でも、その時期に遅れることなく人びとは臆せず使いはじめている。現在、パンの発酵にはこの「生イースト」が圧倒的に多用されている。が、独特の風味のあるサワー種の捨てがたい良さは、とくにライムギパンでは、今もって認められているのである。

3 「たねなしパンの祭り」

これまで発酵のメカニズムを主に、パン種談をしてきたが、ここらで、こうしたパンの発酵という現象が、どのような文化を芽生えさせてきたか、という問題に視点を向けよう。

実は「たねなしパンの祭り」というものが、ユダヤ人の間に古代から現代までつづいている。日常は発酵パンを食べているユダヤ人も、この祭りの七日間は発酵させていないパンを食べなければならない。「マッツォート」（単数はマッツァー）と呼ばれる二〇センチ四方の平焼きである。その起こりは旧約聖書の「出エジプト記」に記されている。史実では紀元前一二八〇年、イスラエルの民がモーゼに率いられてエジプトを脱出するときのことである。それは夜明け前だったので、その日のパン生地はまだできていない。そこで弁当用に大急ぎで粉と水だけでこねた生地をつくった。パン種を入れて発酵させる暇がないのだから、もちろん焼いている暇もない。その生地をこね鉢に入れたまま衣にくるみ、肩に背負い、身一つで逃走したのである（「出エジプト記」12・31―34）。この祭りをするのは、このように急なエジプト脱出を、いつも記憶しておくためだと説明されている（「申命記」16・3）。しかしそれにしても、この祭りにかんしては厳しいことが要求されているのだ。

祭りの最初の日に家から酵母（パン種）を取り除く。（中略）正月の一四日の夕方からその月の二一日の夕方まで、酵母を入れないパンを食べる。七日のあいだ家の中に酵母があってはならない。酵母の入ったものを食べる者は、寄留者であれ、その土地に生まれた者であれ、すべて、イスラエルの共同体から断たれる。（「出エジプト記」12・15—19）

もしこれを守らなかったら死罪というのだから、深刻きわまりない。また、ユダヤ人の間には、聖書とは別に、生活規範を示した律法もある。代々口伝えで継承され、紀元二〇〇年頃に成文化された、「ミシュナ」と言われる文書だが、ここではこの祭りの決まり事はさらに具体的である。初日の決まりを読んでみよう。文中の「ハメツ」は発酵パンを意味する。

一四日の夜、ともしびの光でハメツを探さなければならない。（中略）ではなぜ酒蔵の二列を（探さなければならない）といわれるのか。ハメツがその中に持ち込まれかねない場所だからである。シャンマイ派はいう。酒蔵全体の正面二列を（探さなければならない）。だが、ヒレル派はいう。上面の外側二列を、と。(14)

いったい何が問題なのだ、と首を傾《かし》げたくなるかもしれないが、要するに普段パンを食べているとき、よくワインが欲しくなり、パンを噛りながら酒蔵へ行くものだ。そのとき酒蔵に、噛りかけのパンを置き忘れて来たかもしれない。だからそこを探せ。酒蔵でも、とくに置き忘れやすいのは、正面二列だ、いや上面外側二列だと、宗派の見解は異なると言うのである。この調子で規定事項は止めどなくつづく。少しかい摘んでみる。

祭りにさいして、発酵パンを見つけたら焼却すること（1・4）。イスラエル以外の人のハメツを担保に取り、金を貸して利を得てはならない（2・2）。ふくらませたパンだけでなく、コムギ、オオムギ、スペルタコムギ、エンバク、ライムギを水でこねたものも、放っておけば発酵するので、対象になる（3・1）。鶏の餌のフスマも水に浸けてはならない。ハメツになるから（2・7）。パン屋の用いた水は流し捨てなければならない（2・8）。こねた生地が（自然に）ふくらみはじめたら、冷水でしめらせなければならない。ふくらみはじめている生地とは、割れ目がイナゴのひげのようなものをいう。完全にふくらんだものとは、割れ目がこちらからあちらまでつながっているようなものである（3・4、5）。

と、どんどんエスカレートしていく。これがユダヤ人の律法というものだ、と言ってしまえば身もふたもないが、それにしても徹底して発酵パンが排除される祭りなのだ。今日のユダヤ教で行なわれるこの祭りは、子どものための愉快なゲームになっていて、楽しみに行なわれるらしい[15]。

この祭りは、カナン人（フェニキア人）の農耕文化を受け継いだものと言われている。そのため古代イスラエルには、オオムギ、コムギ、ブドウの収穫にさいして、それぞれ祭りがあった。その年一番早い収穫はオオムギで、その収穫祭が「たねなしパンの祭り」であった（後に「過ぎ越しの祭り」と一緒になる）。当時はまだオオムギでもパンをつくっていた時代である。その初穂の束をまずヤハウェの神に供えると、神は民にその年の生存を保証した。それが後に、エジプト脱出のできごとに結びついて、先のように再解釈されることになったのである。[16]

ではなぜ、その年最初の収穫祭のパンは、発酵させてはならなかったのだろうか。背けば死罪というからには、相応の理由があったはずである。これについてはこの章の「5　発酵と不浄」の節でまとめることにする。

4　「最後の晩餐」のパン

「最後の晩餐」のモチーフは、ダ・ヴィンチの壁画があまりにも有名だが、ヨーロッパの美術館には、古今の画家による「最後の晩餐」の絵がたくさん収蔵されている。面白いことに、実に思い思いのパンが、その晩餐の食卓に並んでいる。当の画家が日常口にしていたであろうパンが無造作に描かれていたりする。

ところで、序章で記した「最後の晩餐」のイエスの言葉は、「私と一緒におなじ鉢にパンを浸している者がそれである」というものであった。では、このパンはどういうものだったのだろうか。

「最後の晩餐」の行なわれた日がいつであったか。これについては、福音書家によって異なるのだが、「たねなしパンの祭り」当夜か、その前日かのどちらかであった。[17] 祭りの当夜なら、そのパンは無発酵パン。その前日なら発酵パンの可能性もあるので、パンについてははっきりしない。しいて言えばそのパンは、この地域のタヌールという当時のパン焼き設備からすれば、仮に発酵パンとしても薄いものだったことは確かである（第三章の「古代人のパン焼きのくふう」参照）。

「最後の晩餐」では、先にあげたイエスの言葉からすると、薄いパンをワインに浸して食べている。ワインのはいった大きな鉢に、みんなが順にパンを浸しては食べるのである。日本に伝わって、「飯に汁かけ」と変わってしまったわけだが、こうしたパンとワインの取り合わせは、この晩餐の特殊な食べ方ではなく、古代地中海世界ではよく行なわれていたらしい。ギリシャ人のアテナイオス（二世紀）が集めた貴重なパンの情報によると、紀元前四世紀のギリシャの文芸作品中に、「焼きたての炙《あぶ》り焼きを取って（中略）それを甘い葡萄酒にひたし」[18] と書かれていたり、紀元前三世紀、アテネの市場で売っていたあぶり焼きパンは、舌触りが丸くて柔らかく、葡萄酒にひたして口当たりを非常によくしてあったとも伝えている。[19] さらに一世紀には、まだ熱いうちに酒にひたしたブレマというパンのあったことにも言及している。[20]

こうして最後のパンを食べるとき、イエスは弟子に重大な話をした。

イエスはパンを取り、感謝の祈りを唱えてそれを裂き、使徒たちに与えて言われた。「これはあなたがたのために与えられるわたしの体である。わたしの記念としてこのように行ないなさい」。食事を終えてから、杯も同じようにして言われた。「この杯は、あなたがたのために流される、わたしの血による新しい契約である」（「ルカによる福音書」22・19―20）

有名なパンとワインの話である。「パンを裂き」という聞きなれぬ表現は、薄いパンを両手で裂いて分割したことを表している。これもその晩の特殊なことではない。当時イスラエルの家庭では、家長が食事の初めに神を賛美したのち、このようにパンを裂いてめいめいに分け与える習慣だったので、イエスもそのとおりに行なったのである[21]。

この「最後の晩餐」のパンとワインは、イエスの言葉とともに、後世ミサ、聖餐式とよばれる儀式となって今日まで記念されてきた。ローマン・カトリックのミサで決められたパンは、ホスチアと呼ばれ、小麦粉と水だけでこねて、熱した二枚の鉄板にはさんで焼きあげる。薄くて丸い、直径三センチほどのもので、形式化した無発酵パンである。

旧約聖書には、繰り返し聖なるパンは無発酵でなければならないと記されている。たとえば、「酵母を入れないパンにし、しかも聖域で食べなければならない」「このパンは酵母を入れて焼いてはならない。（中略）これは神聖なものである」（「レビ記」6・9、10）というように、聖なるパン、儀式のパンは、決して発酵させてはならないのである。

ミサで無発酵パンが用いられるのは、やはりこれに準じた考え方によるものであろう。キリスト教初期の教会では、信者がミサに集まるときに、それぞれ日常のパンとワインを持参し、イエスが示したように、一同パンとワインを神の賜物として感謝し、パンを裂き、分け合って会食したものであった（「使徒言行録」2・46）。その後パンとワインは祭壇で聖なるものとされて、会衆に分けられることが儀式となった。その背景には、イエスが自らをパンとワインであると宣言したいきさつがある。

パンとワインは肉体を養う食べ物であると同時に、キリスト教世界では、キリストの言葉どおり、いけにえのキリスト自身とみなされる。人がミサの中で、パンとワインの恵みに感謝して、それを神に捧げ、かつ食べることによって、キリストとひとつになり、さらに救いの恵みを受けるという意味をもつものとなった。これがまさに「御養い」だったのである。

5　発酵と不浄

発酵の途中には腐敗という不気味な現象が隠れていた。人工培養の「生イースト」出現まで、発酵に腐敗はついて回った。サワー種の発酵途中で、私も好奇心からなめて、幾度も吐いてしまった経験がある。このようにサワー種でパンを発酵させるということは、腐敗と抱き合わせのきわどい冒険なのである。なぜパンは発酵するか、近代化学のおかげで今でこそその仕組みは分かる。しかしそれ以前の人びとにしてみれば、目に見えぬ微生物を知る由もない。パンの発酵をどのように捉えていたのだろう。

「たねなしパンの祭り」を例に考えてみよう。この祭りは元はカナン人のオオムギの収穫祭を継承したものであったというが、いったいなぜ、そのとき発酵パンを厳しく禁じるのだろうか。

ひとつには、この祭りが農耕周期の更新の時に当たっていることと関連するのではないかと思われるのである。農耕には、種を播き、育て、それを刈り取り、その種をまた播くという、繰り返される周期がある。播かれたムギは収穫によってその命を終える。その死によって得た新しい種を播くことから、次の新たなムギの生命は始まるのである。「一粒の麦は、地に落ちて死ななければ、一粒のままである。だが、死ねば、多くの実を結ぶ」(「ヨハネによる福音書」12・24)という聖書の句は、こうしたムギの生態を捉えたものである。

ここで重要なのは、新たな年のムギの稔りは、古い年のムギの死(刈り取り)によって約束されるということである。こうした自然の秩序の生み出す、厳然とした死と再生のサイクルは、どの農耕民族も経験的に知るところで、その時さまざまな農耕儀礼が行なわれてきた。この祭りもこうした農耕周期の更新の時に当たっている。

ここで思い起こすのは、パン種がパン生地の残り、つまり古いムギでつくられていたことである。もし、それを収穫したばかりの新しいムギ粉に混ぜ込めば、古いムギは死なずに存続することになってしまう。そうすれば新たな年の稔りはない。古いムギの死とともに古いパン種も死ななければならないはずだ、と考えられていたのではないだろうか。古いムギ、古い年、古いパン種は連動して断絶させてこそ、新しい年の豊かな稔りも叶うのである。刈り取りは喜びの時である。が、同時に次の収穫への不安から祈りをももたらす。刈り取りは緊張の時でもあったのである。とくにオオムギの新穀は、その年初の糧である。その新穀でつくる新しいパンに、旧年のパン種を入れれば、新しい年すべてに及んで不作となることを意味したのだろう。古いパン種を生かすことは、ムギの新たな稔りばかりか、その一年すべての稔りを脅かす行為であって、それは民全体の生存をさえ危うくする事態となると信じていた。その災いを民全体に及ぼさないために掟を破った者は、社会から排除されたのではないか、と私は思う。

「たねなしパンの祭り」が存在するもうひとつの理由は、時の更新に当たり、神に初穂を供え、さらなる年の稔りを祈願するさいの供え物だからである。「最後の晩餐」の項で述べたように、祭事（宗教儀式）のパンにはパン種を入れてはいけないのだ。理由は、腐敗という穢れを経て生じるものをパン生地に混ぜ込むことだからに他ならない。

パン種はほんの一握りでも、パン生地へ混ぜれば、生地全体をふくらませる力をもっている。「ミシュナ」で見たように、執拗にパン種を探しまわることに、こだわり過ぎの感、無きにしもあらずだが、ほんの少しのパン種が、やがて大量の生地をふくらますことを承知の上の決まりだったとも思える。

ところで、アルプス山中で私の見たサワー種には十字印がついていた。ある人はおむすび大のパン生地の残りを、丸めて皿に載せ、「父と子と聖霊の御名によって、アーメン」と唱えながら、生地の真ん中、同じところに十字印を三つ重ねて描いた。そして棚にのせておくのである。

液状のサワー種をつくった人も、二日目の夕方になって生地の表面に十字を印した。それは生地作りの初めでも、終わりでもない。ちょうど腐敗しかけた生地に、粉を加えた時点でのことであった。

キリスト教世界では、十字はお守り、清め、魔よけ、祝福、聖別（聖なるものとして別にすること）などの意味で用いられる。サワー種につけられた十字印は、魔よけであり、お守りである。発酵にともなう一時的な腐敗が、人の心に不安と不浄感を抱かせるからであろう。第四章ではパン焼きの実際を紹介するが、そのとき、発酵を直前にしたパン生地にも十字が印されるのである。

発酵パンの世界においては、文化史とは、いかにふっくらしたパンをつくるか、という目的を終着点として、その線上をひた走ってきた発達の軌跡であると言ってもよいだろう。発酵パンは美味いという快さ、しかし発酵は不浄という後ろめたさ、これが表裏をなしているのである。

第三章　パン焼き

1　古代遺跡が語るパンの発達

人類最初のムギ食

「肥沃な三日月地帯」でムギの栽培は始まった。その当時ムギをどのように加工して食べていたのか。残念ながら幾多の遺跡発掘にもかかわらず、「肥沃な三日月地帯」では、ムギ食品の実物は検出されていないらしい。手掛かりとなるのは、状況証拠となる石臼、農具、加熱設備の存在だけなのである。

早期のムギの食べ方には、大別して二通りの方法が考えられるが、およそ紀元前一万年の旧石器時代終末期の遺跡でもすでに、臼が出土していること、またムギ自体の形質からしても、ともかくつぶしていたことは確かであろう（図3＝三三頁）。

ムギの食べ方のひとつは、まず穂をつき臼でついて脱粒し、殻を風で吹き飛ばし粒だけを残す。さらにその粒をついて粉にする。その粉を水で練ってパンを焼く、という方法である。煮るには土器などの容器が必要だが、土器時代に入るのは、西アジアでは紀元前七〇〇

○年頃と言われている。ムギ栽培は土器の現れる三〇〇〇年も前から始まっていたのだから、初めからこうしてパンを焼いた可能性も否定はできない。

しかし付け加えるならば、煮るために必ずしも土器は必要ではない。深く凹んだ石器や、動物の革、果実の殻などを容器とし、熱した石を放り込んでも、ムギを煮ることはできる。だから、頭からパンだけを焼いていたとは言いきれないのである。

もう一つの可能性は炒りムギ(1)という粉食品である。中尾佐助氏によると、これには火と熱い石か砂があればよく、炒ってから粒のままでも、またそれを粉にしてもよく、その粉をカユにすることもできる。ムギを炒るならば、ムギの野生種(穂が熟すと穂軸が折れて脱落する)を、穂が落ちる前の水分の多い状態でも刈り取ることができる。脱穀しにくい祖先種の場合、炒ることによって殻を焼いてしまえば、脱穀の手間も省けるという利点がある。

この炒りムギ法をふまえて推測すれば、まずムギ穂を殻ごと炒り焼きし、粒にも火の通ったところで、これをつき臼に入れ、水を注いで灰を洗い流し、ぬれているところをついてつぶす。それでできあがりである。動物の乳をいれたり、木の実や果実も一緒につぶせば、味に変化もつけられる。炒った粉を水で練った食品は今日でも世界に広く存在し、分類上はカユに属している。

パンと炒り粉のカユ、この二通りの加工法にはちがいがある。それは次のようにまとめることができる。

　ムギ↓脱穀↓製粉↓加工↓加熱↓製品
a　ムギ↓つく（風選）↓つく↓粉＋水↓焼く↓パン
b　ムギ↓炒る（水洗い）↓つく↓↓カユ

aとbとでは、かかる手間は一目瞭然である。bは容器（土器）は不要。深く凹んだ石（つき臼）と棒状の石（杵）さえあればできる。そのうえ脱穀も不要。生のムギを苦労して脱穀するより手間がかからず、しかも炒ったムギは生のそれよりつぶしやすい。bは考えうるもっとも簡単でおいしいムギの食べ方なのである。

　だがこうすると、加熱によってムギ成分は変質してしまうので、パンはできない。ところがそのまま食べれば、さくさくして香ばしく、おいしい（そのためには細かい粉より、かえって粗びきがよい）。ほかにも長所がある。一度炒ったムギは、カビや虫の害が少ないので、長期貯蔵が可能になる。炒りムギのまま貯蔵し、食べるとき水で洗い、つぶせば、インスタント食品にもなるのである。

　さらにもうひとつの可能性として、aとbの折衷案もある。外の殻だけを炒り焼きし、中はまだ生の状態の粒をつぶし、練って、平たくして、もう一度、ムギを炒った場所へ置いて火を通す。こうしてパン焼きがはじまったという推測も成り立ちそうである。プリニウスがこんなことを記している。

ギリシャ人は水に浸したオオムギを一晩乾かし、翌日炒ってから、次に臼で碾《ひ》く。[2]

このように脱穀のためにムギを炒ることは過去には広く知られていた。エトルリア（イタリア中部）でも、エンマーコムギを炒ってからついたと言っている。[3]

ウェルギリウスの『アエネーイス』に、「穀物を火であぶり、石で砕く用意をする」（1・179）というくだりがある。これについて紀元四〇〇年頃の注釈家セルヴィウスは次のように解説している。

> なぜならわれわれの祖先には、粉挽きの習慣がなかったからである。穀物は炒って殻をはがし、臼の中でつき砕いていたのである。かれらはピストルでなく、ピンソルと言われていた。[4]

この記述からすると、炒りムギは、脱穀しにくい穀物の殻をはがすために行なわれており、炒ったあとにつき臼でついて粉にしていたことが推測できる。また旧約聖書からも、炒りムギを食べていたことが分かる。もっともここでは炒りムギとパンとが同時に登場している（「ルツ記」2・14、「サムエル記」上25・18）。

炒りムギは、今日でも製粉する例の方が多い。たとえばチベットでは、炒ったオオムギを挽いたツァンパが常食されているし、北インドでも、脱穀したオオムギを炒ったのち、水車で製粉したものを主食にしている所もあるという。[5] これに似た製法のカユは、古代から今日にいたるまでヨーロッパにも残っているが、私の知るものはどれも粉食である。[6] こうしたカユがムギの発祥地にパン以前、あるいはパンとともにあったとしても不思議ではないのである。しかしいずれも可能性であって、事実のほどは分かっていない。

パンが「肥沃な三日月地帯」で生まれたことは確かであろう。しかし先のような炒りムギの可能性を考えると、パンがいつからあったか、という問題は、臼や土器の存在という状況証拠からだけでは決められないのである。

トゥワン遺跡下層――パン以前にあったカユ

新石器時代の人びとは、どのような方法で穀物を食べていたのだろうか。それを知る大変良い手掛かりが、スイスのビーラー・ゼー湖岸にあるトゥワン遺跡で見つかった。[7] 一九七六年、種々のパンの断片や、完全な形のパンが出土したのである。それは今から五〇〇〇年以上も前のもので、貴重な情報をわれわれに伝えてくれることになった。その検証をしたマックス・ヴェーレン博士の調査報告をふまえて、当時の穀物食を紹介しよう。

この遺跡の文化層は三層ある。年代は下層が紀元前三八三〇―前三七六〇年、中層が前三七〇〇―前三六〇〇年、上層は前三六〇〇―前三五〇〇年である。ムギは、一粒系コムギ、エンマーコムギ、パンコムギ、オオムギが検出された。

パンは中、上層からは出土しているが、下層からは出て来なかった。下層から出た穀物食は三種類ある。まず、一〇〇点の壺のかけらの内側に付着していた「穀物のスープ」と、「穀物の粗びきガユ」、そして「保存用のカユ」である。(8)

まず「壺の穀物スープ」は、穀物（同定不能）と野菜、野イチゴなどをいれたもの。このスープは下層から出た食べ物全体の九〇パーセントを占めている。

次の、「壺に入ったカユ」は発酵していた。それも大変きめ細かく、規則的な気泡状態が見られるので、自然に発酵したのではなく、何か未知の発酵剤が使われたらしい。同様のものは、付近の別の遺跡で、紀元前四九〇〇年の層からも現れている。(9) これほど早期になんらかの発酵剤が存在し、意図的に発酵させていたことは注目すべき点である。

その次の「保存用のカユ」は、どの層からも現れている。ただし層により技術的な段階がある。下層から出たものは、穀物の粒を粉と水で練り固め、熱した石に押しつけて軽く焼いたことが分かる。中層のは、同じようにつくり、焼いたものだが、上にも熱い灰をかけて焼いてある。上層のは、熱した丸い石のまわりにカユをすっぽりかぶせて焼いてある。その石を抜き取ると、カユは鉢の形になる。だから、この類の出土物は、かつては「鉢形パン」と呼ばれたこともあったが、ヴェーレンによると、これはパンではなく、貯蔵の目的で一時的に火を通した穀粒だという。というのは、これは粒が主で、つなぎに粉がいくらか入っているだけで、粉をこねたものではないからである。しかしこうして一度加熱しておくと貯蔵がきく。食べるときにそれを水にもどして煮ればすぐカユができる。そのため、これは保存食だったのだという。

このように下層からはパンではなく、壺に入った穀物のスープ、粗びきガユ、保存用のカユが出てきたのである。

トゥワン遺跡中層――ふっくらやわらかいパンを目指して

中層からはいくつものパンの断片が出てきた。その一片は次のようなものである。(10)

大きさはおよそ三×五センチ、パンの縁《ふち》部分の長さ五二・四二ミリ。上面と底面を確認できる断片。上面はかるく丸みをおび、無数の灰と木片がついている。直火の影響でできる亀裂もある。固まり全体の成分は、比較的きめの粗い粉とさらに粗い粉と全粒。その粒は七粒で、オオムギと確認できる（内二粒は熟しきっていない）。さらに発酵状態を示す気泡も確認できた。真ん中に向かってパンは厚くなり、その最大値は一一・六ミリ。このため、この断片は発酵して少し丸みを帯びた、灰の下で焼かれたオオムギパンの縁の一部であると結論づけられる。（その縁の曲線の度合からはかると――引用者）かつての炭化状態での完形は直径約八センチ、高さ約一・二センチ、重さ約二〇グラムになる。(11)

今からおよそ五七〇〇年前の、ほんの小さなかけらからも、驚くほどの情報を得られることがお分かりいただけただろうか。すでに少し発酵したこの平焼きは、発酵パンの最初期段階の状態を示している。

中層からはさらに別のパンの断片三点（たがいにぴったり合致し、円形平焼きの一部になる）も現れた。[12] それは上表面に灰や木片の付着がなく、汚れていない。それればかりか表面にしわがあり、平均した収縮状態を示している。そのため、これは灰の下でなく、パン窯状の設備で焼かれたものと判明した。[13] ここでいよいよ、ふっくらふくらんだパンの登場である。

この中層からは、「灰の下で焼いたパン」と「パン窯状の設備で焼いたパン」の二種類が現れたわけである。しかし目下世界最古の実物のパンは、この後同じくヴェーレンによって確認された、紀元前三七一九―前三六九九年間の、スイス、ヌシャテル州、モンミライユ遺跡出土のパンで、四つに割れているが一つのパンを形成し、均等な気孔を示し、よく発酵している。[14]

トゥワン遺跡上層――完全な形の五五〇〇年前のパン

そしてついに、上層から完全な形を留めたパンが現れた。[15] これは目下完全な形をしたパンとしては世界最古のパンである。ヴェーレンの調査によると、直径六〇・六八―六七・七〇ミリ、高さ一四―二四ミリ、現重量二五・二〇グラム、全体の形は円形。このすばらしい出土品については、せっかくだから少し詳しく紹介しておこう。

底面は、しわのある丘状、皮と気泡の状態は良好。細かく挽かれた粉。ムギ粒の形をとどめたものは見当たらない。人の指先の圧痕がある。人がこの生地を人さし指と中指を下

コルテヨ文化	穀物食	保存食
下層 (BC. 3830－3760)	○壺入りの穀物のスープ ○壺入りのアラビキガユ (発酵)	○ツブガユの保存食 (熱した石の上)
中層 (BC. 3700－3600)	○発酵させたパン (灰焼き パン窯状設備)	○ツブガユの保存食 (熱した石と熱い灰)
上層 (BC. 3600－3500)	○発酵させたパン (パン窯状設備)	○ツブガユの保存食 (熱した石のまわり)

図24　トゥワン遺跡のムギ食表

図25　左は5500年前のパン。右奥はそれを横から見た形。右手前は現在スイス、ヴァリス州で日常食べているライムギパン。ほとんど形が変わっていない

に、親指を上にして持ったことが分かる。

上表面は、ふくらみは良好。縁からのふくらみは約一〇ミリ。収縮状態は均等できれい。皮の下には規則的な気泡が見える。上面も底面同様灰（熾《おき》）の跡は見られない。内部は、窄孔（直径五ミリ、深さ六・三ミリ）して、孔の奥を見ると、発酵面と二、三の気泡がはっきりと見え、摘出した部分は非常に良い発酵状態であった。なんらかの（特定はできない）発酵剤が使われた可能性がある。使用の粉はコムギ粉（同氏の最新情報ではパンコムギ）。きめはきわめて細かい(16)。

このパンはスイスの別の遺跡から出た紀元前一〇〇〇年頃の完形のパン(17)と比べても、なんら遜色ない出来ばえだという。つまり五五〇〇年前のパンと、三〇〇〇年前のパンの技術は、結果的には大差ないことになる。

古代遺跡が語るパンの発達

トゥワン遺跡の三層から出土した、約三〇〇〇年間のカユとパンの主なものを拾ってみた。これらの穀物食品はわれわれに何を物語っているのだろうか。

下層でまず注目するのは、カユがあってパンがなかったことである。人類の穀物食はカユから始まり、あるときそれが発酵することを知って、パンを焼くようになったと考えられている。この遺跡は、下層からカユが、上層からパンが出ているので、それを証明している。

その壺のカユは発酵剤を用いて意図的に発酵させた可能性がある。なぜカユを発酵させていたのか、ヴェーレンは言及していないが、着目すべき点である。カユとして食べるなら、発酵の必要はないはずだ。ちなみに、プリニウスが次のように述べている。

ピケヌム地方は、ひき割りを材料としたパンの発明によって今でも有名である。このパンは、九日間水に漬けて柔らかくしたひき割りを、一〇日目に干したブドウ（原文は「生ブドウの房」――引用者）の搾り汁で捏ねて細長い形にし、それから壺に入れてかまどで焼く。その際に壺は割れる。(18)

ひき割り（粗びき）を九日間も水に漬けると、半つぶしだった粒がやわらかくなり、こねるときめ細かい粉のようになるから、粉挽き労力の節約になったのだろう。生ブドウの搾り汁は酵母が多く含まれているので発酵剤である。こうした壺パンは後で述べる、エジプト人の「壺焼きパン」をも思わせる。それゆえ、トゥワンの「壺入りカユ」もこうした「壺焼きパン」の前段階だった可能性もひとつの推測として成り立ちそうだ。

次に、各層から出土した「保存用のカユ」というのも、大変興味深いものである。一時期に集中して収穫したムギを、長期間貯蔵することを可能にし、さらに半調理品だから、後で、食べるときの手間もかからない。年中平均した食糧計画が立てられるようになっていたことが分かる。このツブガユは、パン以前から存在し、パンの出た層でも、パンと併存していたことが判明した。このようにパンとツブガユの両方をつくっていたのには理由が考えられる。

まず素材の問題である。当時はパンに適したコムギだけを常に確保できたわけではなく、特定の品種が不作の年にも、他の品種でバックアップできるように、数種のムギを栽培していた。グルテンをふくまない穀物はパンには不向きで、むしろカユにする方がよい。この遺跡でも素材により、パンとカユを使い分ける必要があったのであろう。カユは、新石器時代、古代ばかりでなく、中世をつうじて現代に至るまで、農民や、社会の下層にあった人びとの主要な食べ物だったのである。

しかしパンとカユが併存した最大の理由は、粉挽きの問題であろう。ヴェーレンの行なった粉挽きの実験（第一章の「粉挽きの道具」の項参照）では、トゥワンの上層から出たサドルカーンで、コムギを挽いてみた。これによって、五回挽いて粗びき、一五回で、きめの細かい粉になったという。完形のパンはこの細かい粉だけでつくられている。しかし穀物すべてをこれほど細かい粉に挽くことは、日常の暮らしでは大変手間がかかるので、数回挽いてこれをふるい、取れた細かい粉でパンを、ふるいに残った粗い部分ではカユをつくったのではないか、と思う。保存用のカユは、ほんの数回挽いて、水で固めて火を通したものである。カユ食は粉挽き労力をおおいに軽減させてくれる穀物の食べ方なのだ。このようなわけで、ふっくらしたパンが現れる上層でも、保存用のカユがつくられていたのだろう。

中層で初めて現れたパンは二種類ある。ひとつは「灰の下で焼かれたパン」。これは灰焼

図26　ベドウィンの灰焼きパン　パン生地をじかに熱い灰をかぶせて焼く。シナイ半島

きパンといわれ、パン焼き最初期の方法である。地面に（浅い穴を掘り）石板を置き、そこで火を焚いて石を熱くする。次にその灰（熾）を脇へどけておき、熱い石の上にパン生地をじかに置き、その上に燃え残りの灰をかぶせる、という方法である。後でたびたび話題になるが、灰焼きパンは多くの民族が知っていた。今日でもベドウィンは無発酵のパンをこの方法で焼いている。かれらは、石を使わず、地面にじかに火を焚き、同様のパン焼きをするのである（図26）。

　トゥワン中層から出たもう一種は、パンの両面に灰の跡を示す木片や、焦げが全く見られず、均一な収縮状態のパンなので、パン窯で焼いたと推定されているわけだが、それがどのような設備だったのかは、報告は触れていない。おそらく灰焼きの場合のように、凹みで火を焚き、その灰をどけてパン生地を置き、その生地に何かをかぶせて、その上に灰をかけたのだろう。そうすれば、パン窯で焼いたようにできあがる。この方法は、灰焼きに次ぐ段階で、パン窯の原点でもあるが、このような焼き方は私の空想ではなく、実は今日まで実際に行なわれてきた。これについては後で詳しく記すことにする。こうしてパン窯状の設備で焼くようになると、熱が間接的に、多方向から加わるので、パンはじか焦げせず、ふっくらふくらむようになるわけである。

まとめると、今から五五〇〇年以上前にスイスの湖畔で生活をしていた遺跡の住人は、オオムギとコムギを知っており、これを挽いて、その粉ではパンをつくり、粗びきではカユをつくった。そのカユは、貯蔵できて、いつでも必要なときに水煮ができた。パンはすでに最初の段階から発酵させていた。そしてよりふっくらしたものを目指して、灰焼きから、パン窯状の設備を考案するに至ったのである。

2　古代人のパン焼きのくふう

パン窯の二つのタイプ

発酵したパン生地をふっくら焼きあげるには、カマドではなくパン窯が必要である。今日世界に分布するパン窯は円筒型、丸天井型の二タイプに大別される。

円筒型はタヌール、またはタンドゥール〈パン窯〉と呼ばれている。これと同根の語は、アラビア語、イラン語、トルコ語、アルメニア語、ヒンディ語、アラム語にあり、アッカド語の「ティヌール」または「テヌール」にまでさかのぼれるほど、広域に共通する古い言葉である。(19) ヘブライ語でも「創世記」にすでに「タヌール」は現れる。「煙を吐く炉（タヌール）と燃える松明《たいまつ》」（15・17）とあり、また「出エジプト記」では「（カエルが）かまど（タヌール）、こね鉢にはいり」（7・28）とか、「レビ記」には「一〇人の女たちがパンを焼くにもわずかひとつのかまど（タヌール）で足りるほどになる」（26・26）と書かれている。カマド、あるいは炉と訳されているが、カマドの語は別に数種あり、タヌールは、文脈からも分かるように、パンを焼く設備なのである。

一般的なタヌールは、深さ一メートルもある大きな円筒形（またはフラスコ形）の土器を、地中に埋め込むか、地上に設置したもので、窯口は真上か斜め上にある。その底で火を焚き、内側の壁に発酵生地を張りつけて焼く仕組みなので、薄い発酵パンを焼くのに適している。このパン窯で焼いたパンはナーンと呼ばれている。あるいはこれで無発酵パンのフブスを焼くこともある。このタイプは、同根語の広がりが語るように、中東から、アフガニスタン、パキスタン、インド、中国にまで分布を広げる大家族である。形は円筒形やフラスコ形、窯の口が真上にあるもの、側壁にあるものなど、また呼称もさまざまだが、本書では便宜上ひっくるめて「円筒型」または「タヌール」と呼ぶことにする。

丸天井型は、円形の耐火レンガの床に、半球形の天井をかぶせた格好をしており、外壁は石、粘土、灰でかためられている。焚き口はパンの出し入れ口と兼用で、窯床の高さにあ

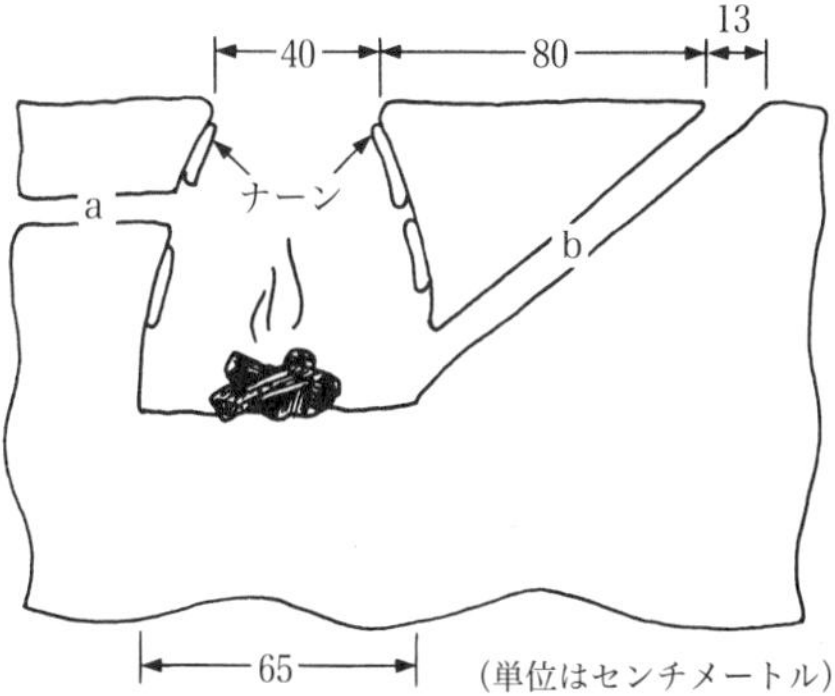

図27　タヌールの断面図　地中に埋めたものや、据置型、窯の口も真上にあるもの、側面にあるものなど、種類がある。窯の内部空間の温度と、内側壁の温度が同じように熱くなったところで、パン生地を枕状の台にのばし、その面を窯の内側の壁に押しつけると、生地はそこに張りついて、数分で焼きあがる。焼いている最中はふたをすることもある

図28　中国のタヌールのヴァリエーション　鉄製の大鍋に土製のフードをかぶせ、鍋の中で炭を焚く。パン生地はかぶせものの内側、天井に張りつける。伝統的にアワ、キビなど、そしてマントウを食べる陝西省扶風県で

る。そこで火を焚き、内部を熱したら、燠を掻き出して、今度はパン生地を並べ、密封して余熱で焼きあげる。パン生地は水平な窯床に並べるので、厚い発酵パンが焼ける。このパン窯で焼いたものが、ヨーロッパの各種のパンである。古代からヨーロッパ全域に普及していたが、近代的な電気オーヴンにとって代わられつつある。

この二つのタイプのパン窯は直火でなく、その熱を間接的に利用してパンを焼くところに、カマドとのちがいがある。両者はどちらも、地床炉からそれぞれに発達したと考えられる。

まず、地面に浅い穴（炉）を掘り、底（炉床）に石板を敷き、火を焚いて熱したら、熱灰（燠）を脇へどけて、パン生地を置き、その上にどけておいた熱灰をかぶせて焼く。これが地床炉でのパン焼きの原点である。

次に、石板にパン生地を置いたら、（熱灰をかぶせずに）炉の端に立てかけても、薄いパンなら焼くことができる。こうした方法は、二〇世紀にも報告がある。[20] 石板を立てかけるなら、炉は深い方がよい。そこで穴を深くして、石板の代りに円筒形の土器を埋め、その底で火を焚き、熱せられた側壁全面にパン生地を張りつければ、たくさんのパンが表裏同時に焼きあがるわけである。側壁に張りつけたら、落ちてしまいそうだが、焼きあがるまでちゃんと張りついているのだ。

丸天井型は、前節の「古代遺跡が語るパンの発達」で記したように、かぶせ物をしてから、灰をかけるという発想から実現したと考えられる。たとえば鉢を逆さまにしてかぶせれば丸天井の格好になる。石板と丸天井を組み合わせることでパン窯へと発展したのであろう。[21]

現代人が過去を振り返って、こんな想像をするのは楽な話だが、当の古代人は試行錯誤のうえパン焼き設備を考案したのである。そこで、ふっくらしたパンを目指した祖先達のくふうを知るために、重要なものを挙げてみよう。

メソポタミアのパン焼き設備

最初期農耕村落のひとつ、イラクのジャルモ遺跡（紀元前七〇〇〇―前五〇〇〇年紀）の住居跡を見ると、屋内の地床に浅い凹み（長径約五〇センチ、深さ約二〇センチ）がつくられている。凹みの周囲は土手のような縁があり、底には平らな石や、数個の小石が置いてあり、灰や炭が詰まっていた。ここはモノを焼く設備だろうと推測されている。[22]この遺跡からはコムギの野生種、栽培種、オオムギの野生種も現れているので、[23]ここで平焼きのパンを焼いていた可能性はおおいにある。

さらにこの遺跡の住居跡からは、すばらしく発達した、パン窯状の遺構が見つかった。そのひとつは図のように、屋内から外壁を貫通して中庭に突き出ており、窯の床は楕円形（長径約一メートル）で、その表面は光って、火で焼きしめられた硬い粘土。窯の上部は、粘土にワラを混ぜた丸天井のあったことを示唆している。そして窯口の上部、壁の中には煙道まで設けられていたのである。壁の中の煙道はヨーロッパでは一五世紀頃から見られるよ

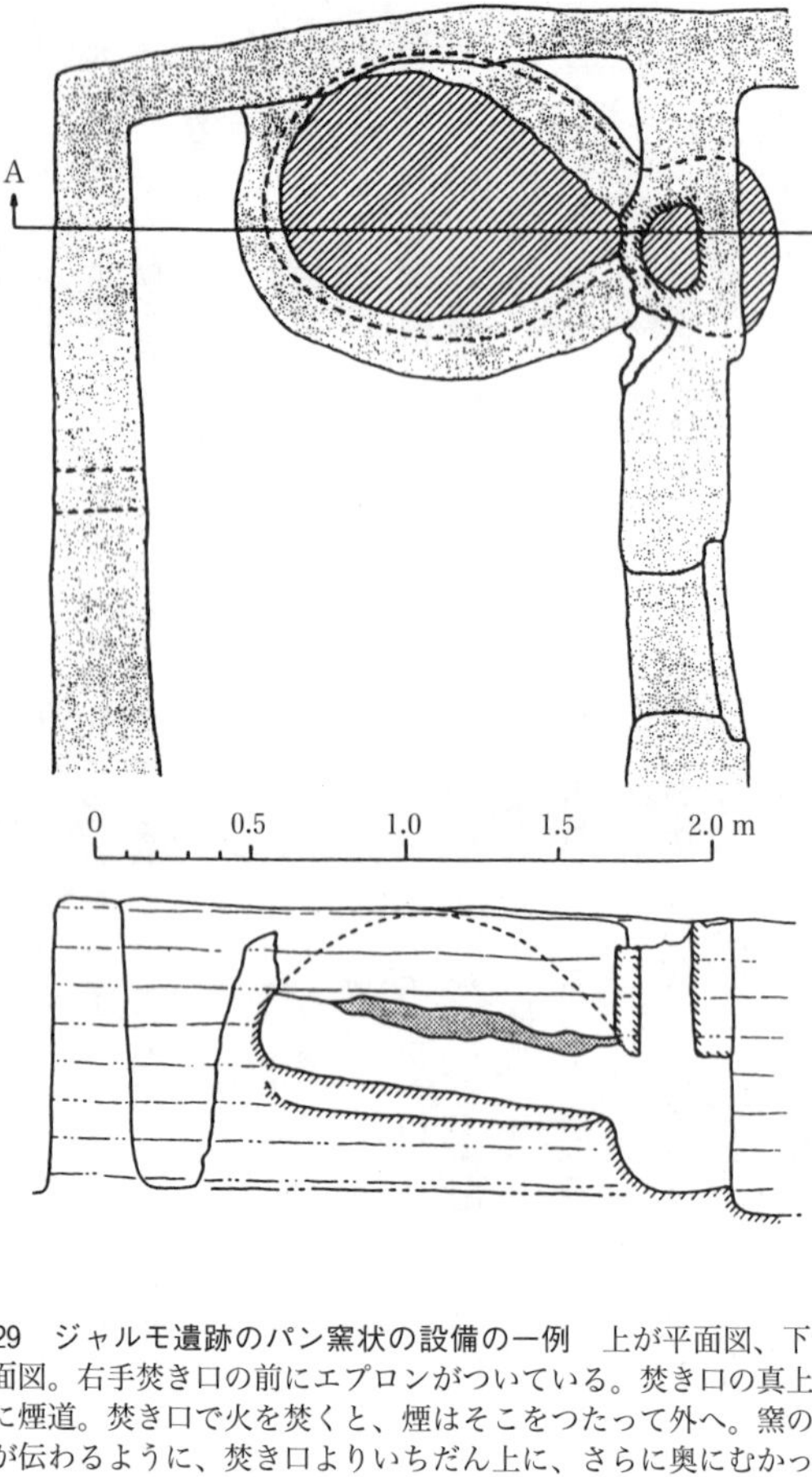

図29　ジャルモ遺跡のパン窯状の設備の一例　上が平面図、下がその断面図。右手焚き口の前にエプロンがついている。焚き口の真上、壁の中に煙道。焚き口で火を焚くと、煙はそこをつたって外へ。窯の床は、熱が伝わるように、焚き口よりいちだん上に、さらに奥にむかって上り傾斜がついている

うになったものである。紀元前五〇〇〇年にすでにあったとは、驚くべきことだ。

　ただ、この設備はパン窯とは断定されていない。発掘報告者はその理由として、これは、ムギを脱穀しやすくするために、加熱する設備だという説が従来あったからだと言う。しかし実験によって、加熱しなくても野生種をつき臼と杵で脱穀できることが分かった。それでその説は一時否定されたものの、その後になって付近の別の遺跡で、同様の設備から炭化したムギ粒が見つかった。そのため元の説にひるがえったのだという。[24] 要するにこれはパン窯か、ムギの加熱乾燥の窯（つまり炒り窯）か、そのいずれかだということである。これについては、後の「古代人のパン焼きのくふう」の項でまとめることにしたい。

　こういうわけで、パン窯状の遺構があるからといって、パン窯と断定できるわけではなさそうだ。いつごろから人類がパンをつくりはじめたのかは、今のところどれも実証の決め手を欠く状況である。最も古くは石臼の現れた頃、あるいはムギの栽培種の現れた頃に可能性があり、遅くとも円筒型のパン窯と断定されうるものの出土する頃に確定的となるわけだが、藤井純夫氏によると、レヴァント地方北部の、アナトリア、シリア、キリキア、北イラクなどで、紀元前六〇〇〇年紀の先土器時代末期（ＰＰＮⅢ期）以降、今日の民俗例と基本的に一致する構造をもった遺構が検出されているので、パン焼き用と思われる窯がその頃に普及したという。[25]

エジプト人のパン焼き

「エジプト人はパン食い人で、キュレスティスというパンを食べ、オオムギからつくる飲み物を飲んでいる」とギリシャのヘカタイオス（紀元前六―前五世紀）が記していたと、アテナイオスが伝えている。[26] 現代のカイロでも、黒衣に身を包んだお母さんたちが、パンを二〇枚、三〇枚と積み上げた籠を頭に、悠々と道を行く姿を見ると、私の目にもそう映る。

古代エジプトでは、パンとビールが基本の穀物食であった。新王国（紀元前約一五六七―前一〇八五年）では、パンはエンマーコムギ製でサワー種で発酵させたキュレスティスが常食されていた。パンは、そのほかビール用にもつくられていた。オオムギの麦芽でつくったパンを、水に浸けて発酵させ、その発酵液を漉したものがビールである。それに粉挽き女たちも、すでに第三王朝期（紀元前約二六八六―前二六一三年）の宮廷で、パン用の粉挽き組みとビール用麦芽の粉挽き組みとが別々に組織されていたという。[27] パンはエンマーコムギばかりでなく、オオムギでもつくっており、それぞれの実物が発掘され、世界各地の博物館に保存されている。

こうしたパンは平焼きで、古王国（紀元前約二六八六―前二一八一年）時代はカマドで焼いていた。日干しレンガをコの字に囲い、その上にレンガのプレートをのせる。この下で火を焚き、プレートが熱くなったら、薄い無発酵のパン生地をその上にのせて片面焼き、裏返してもう一面を焼く仕組みだったことが当時の人形の模型からわかる。エジプトでは、最初から灰焼きはしなかったらしい。

図30　古代エジプト人のパンづくり（上二段）とビールづくり（下二段）［パンづくり］（最上段右から）タヌールで円形のパンやナーンを焼く人、カマドでパンを焼くふたりの人、足下に三角に尖ったパン、その上に籠にはいった焼きあがったナーン。上から二段目左から）、サドルカーンを斜めに立てかけ、中腰で粉を挽く人、パン生地を両手で回転させ平たくのす人、その下でそれを積み上げる人、パン生地をこねるふたりの人。［ビールづくり］（最下段左から右へ）粉をふるう人と粉の山、パンを四つに切り分ける人、発酵したものを貯蔵用の壺に注ぐ人、貯蔵用の壺を洗い、ピッチを塗る人、（下から二段目右から）洗った壺に注いだ発酵物と水の混合物を濾す人、できあがったビールを壺に入れる人。使用した壺の水をきり、伏せる人

図31　古代エジプト人のナーン　下に空気孔があるタヌールで男がパンを焼き、後の女がこね桶の生地を丸めている。上にそのパンの絵。現代のナーンと変わらない。ナーンの真ん中の穴は、窯からナーンを棒の先にひっかけて、引き上げるときにできる

中王国時代（紀元前約二一三三—前一七八六年）になると、コムギパンも、ビールパンも円筒型のパン窯タヌールで焼くようになり、実に多種類のパンがつくられた。

＊壺に入れて

しかしなにより、パンの文化史上特筆すべきは、壺焼きである。王の墓の壁画にしばしば描かれる円錐形、またはそれを縦に切ったナイフの刃の形をしたパンである。

この壺焼きは大変古く、先王朝（第一王朝は紀元前三一〇〇年から）、および古王国時代には存在していた。壺は円錐形（尖ったほうが底になる）の土器で、内部をあらかじめ十分熱しておいてから、生地を入れ、やはり内側を熱しておいた同形の壺をかぶせ、その余熱で焼きあげたのである。あるいはその壺を熱灰の中へ埋めた。コムギ粉の生地には卵やハチミツが入っていたらしい。(28) しかもその壺は時代により、形が変遷しているのである。

古王国時代の壺は厚みがあり、口径が広く、背の低い円錐か、植木鉢の形、しかし内部はみな円錐形をしている。中王国時代になると厚さは薄くなり、口径と高さの比率が一対五ほどに細長くなる。この時期の壺は、タヌールの内部や周辺から出土しているので、タヌールに入れて焼くようになったことが分かる。こうした壺の出てくる場所は、神殿の内部やその付近であることから、焼かれたパンは庶民の日常食ではなく、お供えだったようである。(29)

＊なぜ壺焼きなのか

壺焼きの図36を見て注目するのは、壺のふたである。身とふたが全く同形で、身をさかさにかぶせたもの。壺でも、鍋でも、ふたというのは普通平らなものと思いこんでいたから、私にははじめ不思議であった。しかし壺に発酵生地を入れ、平らなふたをすると、生地がふくらむにつれてふたを押しあげてしまうし、また生地の上部には熱気のこもる空間がないので、ふくらまない。円錐形の身をさかさにしてこそ、生地はよくふくらむのだ。

壺焼きは図35のように、身もふたもあらかじめよく熱しておく。その壺にこもった余熱で、生地を焼きあげる仕組みだったことが見て取れる。そのためには、熱気をできるだけたくさん壺の内部にこもらせておかなければならないので、円錐形のふたなのだ。つまりこれはパン窯の天井を丸くする原理と同じで、そもそものミニオーヴンだったわけである。

初期の壺が厚くつくられていたのは、その方が保温力があるから。また、後に細長く、薄くつくられたのは、パン窯に入れるときたくさんはいり、窯内部の熱が壺に伝わりやすく、早く焼けるからである[30]。

似たような素焼きのミニ壺を一組試作してもらい、私も焚き火をして、壺パンを焼いてみた。容積二三〇ccの小さな鉢（口径内寸七、厚さ〇・五センチ）を、ふたつとも火の上にさかさにのせると、五分で大変熱くなる。その片方を熱灰の中に差し、一カップのゆるい発酵生地（ホットケーキの生地のようなやわらかさ）を入れ、もう片方をさかさにかぶせておくと、一五分でソフトクリームのような形（生地がふくらんでふたの内部へ盛り上がった）のパンが焼きあがった。想像以上にうまく焼けるものである。

ところで話はそれるが、そのエジプト文明に少なからぬ影響を与えたシュメール人の文字は、絵文字から発したものだという。パンを意味するその絵文字について、シュメール学者

図32　ラメセス３世（前1198－前1166年）の墓に描かれたパン焼き
「エジプト人は穀粉を足でこね、泥を手でこねる」とヘロドトスが記している（歴史2・36）ように、左に、木製のこね桶に入れた生地を足でこねるふたりの人、その上はボールにのせたふるい籠、その隣に壺、壺の下はパン生地と液を運ぶふたりの人、パン生地をさまざまな形に丸める人、うずまきの菓子を棒の先につけて、ふたつきの鍋で揚げる人、タヌールで焼く人、その上は籠にはいった果実を煮る人、ロールケーキ風のものをタヌールへ担いでいく人。人びとの上にはできあがったうずまきの菓子、牛形のパン、三角パン、丸パンなどが見える

図33　三角パンの実物　前2000年頃、オオムギ製、「ベンベン」と呼ばれていた[83]

図34　古代エジプトのタヌール　前1330－前950年頃。高さ約61、直径内のりで下が61、上が36、壁の厚さ3－4センチ。下に穴（空気孔）がひとつ。外側がグレー、内側は上部が赤みがかり、下部は穴のあたりまで真っ黒に焼けている

図35　エジプト人の前2500年頃の、壺パン焼きの像　火のまわりに円錐形の壺をさかさに積み上げ、熱している。熱いので、人が左手を顔にかざしている。ギザ出土、石灰岩

図36　エジプト人の壺焼きの壁画とその線画　左、人が壺を積み上げ、熱している（図35参照）。その壺に液状の生地を流しこみ、棒でかきまわし、上に同じ形の壺をさかさにかぶせている。右端に焼きあがったパン

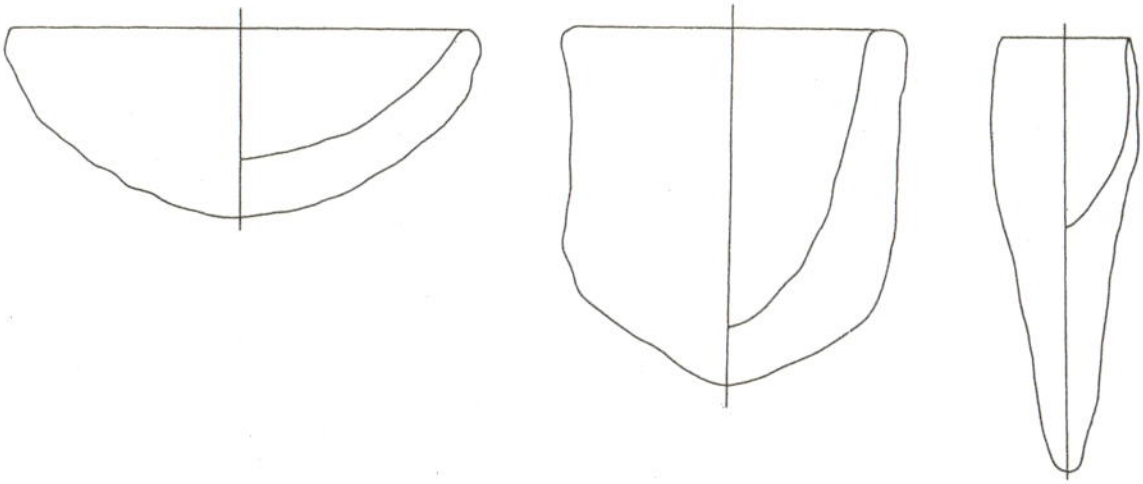

図37　壺の断面図　左から先王朝期、古王国時代、中王国時代。タヌールで焼くようになって細くなった

図38　古代エジプトのティ墓の壁に描かれた供物用の円錐形の壺パン
奴隷が板にのせて担いでいる

の五味亨氏から興味深いご教示があった。シュメール語でニンダ ninda という語がパンと解されている。しかしニンダは固体ではなかったらしい。というのは、ニンダの絵文字は、液体を入れる容器で、紀元前三一〇〇年頃には、前二四〇〇年頃の楔形文字では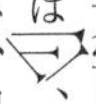、前七〇〇年頃にはと表記した。[31]横線は、中身がここまではいっているよという印で、紀元前二〇〇〇年頃の文書でも、その量を表すのに、穀粒などの計量単位を用いたが、それはパンをひとつ、ふたつと数える固体に用いられるものではなかった。しかもカユという言葉は別にちゃんとあるのだという。ではいったい壺の中にはどんなものがはいっていたのか、それは分かっていないらしい。さしずめ今日だったら、一カップ、二カップなどと数えるような、壺に入ったものをパンとしたのであろう。

私はこうしたパンも、先のトゥワン遺跡の壺カユも、エジプトの壺パンも、似た方法でつくられたのではないかと想像するのだが、類似の壺または鉢がシュメールでも発掘されているかどうか、今のところ私には分からない。しかしシュメール人もパンとビールにかけては相当な愛好家であったらしく、粘土板の文書に残されたパンとビールの記録はかなり多い。[32]そして「食べる」という絵文字は、はじめのように、人の頭と例のパン壺とで表され、後にに変わるのだが、すでにパンで食べ物すべてを表している。ここに共感と親しみを感じる。シュメールの壺とパン焼きの関係が解明できれば、古代のパン焼きの実態がいっそうはっきりするだろう。

ギリシャ人のパン焼き

＊灰の下で

ギリシャ人は、周辺世界のパン文化を取り込みながら、実にいろいろなことを試みていたらしい。そのパン焼きはやはり灰焼きから始まったようだ。

灰焼きパンはエンクリュピアス・アルトスまたはエンクリュピア[33]〈(灰に) 埋めたパン〉と呼ばれ、アテネの市場で人びとに供され、紀元前四世紀当時はよく知られていたらしく、『料理術』という書物に挙げられていたという。

『食卓の賢人たち』を著したギリシャ人のアテナイオス(二世紀)は、当時残存していた書物を渉猟し、さまざまなパンを挙げている。それによると、古代ギリシャの多くのパンには、パン焼き設備を表す言葉が、そのままパンの名称になっている。「(灰の中に) 埋めたパン」「パン窯で焼いたパン」「火桶で焼いたパン」「串につけたパン」「火の上で焼いたパン」「クリバノスで焼いたパン」「浅鍋で焼いたパン」といったふうである[34]。こうしたパンの名称からも、当時どんなパン焼き方法を試していたのかが分かる。そして灰焼きパンについてはこう言っている。

「灰焼きのパンはよく焼けないので重く、消化もよくない[35]」

焦げたところ、生焼けのところがまじり、小枝や葉の燃え残りや灰がついているのだから、無理もない。

大正末期岩手の山奥で教員をしていた円子テル子さん（一九〇七―九二年）が、当時の暮らしぶりを語ってくれたことがあった。山の子らはソバ粉の平焼きをよくつくったという。「ソバ粉に塩を入れて、湯を落として団子に丸めて、それを手の平で押して、直径二〇センチ厚さ二センチぐらいに丸くして、囲炉裏の灰の中にじかにぽんと放り込んで焼くわけね。子どもがぱっとつくっちゃう。そして塩加減もちょうどいいんです。焼きあがると、フーッ、フーッと吹いて、灰をぽっぽっとたたいて落とし、『ほれ！』とくれるんですよ」「蕎麦餅」と呼ばれていたという。それではさぞ灰だらけであったろう、と私が言うと、こう言って笑った。

「それがね、ソバ粉と灰はいとこだから、絶対くっつかねぇ、と言われてましたった！」

ソバ粉と灰。この似て非なるものの関係は、古代人の難題でもあったわけである。「くっつかねぇ」と言ったって、くっつくことだってある。できるなら灰のついていないパンを食べたいと思うのが人情だ。いかにしてパンと灰の「いとこ」なる関係をさらに疎遠にするか、まさにその課題が、ふっくらした発酵パンを生む結果ともなるのである。

＊串につけて

灰の中に埋めていたパンを、どうやったら灰のつかない、しかもよく火のとおったものにできるのだろうか。パン生地を串に巻きつけて焼いたらどうか。ギリシャ人ペレクラテス

（紀元前五世紀）の『健忘症』に、オベリアスという串焼きパンについて、こんなことが書いてあったという。

オベリアスをもぐもぐ食う。ふつうのパンの方がいいなどとは言わぬこと。[36]

しかしこうして焼いても「ふつうのパン」より、きっとおいしくなかったのだ。火加減が悪いと、ガリガリか、真っ黒焦げになる。『風と共に去りぬ』に採り上げられた、南軍が野戦場で焼くパンは、まずいことで有名だったようだが、これは銃の装塡桿《そうてんかん》にトウモロコシのパン生地を巻きつけて野営の火で焼いたものだった。表面は黒く煤け、岩菓子のように堅かったという。[37]

直火で炙るパン焼きのもうひとつの方法は、モチのように網にのせて焼くことであった。魚を焼く網に似たもの（テラコッタ製）でパンを焼いている像が、残っている。これもまたじか焦げを免れず、生地の水分や熱を逃がしてしまうから、ふっくらとはいかない。口当たりのよいパンをつくるには、どうしても火に直接当てる方法では、うまくいかないのである。

＊カバーをかぶせて

ポスト・灰焼きの命題は、パンと灰の熱い仲をいかに疎遠にするかであった。それには前にも述べたように、熱した石の上にパン生地を置いたら、カバーをかぶせることだ。このようにして仲を裂くことに成功したのが、ギリシャ人のパン焼き設備である。まずそのひとつがクリバノスというもの。それを紹介する前に、アテナイオスの説明を聞こう。

灰焼きのパンはよく焼けないので重く、消化もよくない。イプノス窯やカミノス窯で焼いたのは消化が悪くてこなれない。火桶で焼いたのや揚げ物用の平鍋で焼いたものは、オリーヴ油を使うので通じはいいが、油の蒸気が立つので腹によくない。何といってもクリバノスで焼いたパンが、すべての点でいちばんすぐれている。味がいい、腹にいい、消化がいい、身になりやすい、というわけだ[38]。

なんていいことずくめのクリバノスであろうか。ところがこのクリバノスというものは、一風変わっている。ギリシャ語辞典によると「てっぺんより底が広い容器、そのまわりに燃えさしを置き、内側でパンを焼く[39]」あるいは「てっぺんに向かってつぼまっている、通気孔のついた容器。内側でパンを焼く。漏斗形の柄杓に似ている[40]」とある。つまりある程度高さがあり、裾広がりの形をして、穴があいているらしい。ここで思いだすのは、あのエジプト人の壺のふた（こちらは穴がないが）である。彼らは円錐の鉢を逆さにかぶせて、ふっくらしたパンを焼いていた。原理はそれと同じことになる。このクリバノスについて、もう少し情報がある。

図39　古代ギリシャ人の網焼き　うちわで火をあおいでいる。タナグラ、前5世紀、テラコッタ

図40　古代ギリシャ人の串焼き　ディオニソス祭の祭列に担がれたといわれる巨大な串焼きパン、オベリアス。棒に巻きつけて焼いたもので、大きいものは79キログラムもあったというが、普段は手ごろな大きさのものをつくっていたらしい(84)

私はこの、じつに丸々と太った仔豚を
素焼きの鍋を水で湿らせそのなかに入れよう。男にとって
これよりどんな美味しい料理が作れようか。[41]

「素焼きの鍋」の原語がクリバノス。これはあらかじめ水を吸わせてから使う。そして仔豚がすっぽり入るほどの大きさなのである。

ローマ人もクリバノスを受け継ぎ、clibanusと綴っていた。この言葉は、最古の料理書と言われる『アピーキウスの料理書』[42]にも登場する。パンでなく、仔山羊や仔羊をまるごとローストするときに使用指示がある。プリニウスも『博物誌』に「クリバヌスで焼いたパン」を記録している。[43]

このローマ時代の情報でも構造ははっきりしない。メイエスケの集めたさまざまな情報では、[44]内部は二段に仕切られて、下で火を焚き、上でパンを焼いたとするものや、外側と内側との二重構造であったとするものなど、諸説いずれも断片的に語っているにすぎない。想像できる構造は、大小のドームを内側と外側に重ねたようなかぶせもので、大きいほうには、てっぺんに通気孔、下方に四角い口があったらしい。ともかくドーム形（円錐形）のかぶせものだったことは確かだ。

二重構造の場合は、脚つきの平皿にパン生地をのせ、上に小さいドームをかぶせる。この小さいドームと脚つきの皿とがすっぽりかぶさるような、大きいドームを外側にかぶせる。

そして下の口から火を入れ、皿の下で燃やすと、熱は大小のドームのあいだをつたって、上部の通気孔から排気される。こうすればパン生地の真下と周囲全面に同時に熱が加わるので、内側のドーム内は、熱が均等に加わるし、皿の下で火を燃やしつづけられるので、火力のいる大きな肉も焼けそうである。

　クリバノス称賛の理由はいくつかありそうだ。まず、かぶせものでついに、パン生地と灰との間をへだてることに成功した。これを二重にすれば、生地と灰（熱源）の間に熱気のこもる空間までできるので、いっそう火力が上がる。また、水を吸った素焼きは、熱せられると蒸気を出す。内部の空間は熱気と蒸気のこもった、パン焼きには快適な環境となったのである。熱に蒸気も加わるのだから、パンは当然よくふくらむし、しっとり、ふっくらするわけである。

　ギリシャ語のクリバノスという語は、辞典によるとクリテース〈オオムギ粒〉とバウノス〈炒り窯〉の複合語だそうである[45]。するとこれは〈オオムギの炒り窯〉という意味になる。こんな言葉からも炒りムギからパンへの発展過程を推測させる。そして「クリバノス」から「クリバノスで焼いたパン」という言葉、さらに「パン屋」という言葉も生まれている。〈オオムギ粒〉〈炒り窯〉〈パン〉。クリバノスというキーワードは、はるかな時間のかなたにある、パンの起源へとわれわれの想像を駆りたてるのである。

　ギリシャのパン焼き設備には、このほか「プニゲウス」とよばれるかぶせものもあった。〈窒息させる〉という語にちなみ、火を消すためにかぶせるカバーだが、パン焼きにもつかわれていたらしい。これは実物が出ている（図44）。

幌馬車のようなパン窯で

アテナイオスは、先に引いたように、「イプノス窯やカミノス窯で焼いたのは消化が悪くてこなれない」と記している。その「イプノス窯」というのを見ると、それもそのはずだ、と納得がいく。この種のパン窯は、紀元前五世紀のテラコッタの模型がいくつも残っている。それはどれも幌馬車のような形をしており、窯口に扉がついていないので、密閉できない。そのためパン窯には熱気がこもらないから、ふっくらとは焼けない。外はかりかり、中は生焼けになりやすく、たしかに不消化なパンになってしまいそうだ。

クリバノスという立派なものがありながら、パン窯を模索中だった背景には、おそらく大量生産の要請があったのだろう。その他いろいろ試みた様子が、アテネ市場の遺跡出土品から推測できる[46]。

ギリシャ人の家庭では、パン焼きは大々的な設備でなく、居間でできるような簡便なものを用いていたらしく、クリバノスをはじめ、ポータブルな火桶やカマドで、小さいパンをちょいと焼く、といったふうであったらしい。

紀元前の時代は、さしものギリシャ人もパンにかけてはアジア人にかなわなかったとみえる。パン焼き職人ならフェニキア人かリュディア人がよい。あらゆる種類のパンを注文に応じてつくれるぞ、とか、いやカッパドキア人が最高だ、などと品定めしている[47]。紀元前の世

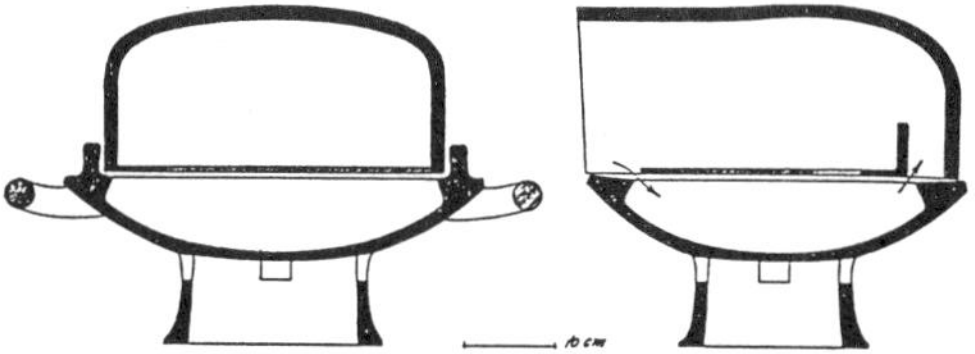

図41　アテネの市場跡から出土したポータブルオーヴン　左が正面、右が横から見た図。火鉢の上に、フードをかぶせる。火鉢の底で火を焚き、中敷の上にパンをのせる。その熱は中敷のすきまからフード内へ(85)

図42　ギリシャのパン屋の人形　左からムギをついて粉にする人、こねる人、タヌールの中にパンを張りつけて焼く人（実際中に３つ張りついている）、パンを売る人。ボイオティア、前５世紀、テラコッタ。11×５×７センチ

図43　幌馬車形のパン窯でパンを焼く女　バターロールのようなパンが見える。「幌」の下、幌内の片側で火を焚いたのだろう。図41と構造が似ている。ボイオティア、前５世紀、テラコッタ

界では「肥沃な三日月地帯」のパン文化は依然周辺を凌駕していたようだ。

ローマ人のパン焼き

＊カバーをかぶせて

ローマにもクリバノスと似たようなパン焼き設備があった。テストゥ[48]と呼ばれるものである。ローマの大カトー（紀元前三―前二世紀）が『農業論』で、テストゥを使う菓子のレシピを記している。

（前略）そして炉の準備をする。それから菓子（生地）を置き、熱いテストゥをかぶせ、その上とまわりに炭を積み上げる。[49]

テストゥは使用時に水を吸わせることはないらしい。より小さく、ほとんどパン専用のかぶせものである。先にふれたギリシャの「火消しカバー」も、これとおなじように使われていたのだろう。テストゥもずっと存続しつづけ、二〇世紀初頭のパン焼きの報告にも頻繁に登場する。たとえばルーマニアではズェスト zest とほぼそのままの名称、[50]ハンガリーではビュドォショー〈放浪する〉にちなむ）、ドイツ語圏ではバックグロッケ〈釣り鐘〉と呼んでいた。ハンガリーの例では素材の粘土には馬の毛、アマの屑を混ぜて補強したり、小石やレンガ片を混ぜて保温力を高めたりしていた。[51]土器のほかに鉄製、石製のものも出ている。

図44　ギリシャのベイキングカバー、「プニゲウス」（火消し）　同様のものが西欧に20世紀まであった。火の用心のために、夜間暖炉のうずみ火にかぶせる。釣り鐘形、握りつき。ギリシャでは、中にパン生地を入れ、まわりに炭の燃えさしを置き、パン焼きにも使われたらしい(86)

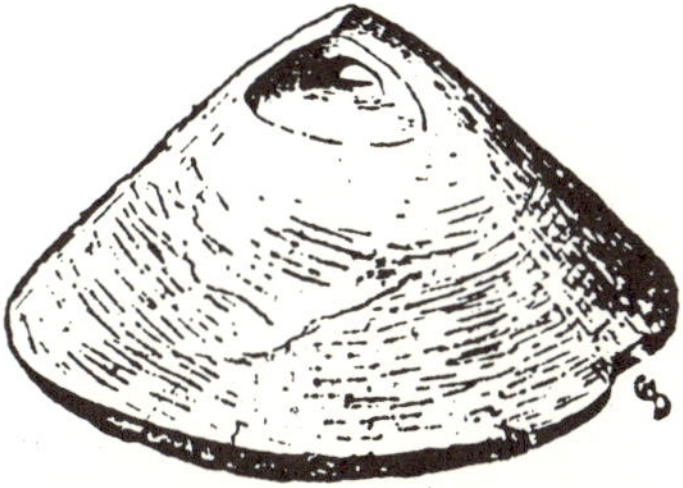

図45　パンを焼くカバー、石製のビュドォショー

図46　ドゥブロヴニクに伝わる現代の鉄製ベイキングカバー、ペカ　クロアチア

注目したいのはビュドォショーという言葉。遊牧の羊飼いが二つのビュドォショーの取っ手を紐で結び、馬の背にかけて運び、野外でパンを焼くときに使っていたという。(52) ハンガリー、トランシルヴァニアから報告された石製のビュドォショーの例からすれば、先土器新石器時代でも理論上はこうしたものがあった可能性は考えられるのである。

しかし二〇世紀初めのパン焼き報告によると、ダルマチア地方（クロアチア）のパンを焼く土器に、ツリエープニャ criepnja（または crijèpnja）というかぶせものもある。直径四〇―六〇センチ、パン生地にかぶせたら、その上にまた灰や燠をかぶせてパンを焼く。(53) 似た形の鉄製品は二一世紀にも現在し、ペカ（peka）と呼ばれている。さらにハンガリーには、チェレプヤ cserepulya（または csrepulja）という同様の形をしたものもある。こちらの方はてっぺんの柄のそばに通気孔があり、栓がついているそうだ。(54) しかし内部は二重の構造ではない。

kribanos; crijèpnja; csrepulja と並べてみると、この三つは外形だけでなく、言語上もつながりをもつようだ。この一連の言葉は、ラトヴィア、ポーランド、チェコなどスラヴ系言語に広がっており、〈土製の鉢、土器〉を意味し、サンスクリット語までたどれるという。(55)

これら一連のパン焼き用のかぶせものは、「釣り鐘」と以後は呼ぶことにしよう。この「釣り鐘」でのパン焼きは今日も残存しており、どのように使われるか詳しく知ることができる。その実際は第四章で紹介する。

ところで、ローマ人のパン焼き設備はもちろんこれだけではない。あとで述べるようにパン窯は、ローマ時代に完成するのである。しかしそれを見る前に、当時はまだ辺境の地であったヨーロッパ中部ではどんなパン焼きをしていたのか、ちょっとのぞいておこう。

ヨーロッパの鉄器時代のパン焼き

遺跡で見つかるパン窯の遺構は、天井部は崩れ落ちているものだが、パン窯の側壁が高さ四〇センチまで残っていたものが、オーストリアの先史博物館に復元されていた。そのパン窯では往時のパンも焼いて、見学者に試食させてくれた。紀元前八〇〇―前四〇〇年、初期鉄器時代の住居付近から出た、屋外につくられた粘土製のパン窯で、四基が縦穴に連結して並んでいる。そのうち二基は果物や穀物の乾燥用だろうという。

ところで、これまでいろいろな丸天井のパン窯の話をしてきたが、このアーチ型の天井は、いったいどうやって造っていたのだろう。

ここではハシバミの小枝を大きな籠のように編んで、その両面を黄土で塗りかためて窯の床部分にかぶせ、その上をさらに黄土でかためて断熱してあった。小枝を芯にした粘土の窯だから、大きさはせいぜい内径一メートル止まりであった。このような窯は中部ヨーロッパでは、紀元前三〇〇〇年紀から出土例がある。(56)

このパン窯では発酵パンも、無発酵パンも焼けるし、穀物、果物の乾燥も可能であった。が、ときにどうして、連結させたパン窯が必要なのだろうか。この点については、次のようなことが実験で分かったそうである。

図47　鉄器時代（ハルシュタット文化）の４連のパン窯（復元）　オーストリア

図48　青銅器時代末期（紀元前９－前８世紀）のベイキングカバー　直径20センチ、最大高さ7.5センチ、土製。オーストリア

図49　木の枝と粘土製の、丸天井のパン窯の構造（復元）

薄いパンを焼いていた時代だから、必要量を満たすには、一度にたくさん焼かなければならない。そこでまず第一のパン窯に少量の薪を焚き、窯口をふさぐ。一時間半後に内部が摂氏三〇〇度になったら燠を掻き出し、その燠を第二の窯に入れ、薪を少し補充して燃やす。一の窯の方は窯床を水拭きして、パン生地を並べると、私の試算では、直径二〇センチ、厚さ五ミリほどのパンが一〇個入る。窯口をふさいで二〇分するとパンは焼きあがる。これを取り出すと窯の内部は二〇〇度強。また少し窯を熱して次の一〇個を入れる。第二のパン窯でも同じことを繰り返す。

この方法で、少量の薪と一度の火起こしで、パン窯一基につき二〇個の薄いパンが焼けることが分かった(57)。この粘土のパン窯は年に二回補修が必要という。

残り二基は乾燥用の窯だというが、穀物、果物の乾燥のためなら、パンを焼いた後の余熱でも十分なはずである。それとも少ない薪を最大利用して、四基で乾燥させるほどの収穫があったのか、あるいは四基を総動員してムギを炒ったのであろうか、その点は不明である。

このパン窯は、小枝に粘土を塗りこめただけの構造なので、高温には耐えられない。したがって薄いパンしか焼けない。ふっくらふくらんだ厚いパンを焼くには、天井はレンガ、床は自然石かレンガ製で、パン窯内部を高温に保てるような構造にしなければならないのである。

パン窯の完成

そしてローマ時代に、パン窯はついに保温力のある堅固な石窯として完成したといってよいだろう。パンの需要が増えて、パン屋は大規模な設備が必要となった。ポンペイ遺跡（一世紀）のパン屋のパン窯からその構造はつぶさに分かる。そのひとつの構造と寸法は図50のようになっている。このパン窯では直径二〇センチのパンなら、一度に一三〇個は焼けそうである。

このパン窯は、ヨーロッパの現代の薪用パン窯と構造、使用法とも変わりがない。また、この遺跡から現れたパンや菓子の実物、あるいは壁画がナポリの考古学博物館にある。それを見ても現代のそれと比べ何の遜色もないできばえである。そのパンの実物は、写真のようにふっくらふくらみ、八等分できるように分割線がはいっているのが特徴。このような八つ

図51　ポンペイのパン窯の外観　手前は、アワーグラスミルと呼ばれる挽き臼。高さ約1メートル。後方がパン窯

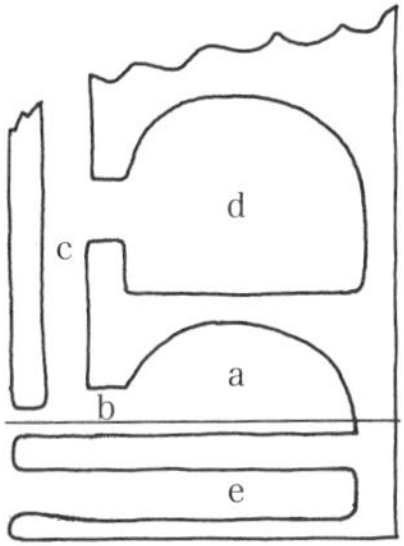

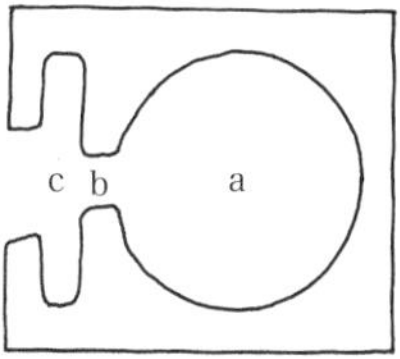

図50　ポンペイのパン窯の一例　上が断面図、下が平面図。aパン窯、b窯口、c煙道、d煙をためる空間、e薪または灰の置き場。dは窯の保温の目的をもっていたらしいが、必ずしも必要ではない。私の調べた窯の直径は約250センチ、丸天井も窯の床もレンガ製

図53　八等分できるポンペイのパン

図54　ポンペイのクグロフ型のような菓子型

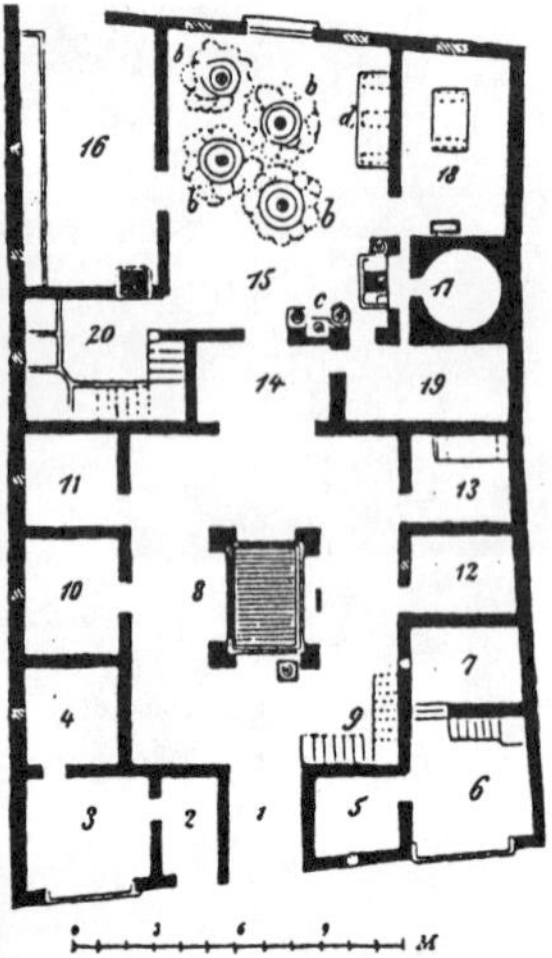

図52　ポンペイのパン屋の見取り図　8玄関ホール、15粉挽き場、16家畜小屋（おそらく臼を回すための馬やロバなど）、17パン窯、18パン焼き作業場、19貯蔵室

割りパンは、古代ギリシャから受けついだものらしい。ヘーシオドス（紀元前七〇〇年前後）の『仕事と日』に、「八人前のパンを四つ割りにして食事に与え」(58)という表現で現れているのだから、大変に古い伝統をもつパンで、「オクタブロモス」という名がついていた。ポンペイからはそのほか円形の焼き型が現れているが、これなども現代のものと全く変わらない、クグロフのような菓子型である。ポンペイの時点で、パン窯、およびパン焼き技術は一応の完成をみたということになろう。

古代人のパン焼きのくふう

これまで古代人のパン焼きのくふうを、灰焼きからパン窯の完成まで、設備を中心に見てきた。そのパン窯には、円筒型と丸天井型の二つのタイプがあった。円筒型では、発酵パンが焼けるが、内側壁に張りつけるので、薄いパンに限られてしまう。しかし少量の燃料があれば焼ける。一方、丸天井型では、パンを水平な窯床に置くので、厚みのあるものでも、ころんと丸いものでも、どんな形のものでも可能である。ただ、こちらは大量の薪が必要。この燃料の問題が、パン窯を二つのタイプに分け、地域を二分することになった主な理由だと私は考えている。

ところで、灰焼きからカバーをかぶせるまでの過程には、まだ謎が多く残っている。たとえば、ローマ時代の丸天井型パン窯はフルヌスと言うのだが、実はこれ、元はムギを炒る設備だったらしいのである。オウィディウス（紀元前後）の『祭暦』にこんなことが書いてある。

あの驢馬を見てごらん。花冠をつけてパンをぶら下げている。今ではきたなくなってしまった石臼にも、花飾りがかけてある。昔農夫たちがフルヌスで焼いた（炒った）のはスペルタ小麦だけだった。（中略）パンは炉の灰の下に置いて焼いていた。熱した炉床には壊れた瓦が敷いてあった。それゆえパン屋は炉と、炉の女神と、穴だらけの石臼を回す驢馬をあがめている。[59]

パン屋がパン窯、フルヌスをあがめるのでなく、炉と炉の女神をあがめるのは、昔、パンをフルヌスではなく、炉で焼いていたからだ、と言うのである。この「スペルタコムギ」（原文「ファル」）は、実際はエンマーコムギだった可能性が強い。[60] しかしどちらにしても殻（穎）が硬く、脱穀しにくい品種なので、まず殻ごと炒ってから、軽石のような、表面がざらざらした石臼で殻を擦り取り、[61] 製粉した。驢馬がその労を担ったので、花冠をつけ、パンをぶら下げている。（こうした脱穀、製粉法については第四章のスペルタコムギの項で詳しく触れる。）今私たちが注目したいのは、ムギを炒る習慣がここにも記され、さらに、このフルヌスは元はパンを焼く設備ではなく炒り窯であった、とオウィディウスが言うことである。あのクリバノスの原意も〈オオムギの炒り窯〉である。「フルヌス」「クリバノス」という、炒り窯についていた呼称が、後にパンを焼く設備の呼称となった。あるいは炒り窯自体がパン窯に変わったのだろうか。この点は今後の研究成果が待たれるところである。

3　中世のパン焼き

パン焼きの技術は、ポンペイの遺跡から分かるように、その頃には現在と大差ないところまで発達した。以後産業革命までの一八〇〇年間、パン焼きにさほどの変化は見られない。そこで今後は、パンの舞台を中世の中央ヨーロッパに移すことにする。農民のパン焼きについては、次章で詳しく記すので、ここでは中世都市で、人びとがどのようなパンを焼いていたのかを見ることにする。

一般に古代の住居は一空間であった。ヨーロッパ中部以北は気候が寒冷なため、火は煮炊きだけでなく、暖房にも欠かせない生活条件であった。夜間には明かりの役割もある。そのため人類は火を屋内に取り入れた。はじめは屋内の真ん中に炉がつくられ、そのまわりで生活が回転していた。この炉は明かり、炊事、暖房を兼ねる、家の中心だった。炉はヨーロッパの都市では一三世紀頃、農村では所によっては一六世紀まで、家の真ん中に位置を占めていた。家の中で焚き火をしているようなものだ。煙は天井に充満し、窓や屋根に開けた穴やすきまをつたって外へ出るというものであったから、部屋中が煤《すす》けていた。問題はこの煙の始末である。

都市が成立し、商業や手工業がさかんになると、家の道路に面した側が店舗兼作業所となり、炉は中庭に面した側壁に寄せてつくられるようになった[62]。そこは料理をするだけの、台所という空間となり、仕切り壁を設けてもう一つ別の空間が生まれた。居間と呼ばれる部屋で、そこには新たに暖房設備が加わった。この暖房設備には、ストーヴと暖炉とがあるが、これは地域によってそのどちらかに分かれている。

暖炉の地域は、ギリシャ、バルカン諸国、イタリア、スペイン、ポルトガル、フランス、旧ネーデルラント、北ドイツ、北欧（一部）など。

ストーヴの地域はドイツ、スイス、オーストリア、スロヴェニア、東欧諸国、北欧（一部）、ロシア（ペチカ）などである。

居間の暖炉やストーヴは、台所の炉や、パン窯とは別の、新たな加熱料理設備としても活躍することになった。ちょうど私たちが台所のコンロとは別に、ときには食卓へもコンロを置いて鍋料理を楽しむように、人びとは暖炉やストーヴで、一家団欒のためのパンを焼いたのである。

中世になっても、パン屋のない農村では、パン窯で自家製のパンを焼いていたが、都市では、パンはパン屋で買うか、あるいは家でこねたパン生地を、パン屋へ運んで焼いてもらうか、どちらかであった。その事情は都市によって異なるが、行政上の制約や、防火のために、一般にはパン窯の所有はかぎられていた。そのためストーヴや暖炉も、台所の炉と並んで、簡単にパンや菓子を焼く場となっていくのである。

ストーヴに入れて

居間のことをドイツ語でシュトゥーべと言う地方がある。英語のストーヴで分かるように、居間とは必ずストーヴを備えた部屋のことだからである。ストーヴには、写真のように、縦型と横型とがある。横型はかまぼこのような形で、大きいものはたたみ一枚分もある。縦型はたんすのような形で、背の高いものから、L字形のものまでいろいろだ。

縦型は焚き口が下方にあり、内部に充満した熱気と煙は上方の煙道へ抜ける仕組みである。そこでストーヴの上部に、扉のついた鉄の箱をはめこむようになった。箱はストーヴ内の熱気で熱せられるので、箱の中のパンや料理が間接的に加熱されるわけである。これがそもそもクッキング・オーヴンと言われるものの始まりである。料理用オーヴンは、このようにストーヴに組み込まれた一機能として誕生した。古代からのパン窯とは別系統で発達したものである。

横型は内部がパン窯とよく似ているので、耐熱耐火構造ならばパン窯の代用にもなる。ここでパンを焼く場合は、暖房するときより温度を上げなければならないので、夏場は部屋が暑くなるという難点をのぞけば、パン窯と同様にたくさんのパンが一度に焼ける。

縦型でも横型でも、居間ストーヴの焚き口を台所の中に配置すれば、ストーヴ内の火床をカマド代わりにも利用できる。この中にふたつきの壺や、三脚つきの鉄鍋を入れて煮ることもあった。台所にカマドを全く備えず、ストーヴの内部だけで煮炊きをする地方もあったほどである。このように、暖房設備と料理は一体となって発達してきたのである。

図55　かまぼこ形の横型ストーヴ　マリア・ルカウ村。図23も同じタイプ

図56　タンスのような縦型ストーヴ　上がオーヴン機能をもつ

暖炉を囲んで

＊フォカッチャ

暖炉の地域では、いわば室内で焚き火をするようなものだから、パン窯の代用にはならない。そのため暖炉では、古代さながらのパン焼きが行なわれていた。その代表的なものが〈炉端焼き〉である。ラテン語の炉、フォクスから派生した言葉で、同類の名称をもつパンがヨーロッパでは一グループを形成しているほどである。そしてこれがまた例の灰焼きパンを意味しているのだ(63)。まず、今世紀まで伝わっていた伝統的な焼き方を見よう。スイスのテッシン州、パヴォア谷の方言で、「フィエッシャ」、イタリア語の「フォカッチァ」の訛《なま》ったパンで、次のように焼かれていた。

クリの粉とライムギ粉を一対三で混ぜ、水と牛乳でぼってりした生地をつくる。四角い石板を暖炉の火でよく熱しておく。火からおろして、白樺の枝で石板の灰を払い、生地を二、三センチの厚さに塗りつける。この石板をできるだけ火の近くに置き、周囲の向きを変えながらまんべんなく火に当て、四五分ほどかけて焼きあげる(64)。

石板の生地の上に灰をかけるのでなく、火にかざして焼くのは、灰焼きを一歩発展させた段階である。しかし付近の地メルゴシアでは、二〇世紀初めまで、このパンは実際灰焼きそのものであった。火の燃えている炉の一ヵ所の熱灰をどけ、炉床にじかにパン生地を置き、その上に燠をかぶせていたという(65)。灰焼きパンはヨーロッパでもこうして、二〇世紀初めまでは山奥深くには残っていたことが確認できる。その他の地域でも、パン屋が遠かったり、雪にとざされて屋外でパン焼きができない冬期には、この方法で暖炉でパンが焼かれていたそうである。食べものを煮たり、焼いたりする料理の方法というものは、なんと変わらないものだろうか。文明がどう進歩し、社会環境がどう変化しようと、食材や道具、設備こそ変われ、料理の方法には大差がない。灰焼きは実に一万年つづいたパンの焼き方なのである。

ところで今紹介したのは伝統的な焼き方であったが、イタリアではこれに似たフォカッチャと呼ばれているパンがある。伝来の焼き方はすっかり廃《すた》れてしまったが、名称だけは現代でも健在である。それどころか最近では日本にも上陸して、パン屋さんの店頭を賑わしている。その「フォカッチャ」は、オーヴンで薄く焼いた小麦粉の発酵パンで、ハーブやタマネギを刻んだものや、オリーヴオイルを入れる。原形の灰焼きパンが、薄くて平たい形をしていたことから、ともかく薄いパンを意味するようになったようだ。

次章で紹介する「釣り鐘」で焼くクロアチアのパン、ポガチャも、〈炉端焼き〉を意味して、明らかにフォカッチャと言語上同類。もっともこれも発酵パンであるが。

フランスではこの〈炉端焼き〉はファアスと言い、中世には、人気の卵入りのパンケーキとなった。ラブレーも一六世紀のレルネの町のファアス屋を『ガルガンチュワ物語』に登場させている。(66) ここではファアスは卵入りのガレット（薄焼きの菓子）のようなものである。一四、一五世紀には、地方によっては最上の白パンを意味することもあった。現代でもオーベルニュ地方に、干し果物がたくさん入った、クリスマスの菓子となってこの名をとどめている。

さらにアルプス一帯では、〈炉端焼き〉はフォハンツェン、フォヘッツなどと呼ばれ、マリア・ルカウ村では一三八一年の領主の徴税台帳に、税としてこのパンの名が随所に見える(67)。今日では、乾し果物や刻んだリンゴ、ハチミツなどをたっぷり入れたライムギの発酵パンで、一年にただ一度だけクリスマスに食べる習慣として存続している。しかし一九世紀のそれは、古老の話によると厚さ四、五センチ、直径二〇センチほどのライムギパンで、普段とちがうのは、生地に野生の乾ブドウを混ぜ込み（なにも入れないこともあった）、焼きあがったら表面に砂糖水をかけたことぐらいだという。おそらく中世においてもそのようなものだったのだろう。

＊串焼きパン

やはり暖炉で焼く、画期的なパンが中世に現れた。先に古代ギリシャのパン焼きで、オベリアスという串焼きパンの例を見た。串のまわりに紐のように延ばしたパン生地を巻きつけて、直火にかざして焼く方法であった。その方法が中世の料理書にも登場している。

一六世紀初めにベニスで刊行された『エプラーリオ(68)』の表紙を飾った木版画の中にそれが見える。火は厨房の壁際、石を敷いた床でじかに焚いているが、その上には煙を取り込むフードがついている。男女の料理人が立ち働いている。そこへ野兎が一匹届けられた。燃えている火の上に鎖で鍋を吊り下げてスープを煮る。その火の前で、焼き串でパンを焼いている。この串パンは、日常パンとは異なるもので、おそらくデザート用の菓子のようなものだったのだろう。

というのは、ほぼ同時代にドイツの料理書に串焼き菓子が現れたからである。たとえば『明解にして有用な料理書』（一五四七年）には、要約すると、上質のコムギ粉とその倍量の生クリームにヤロウ（西洋ノコギリソウ、独名 Schafgarbe。ヨーロッパ原産のハーブ）を少々加えたものに、卵を入れて温めながらよく練り、干しぶどうとメース（ナツメッグの仮皮種。東インド諸島原産、当時は高価）を加え、さらに練る。串に巻きつけ、表面に塩入りの卵黄を塗りつけ、生地を撚《よ》り糸で輪に縛る。これを火にかざし、表面が焼けたら、溶かした油脂を塗る。串を回しながら焼いてはまた油脂を塗ることを繰り返す。きれいな焦げ目が表面についたら、串からはずし、両わきの串穴に布巾を詰めて、余熱をこもらせておく。切り分けると、一切れが輪のようになる。そこに塩をふる。[69]

この食べものは甘味としては干しぶどうだけで、塩味だが、塩も貴重な時代である。パンというよりは菓子のつもりだろう。解説に曰く「この輪は宮廷風食べ物という」とある。

さらに三〇年あまり後の一五八一年、マックス・ルンポルトによって刊行された料理書『新料理本』に、別のつくり方が登場した。こちらは小麦粉、ミルク、ホップ（発酵剤として）、バターで発酵パンの生地をつくり、麺棒で平らにのしてから串に巻きつけ、糸で縛る。焼きながらバターを塗る。[70]

これは平らな生地で串を巻きこむから、輪切りにすると木のような年輪ができる。といっても、生のパン生地だから、薄く巻かないと中まで火が通らないだろう。前に述べたように、串焼きは、生焼けや、黒焦げの心配がおおいにある。その点を解決しないと、成功しな

図57　串焼きパンを焼く木版画　16世紀

い。このパンはつくり方の最後に、「これを串菓子という」と命名している。当時知られていたその他の料理には、「これを……と呼ぶ」などという断りはない。だから一六世紀には、この串パン、あるいは串菓子は呼称も製法もまだ定着していなかったということである。修道院や貴族の館などで、料理人がつくっていた、珍しいものだったのだろう。串にくるくる巻きつけているうち、その「輪」が年輪に見えはじめ、後世バウムクーヘンの発想に至るわけだが、それは、どろどろの生地を、回転する心棒に塗りつけながら焼くという職人技によって、中まで火がとおり、しかもしっとりと焼きあげることに成功したのである。

　串菓子は、現在、ヨーロッパにはいろいろある。たとえばハンガリーのキュルトーシュカラーチ（Kürtős kalács＝Kürtőskalács〈煙突状のミルクパン〉）や、同名同様の菓子がルーマニア、トランシルヴァニア地方にもある。あるいはトゥルデルニーク（Trdelník, tradlo〈木の棒〉にちなむ）と呼ばれる串菓子がスロヴァキアやチェコにある。特にスロヴァキアの町、スカリカのそれは、EUの「地理的表示保護制度」に登録され、地名付きで、スカリキー・トゥルデルニーク（Skalický trdelník）と呼ばれている。また、表面に生地を凸凹状に垂らして、かりかりした突起をたくさんつくる焼き方が、この串菓子のヴァリエーションにある。たとえば、ポーランドには節のような突起がたくさんついたセンカチュ（Sękacz〈節だらけの木の枝〉）、リトアニアには同意のシャコティス（Šakotis）、スウェーデンにはスペッテカカ（Spettekaka＝Spettkaka〈串菓子〉）、オーストリアにはプリューゲルクラプフェン（Prügelkrapfen〈棒のケーキ〉）、と豊富で、結婚式など、ハレの日の菓子として伝えられてきた。
炉で焼くパンの代表的なものを見たわけだが、面白いことに、廃れてしまったはずの原始的なパン焼き方法が、立派なパン窯ができたのちの中世になって、勢いを盛り返していった。そして日常のパンとしてではなく、一家の団欒や、祭りなどの特別な機会に焼かれるものとなった。このように原始的なパンが、中世には特別な日の菓子に変わった例を、もう少し見てみよう。

＊パンケーキ、ワッフル、ゴーフル

無発酵の平焼きを現代でも食べている地域があるのは、第一章で記したとおりだが、発酵パンの地域では、平焼きとはもともと古代のパンである。古代遺跡から出土したパンでも、すでに発酵させていたほどである。

居間の暖炉は、昔も今も一家団欒の楽しい場所である。特に祝いごとのあるときは、この火を囲んで菓子が焼かれたものである。イギリス、オランダ、北ドイツなどではパンケーキが、ベルギーではワッフルがその炉端焼きの主役であった。

日常のパンは麦粉と水だけでつくられるものであったが、暖炉でもパンをつくるとなると、浅い鍋で無発酵の平焼きにするのが便利である。そして祝いのために味をよくする。生地に卵やミルク、生クリームなどを入れ、暖炉の自在鉤《じざいかぎ》に吊るす仕組みのプレートで焼いた。これは串焼きとちがい、誰でも簡単に焼けるので、ポピュラーな祝祭菓子へと発展する。中世の「平焼き」（フラーデン）と呼ばれたものは、こうして、菓子の部類に属すことになったのであろう。この「平焼き」が、所によっては「パンケーキ」「卵菓子」などとも呼ばれ、クリスマス、新年、復活祭……祭りのたびに無くてはならない食べ物になったわけである。

日本でワッフルといえば、木の葉型に焼いたかわを二つ折りにして、中にジャムやカスタードクリームをはさんだものだったが、近年は、ベルギー風ワッフルも見かけるようになった。本来ワッフルは〈蜜蜂の巣〉を意味しているように、蜂の巣状に凹凸のある二枚の鉄板にはさんで焼くもので、ベルギーを中心に、その隣接地帯のライン川流域に普及した。生地の素材はパンケーキとほとんど変わらない。フランスで食べるゴーフルの方も、二枚の鉄板にはさんで焼くのだが、こちらは鉄板に凹凸がついていない。しかし美しい模様が彫り込まれており、焼きあがったゴーフルにそのレリーフが写される。二枚の鉄板が対になっていることから、しばしば夫と妻のイニシャルが、家の紋章とともに彫りこまれた。嫁入り道具として、あるいは婚礼の祝い品として、新しい家庭に持ちこまれ、ハレの日の団欒に、夫と妻のイニシャルが表裏についたゴーフルが焼かれ、生涯使いこまれたのである。このゴーフルと同様に薄いはさみ焼きの菓子に、紙のように薄いウェファースがある。オブラートと呼ばれる薄焼き菓子やカトリックのミサで食されるホスチアが同類である。

こうして「炉端焼き」「串焼き」「平焼き」と、炉で焼いたものを見てくると、共通するのは、古代に行なわれていたパン焼き方法だという点である。日常は、よくふくらんだものがパン窯で焼けるようになるにつれ、パン窯で焼く方へ比重が移り、炉でのパン焼きは後退した。日常はパン窯のパンを、そして非日常的な特別の機会にかぎり、昔ながらに炉でパンを焼くという習慣が生じた結果、炉でハレのパンを焼くことになったのであろう。パン窯で焼く庶民の日常のパンが質素なものであったのに比して、炉で焼くパンは、真っ白な小麦粉を用い、卵やサフラン、乾し果物入りの上等品であることが、それを語っている。菓子とパンとは、このようなハレとケの関係で生じた。今、私たちは日常的にパンケーキを食べ、祭りでなくとも菓子を食べるようになった。しかし菓子とは、さしたる意味もなく口にするものではなかったのである。

むろんパンから菓子へ形を変えていくのは、中世にはじまったことではない。古代エジプトのラメセス三世の墓の絵に描かれたものも、一部は菓子の部類に入るし、マリの遺跡（シリア）からいくつも出土した、テラコッタの菓子型（直径二〇―三〇、深さ三、四センチ、紀元前二〇〇〇年紀前半、国立アレッポ博物館蔵）の例もあるし、アテナイオスの菓子総覧とでも言えるリストを見ても、菓子は紀元前にも豊かにあったことが分かる。[71] 日々の暮らしのために日々のパンがあるように、非日常の暮らしを彩るために菓子はあると言ってもよいだろう。

天火の仲間たち

暖炉とストーヴに次ぐ、第三の料理設備がある。これはとくにわが国の「天火」と呼ばれて親しまれてきたオーヴンともかかわりがあるので、触れておこう。

ギリシャのクリバノス、その他古代からあった「釣り鐘」型のかぶせものの特徴は、ふたの上や周囲に燃料を置くことであった。もちろんそれを置く床も熱しておくわけだから、熱源が上下にできる。そのためにパンは焦げることなく、ふっくらと焼けるわけである。

鍋の上下に火を置くという発想は、古代で終わりとならず、中世以降もヨーロッパに受け継がれたのは、後でクロアチアの「釣り鐘」焼きでも見るとおりである。このようなかぶせものだけでなく、上下に火を置く新しい鉄鍋もイギリス、アイルランド、スペイン、オランダ、北欧などでも続々考案され、手軽なオーヴンとして電化時代を迎えるまで家庭で愛用されていた。その代表として、ここではダッチ・オーヴン（バスタブル・オーヴン）を取り上げよう。

これは三脚のついた直径四〇センチほどの深めの鉄鍋で、鉄製のふたとつるがついている。といえば普通の鍋のようだが、これでパンが焼けるのだ。パン生地を入れ、ふたをしたら、自在鉤で暖炉の火の上に吊るし、さらにふたの上にも燃える泥炭や炭をのせて焼くのである。[72] そのためにこのふたのへりには、数センチ立ち上げた縁がついている。これはアメリカにも持ち込まれ、一般家庭から、カウボーイたちの野外のパン焼きにまで利用されるようになった。使い勝手を考えて、たいていは暖炉の手前側にダッチ・オーヴン専用のエプロンスペースがあり、そこへ自在鉤を引き寄せて、鍋を懸ける。パンを焼く場合は、下の火はとろ火、ふたの方は強火になるように燃料を配分する。

私がストックホルムの博物館で見た、同じような三脚の鉄鍋も暖炉の火の上に置いて同様

図58　鉄鍋の上に、うちわに似た鉄のプレートをのせ、その上で薪を焚いてパンを焼く　スウェーデン

図60　福砂屋で過去に使用されていたカステラの引き釜　窯の下にも少々の火を入れるが、上の方が多い

図59　川原慶賀の《御菓子所》

図61　バンコックの引き釜

に使う。鉄のふたは鍋の口よりひとまわり大きくて、団扇のように真っ平らで、柄がついている。

このように平らなふたや、鍋の中へ落とし込んだ中ぶたに、炭をのせてパンを焼く鍋を見ていると、長崎の南蛮菓子を焼く鍋を思いだす。シーボルトお抱えの出島の絵師、川原慶賀の描いた《御菓子所》に、このダッチ・オーヴン式の鍋が見える。三脚つきの鉄鍋、その中へ落とし込んだふた。その上に赤く燃える炭と灰がのっている。長崎の通詞、楢林重兵衛も寛政一一（一七九九）年に次のように話している。

パンを製するには小麦粉四升に醴酒《あまざけ》一升ばかりを入てよくこね、銅器に入上下に火をかけてこれをやく。(73)

カステラ用の「引き釜」も上と下とに炭火を置くが、その大方は上の方に載せる。ふたはやはり中に落とし込んであり、それを引き上げてカステラを出し入れするので、「引き釜」と言っている。林のり子氏の写真を見て、同じタイプの引き釜がバンコックにもあったことに私は驚いた。日本のカステラの引き釜と、構造はそっくりである。パン屋がこの「引き釜」をリヤカーで王宮前広場へ運び込み、野外でパンを焼きながら売っていたそうだから、(74)一種のポータブルオーヴンである。

これら一連のダッチ・オーヴン式の鍋や、引き釜などはどれも大々的なパン窯とちがい、簡単に持ち運びできる利点がある。ハンガリーの石製の「釣り鐘」ビュドォショーも、遊牧民が馬の鞍にかけて持ち運んだので、〈放浪する〉という語にちなんでその名がついたと言われている。

もともと日本のように、コメを主食とする世界にはオーヴンの伝統はなかった。大森の貝塚を発見したエドワード・モース（一八三八―一九二五年）は『日本その日その日』で、日本にはオーヴンが存在しないことを記し、かれの料理番がどうやってローストチキンを焼いたか、イラスト入りで説明している。炭火の燃える火鉢の上にブリキ板を置き、チキンを載せ、銅の片手鍋を逆さにしてその上にかぶせる。こうすると鍋の底が上にくるわけだが、その上にもさらに燃える炭火を置き、この火を始終あおぎながら焼いたという[75]。この方法はモースのアイデアであろうが、鍋の上にも火を載せる伝統がこの思いつきになったのだろう。鍋の上に火を載せるなんてことは、日本人には大きな驚きであったが、灰焼きからパンづくりをはじめた民族からすれば、ごく自然の発想だったのだ。

明治期に我が国に現れた箱状のオーヴンは、火鉢の上にのせて使うものであった。箱の外側、てっぺん（縁がついている）にも炭をのせた[76]。だから「天火」なのだ。それまでのカマドでは、火とはいつも下にあるものだったから、当時の人びとの驚きが伝わるような命名である。こうしてみると我が国の「天火」は、本来のパン窯とも、またストーヴに組み込まれたオーヴンともちがう、第三のパン焼き鍋の部類にはいることになる。日本の家庭では、本来のパン窯を経験することなく、この簡便な「天火」からはじめ、電気オーヴンやガスレンジへと移行した。またはそれさえ飛び越して、いきなりオーヴンレンジという、世界最先端の文明の利器に取りついてしまった。日本のパン文化受容の過程に、パン窯という設備が欠落してしまった。それとともに、パン焼きにまつわる文化の多くも欠落してしまったと言って過言ではないのである。

大航海時代のもたらしたパン

ビスコッチョ（スペイン語）、ビスケット（英語）、ビスキュイ（フランス語）といえば、現代ではそれぞれ異なる甘い菓子の一種だが、本来はラテン語の〈二度焼く〉にちなむパンであった。この二度焼きパンは、長期保存できるので、長旅や、戦場などでは重宝だった。しかし歴史上最も活躍の場を得たのは大航海の船上であった。コロンブスの記した航海誌には、航海食として、ビスコッチョがたびたび現れる。

航海中、食料庫の扉は釘打ちされていました。残り僅かとなった〔乾〕パンが勝手に持ち出されないためでした。僅かばかりとなったそのパンのなかの約一五カンタラがしけで水を被っていたため、海に捨てました。時々、〔乾〕パンが配給されましたが、一日分として一人当たりただの八オンサ［一オンサは二八・七六グラム］でした[77]。

「〔乾〕パン」がビスコッチョである。一日に約二三〇グラムのビスコッチョが船中で支給されていた。船にはパン窯の設備はなく、このビスコッチョを積んで、船内の食料庫に鍵をかけて保存したというのである。またコロンブスはある島に三九名の者を残していくに当たり、「一年分のビスケット、パンとぶどう酒と、多数の大砲とを残して置いた[78]」とも記されている。「ビスケット」がビスコッチョである。ビスコッチョは、一年おいても腐らないパンなのだ。

では航海に用いられたこのビスコッチョとは、どんなものだったのだろうか。コロンブスは残念ながらそのつくり方は記していないが、この「二度焼くパン」は、この時代にかぎらず、古くはギリシャのアテナイオスも、「ディピュロス〈二度焼きパン〉は贅沢なパンだ」と述べてあった書物を紹介している[79]。そしてこれは現代も健在なのだ。

ドイツ、ヴェストファーレン地方に伝わる、クナッベルン〈カリカリと食べる〉と呼ばれる、「二度焼きパン」の例を紹介しよう。これはドイツで一般にはツヴィーバック〈二度焼き〉と呼ばれているもの。まずパン窯で水分の多いコムギの発酵パンを焼く。焼きあがるとすぐにフォークで小さくほぐし、それをもう一度パン窯の余熱の中へ重ならないように並べ、わざわざかりかりになるまで焼く。ナイフで切ると、パンがつぶれてしまい、二度焼きしても堅くなってしまうから、フォークでちぎる。焼きあがったら木箱かブリキ缶に入れ、よく乾燥した場所に保管するという[80]。

もともとこの地方は、プンパーニッケルというレンガのような重くて黒いライムギパンが伝統だから、こうした軽い「二度焼きパン」は、日常にアクセントをつける、おいしいパン、つまりおやつ感覚で食べる。朝はこれをひとつかみミルクコーヒーに落としたり、おやつにはベーコンの脂身やタマネギ、ソーセージのペーストを塗って食べる。アメリカのラスク、フランスのビスコットのようなものだが、卵や砂糖などはいっさい使わず、ごくプレーンなパン。ときおりホテルの朝食にも、フレッシュなパンと並んで、市販の二度焼きパンが添えてあったりする。世界的な市民権を得て、アメリカでもツヴィーバックで通用している。ただしこれも卵や砂糖を使ったものではあるが。

フランス語でビスキュイというのは、卵をしっかり泡立てて生地をふんわりふくらませた、スポンジケーキのことで、こちらも世界的に普及した菓子生地。スポンジ状に気泡をふくんでふくらむところが、「二度焼きパン」と見た目がおなじところから、転化してつけられた名称であろう。むろんコロンブスが食べたのは、ビスケットでも、スポンジケーキでもなく、本来の二度焼きパンである。

ところで、大航海時代に、新大陸や東洋から、ヨーロッパにさまざまな食材がもたらされたわけだが、これらの食材はパンにどのような影響を与えたのだろうか。それを教えてくれるよい情報源がある。イタリアで、一四世紀に出版された、ペトルス・ドゥ・クレシェンティイスの『新農業』という書物で、その改訂版が一六〇二年にドイツで出た。ここに当時の農作物とその食品が網羅されている。その第一五巻「パン焼きについて」には、在来の一般的なパンのほか、戦時下のパン、飢饉のさいのパン、新素材のパンなどがリストアップされている。当時のパンに混ぜる食材を表したパンたちで、つくり方も添えた実用書である。ただしこうしたパンをすべてパン屋が焼いていたということではなく、国民全体に向けた啓蒙的な示唆である。原文の順にすべてを挙げたのが次頁の表である。[81]

　思いがけない素材でパンをつくるものだ。第一の注目点は、一六〇二年にすでに新大陸渡来のトウモロコシのパン（12、16）があったこと。これはトウモロコシ実用化のかなり早期の例である。にもかかわらず同じ新大陸渡来のジャガイモの方は出てこない。ジャガイモ入りのパンの普及は一八世紀以降である。北アジア原産のソバ（6）が入っている。ソバは一五〇〇年以降に、ロシア経由で東ヨーロッパへ、ベニス経由でイタリア、さらにアルプス一帯へ、あるいはベニスから海路アントワープ、さらにフランスへと伝播した。同じ頃やはりベニスを拠点にコメや、香辛料、砂糖も全ヨーロッパへ普及していった。[82]サラダというものがイタリアからはじまったのとも時期を一にしている。「金持ち用」（19、26、31）と断り書きのあるパンたちがある。コムギの最上粉。これは第六章で述べるように、つねに上流階層のものだったのである。それにオレンジやアーモンドなど、南国産の食べ物も高価だったことが表れている。

　そしていよいよ香辛料の登場だ。東洋産の宝物、香辛料が、パンや菓子に添加されている（53、66）。レープクーヘン（66）は、ライムギ粉、または小麦粉に、シナモン、メース、カルダモン、ジンジャーなど、大量の香辛料を混ぜ込み、これをハチミツで練り、数ヵ月間寝かせた生地を、薄くのして焼いた、当時は大変高価な菓子である。先に挙げた串焼き菓子にもメースが登場していた。これも東インド諸島の原産である。日本料理が出汁の文化なら、

1602年当時のパンの種類
番号と（　）内は筆者による

①ライムギパン　②コムギパン　③スペルタコムギパン
④オオムギパン　⑤エンバクパン　⑥ソバパン
⑦グリーンピースパン　⑧ヒヨコマメパン　⑨エンドウマメパン
⑩インゲンマメパン　⑪混合マメパン　⑫トウモロコシ粉と小麦粉の混合パン　⑬レンズマメパン　⑭キビパン
⑮スズメノエンドウパン　⑯トウモロコシパン　⑰アワパン
⑱コメパン　⑲強力粉パン―コムギ、スペルタコムギの最上粉―金持ち用　⑳炒りムギパン―古いムギについた害虫を焼いたムギでつくる　㉑薬草パン　㉒極細挽きパン
㉓フスマパン　㉔ホップパン　㉕リンゴパン
㉖オレンジパン―金持ち用　㉗洋ナシパン
㉘西洋スモモパン　㉙サクランボパン　㉚マルメロパン
㉛アーモンドパン―金持ち用　㉜クリパン
㉝クルミパン　㉞ヘーゼルナッツパン　㉟ドングリパン
㊱ブナの実パン　㊲バラの実パン　㊳プルーンパン
㊴ワインの酒精でこねたパン　㊵マツの実パン
㊶ナツメヤシパン　㊷コケモモパン　㊸クワの実パン
㊹キイチゴパン　㊺ラズベリーパン　㊻イチゴパン
㊼ブルーベリーパン　㊽トショウパン　㊾ゲッケイジュパン
㊿ニワトコパン　51モモパン　52ヨハネの日のパン
53香辛料パン　54塩パン　55根菜パン
56グラジオラスパン　57菜っ葉のパン　58ナシパン
59ブドウパン　60オークパン　61ブナの葉（を粉にした）パン　62ワインパン　63ビネガーパン
64ビールパン　65ハチミツパン　66レープクーヘン（ハチミツと香辛料と麦粉を練って焼いた菓子）　67天のパン
68蒸留酒パン　69マルヴァジアなど外国産の酒パン
70揚げパン　71バラ水のパン　72ブドウ酵母のパン
73肉パン　74魚パン　75卵のパン菓子
76ミルクパン　77チーズパン　78バターパン

西洋は香辛料の文化と言われる。その時代がいよいよ到来したことをリストも語っているのである。

新しいパンだけでなく、古代から伝えられたパンやパンづくり技術も継承されている。たとえば発酵方法であるが、ワインの酒精（39）、ブドウの酵母（72）などで生地を発酵させたり、ナツメヤシ（41）や、他の果実入りのパンも、発酵用に使われた可能性もある。そしてすでに一五世紀来はじまっていた、ホップ（24）を用いた発酵パンが出ている。パンの素材についてはムギの外にキビやアワ（14、17）という古代の雑穀でつくられた無発酵のパンが、まだ記載されている。これは後にトウモロコシに押されて、ヨーロッパでは衰退してしまう穀物である。

こうして大航海時代を節目《ふしめ》として、パンの世界にも新たな素材がもちこまれるようになった。ソバやトウモロコシ、後にはジャガイモも食用化され、不足がちな穀物の補いになった。ソバやトウモロコシはパンに、あるいはカユに、またジャガイモは、パン生地に混ぜたり、それ自体で独立した料理に加工されるようになったのである。

近世に至るまでの食の世界で、大きな変化といえば、ソバ、トウモロコシの参入によって、ムギに代わる食べ物が増えたことであろう。しかし最大の食生活の変化はジャガイモの普及で、それにはあと一五〇年あまりを要するのである。

第四章　パンを焼く村を訪ねて

1　パンを焼く村を訪ねて

パンの文化史の縮図

前章では、先人の遺した設備や文書をたどりながら、ふっくらふくらんだパンを目指した人びとのくふうを見た。しかしパンの文化史を知るには、それだけでは十分ではない。実際のパン焼きを見て、それをめぐる暮らしぶりから、パンの文化が過去にはどうであったか、文書やモノでは伝え得なかった事柄をすくいとる必要がある。さらにパンの文化が過去から現在へどう変わってきたのかを考えてみよう。

その手がかりとして、これまで私が行なってきた実地調査のフィールドを中心に、四つの村を選んでみた。黒パンを食べる伝統の村が二つ、白パンの村が二つ登場する。この四つの村は、パン焼きの設備も焼き方も全くちがう。しかしどれもパンの文化史を理解するうえで、欠かせない要素を内包する代表例だと思うのである。

ポンペイ遺跡の時期に完成をみたパン焼きの技術は、その後中世を経て現代に至るまでほとんど同じであった。大きく変化するのは、産業革命以降、アルプスのような僻地では二〇世紀、それも第二次大戦以後のことなのである。とりわけアルプス山中は、近代化が一九六〇年頃からはじまったばかりである。

生活習慣の変化というものは実に緩慢なものである。こうした村の暮らしには、過ぎ去った数千年のパンの文化が圧縮保存されていたかのようである。その縮図と考えていただきたい。

パン窯はどこにあるか

パン焼きは、素材となるムギによって変わってくる。コムギの白パンか、ライムギの黒パンか、その他の穀物入りのパンか、それによってパンのつくり方、焼き方はちがうのである。

さらにパン焼きは、パン窯の構造そのものは同じでも、その設置場所によってもずいぶん習慣が変わるものだ。この点もその土地のパン文化を理解するうえで、ひとつの鍵になると言ってもよいだろう。

オーストリアのアルプス山中の寒村、マリア・ルカウ村は、伝統的に黒パン地帯である。この村では、昔ながらに薪のパン窯でパンを焼く家は、ただ一戸となってしまったが、一九五〇年代までは、農家およそ五〇戸のそれぞれがそうしたパン窯を所有して、一軒をのぞくすべての家では、家の内にあり、台所の一隅か、地下室に造りつけてあった。

同じアルプスでも北イタリアやスイスの一部の村では、家の外にパン焼き小屋を建て、そこに設置してあった。小屋といってもパン窯に屋根と壁をつけただけの簡単な造りが普通である。

アルプスから少しそれた、アドリア海に面したダルマチア地方（クロアチア）では、伝統的にはパン窯そのものがない。暖炉で例のかぶせものをして白パンを焼く。

また、ドイツ南西部では、パン窯もかぶせものも家にはない。村の真ん中に中世以来建っている共同パン焼き小屋で白パンを焼く。

このようにパン焼きと一口に言っても、さまざまな方法があり、それが独特のパン文化を生みだしている。こうしたパン焼きの特徴を見ていくと、パン文化は風土とかかわりながら形成されてきたことが見えてくる。

黒パン村の屋内のパン焼き――オーストリアの村で

＊エンバクパンとライムギパン

マリア・ルカウ村はオーストリアがイタリアと国境を接する、アルプスの深い谷間にある。標高一二〇〇―一四五〇メートル、一年の半分は雪に覆われる。夏も根雪の輝く国境の山々、その急勾配の山腹はトウヒの森、その直下の谷に麦畑と牧草地があり、そこかしこに五〇戸の農家が斜面にへばりつくように建っている。半農半牧の自給自足経済が、一九五〇年代まで行なわれてきた。アルプスでも奥の奥地の村落である。

私はそこで一九七八年から一九八九年までの一二年間、数ヵ月にわたる滞在調査を合計五回行なった。この村では一九八五年頃までは、昔ながらの習慣がまだよく残っており、二〇世紀初めの暮らしを知る老人も五、六名は生存していた。

どの農家にもあるのがパン窯、水車、牛小屋、そしてわずかずつの麦畑と牧草地であった。牧草地で牛を養い、麦畑で収穫されたムギを、水車が挽き、パン窯が焼く。酪農と農耕の二本立てで経済が営まれていたのである。

アルプス以北は、ライムギでパンをつくる黒パン地帯である。しかしもっとも収穫量の多いのはエンバク、次いでライムギ、コムギの順であるから、エンバクパンの方を日常多く食べ、ライムギパンはよりおいしいものとして大切にされた。そしてコムギパンを食べる機会は、自給自足時代には年にたった二度、クリスマス前日と復活祭のみ、という家がほとんどであった。

農民の命を支えてきたのはライムギでも、コムギでもなく、エンバクだったことはアルプス一帯に限ったことではない。フランス革命の頃まで、あるいはその後もアルプス以北のヨーロッパ全域で庶民の食料だったのである。

エンバクはカユやパンにして食べていたが、そのパンもカユも一九五〇年頃を境に消滅してしまった。時は自給自足の終わりと重なっている。なぜエンバクパンをつくらなくなったのか、理由を尋ねると、村人は「水車もなくなったし、大きなパン窯もなくなったから」と答える。村では電力の導入期に当たっていた一九六〇年代に、洪水が相次ぎ、水車は消滅した。しかし水車がなくとも、それに代わる電動の製粉機を備えつけていたし、電気のパン窯もある。ところがエンバクは大変粒の硬いムギなので、電動の製粉機の石臼では挽けないのだという。昔は特殊な硬い石臼を水車に取り付けてあったから、挽くことができた。おまけにエンバクはあらかじめ、パンを焼いた後の、余熱のこもるパン窯に一晩入れて粒をよく乾燥させておかなければ、水車でも挽けなかった。丸天井の大きなパン窯があってこそ可能だったのだという。（このようにパン窯は、古代ばかりでなくこの時代に至るまで、穀物の乾燥に利用されている。）

エンバクは寒冷地ではライムギより生育がよく、また早く育つ。だから天候の悪い年でもより確かな収穫が見込める。「エンバクはイングランドでは馬が食べ、スコットランドではヒトが食べる」と言われたものであるが、馬力の出る、栄養価の高いムギである。

しかしエンバクにはグルテンがないので、発酵させてもふくらまない。そこでつなぎに少し小麦粉を混ぜ、直径二〇センチ、厚さ二センチほどの薄くて丸い発酵パンをつくった。これ以上厚くすれば嚙み砕けなくなってしまう。色は薄黒いが香ばしく、おいしかったという人もいる。戦前生まれの人が子どもの頃は、毎朝小麦粉やエンバク粉のカユの中にこれを砕いて落とし、スプーンで食べたという。堅かったので、嚙み砕くときすごい音がした。村人の一人はこんな思い出があるという。

「父は音楽的に嚙み砕く特技をもっていたわ。毎朝すてきな音をたてて嚙むものだから、子どもたちは聞き惚れたものよ」

このエンバクパンをスコットランドでは「オートケーキ」、スイスでは「ハーファークーヘン」〈エンバクの薄いパン〉と呼んでいる[1]。エンバクパンは薄いので、大量に焼かなければならなかった。そのためにも大きなパン窯が必要だったのである。

エンバクパンに混ぜる小麦粉が足りないときは、コムギのフスマを加えた。また、野にベリー類の実る季節には、それを練り込んで子どものおやつパンをつくった。

アルプスの村のパンは、このようにエンバクにかなり頼ってはいたが、それは不足がちのライムギパンの補いであって、この地方で「コルン」と言えば、やはりライムギを意味している。そのライムギパンにはソラマメを混ぜていた。ソラマメは、ムギ、ジャガイモ、アマに次ぐアルプスの重要作物であった。そのソラマメを乾燥させ、皮ごと挽いた粉を、ライムギ粉三に対し、一の割合で混ぜると、パンがやわらかくなり、ぱさぱさした生地を固める効果もあったという。そのうえ栄養価も上がる。その黒パンはサワー種で、厚さ四センチほどにふくらませた。

そのライムギパンに小麦粉を混ぜるようになったのは、一九五〇―六〇年以降のことである。民宿経営、森から出る木材、牛乳生産などによって現金が入るようになると、村人が真っ先にやめたのがムギ栽培である。ムギ畑を減らし、その分、牧草地を増やして、より多くの牛乳生産をはかる。こうして半農半牧の均衡はくずれ、酪農の専業化が進んでいった。アルプスの厳しい自然環境では、ムギを栽培することは割に合わないのである。

得た現金で粉を買うようになると、自家栽培のそれより良質で、ずっとうまいパンができるようになった。しかもライムギ粉も小麦粉も同価格。となればソラマメ粉をやめて、全体の半分は小麦粉を混ぜることにした。そのためパンはよりふっくらとふくらみ、厚さは六センチ以上になった。村人は昔のパンを評してこんなふうに言っている。

「昔のエンバクパンやライムギパンは厳しいパンだった。今はコムギが混じって優しいパンになった」

「厳しいパン」から「優しいパン」へ、村のパンは変わったのである。これは、アルプスだけの事情にとどまらず、一九世紀までのヨーロッパ全域での庶民の暮らしに当てはまることである。

マリア・ルカウ村での私の調査はその後もつづいた。ヨーロッパ連合加盟諸国の農産物生産の事情が大きく変化していたなかで、オーストリアが一九九五年EUに加盟すると、同国もそれを免れなかった。加盟国全体で、牛乳の生産過剰から、これを減産することを余儀なくされた。結果、アルプスの小村でも、緑豊かな牧草地はその美しい景観を残したまま、その草を食む乳牛の姿はめっきりと減り、変わって南国のオレンジ、スイカ、野菜などが店に並ぶようになった。パンは、粉を買うようになってから、ライムギに混ぜるコムギの割合がいっそう増し、加盟以降はコムギの方が六〇—七〇パーセントとなり、黒パン地帯といえどもパンの成分はライムギとコムギが逆転したのである。パンは白さを増す傾向にある。

次にこうしたパンが焼かれてきた設備の推移を見ることにしよう。

＊パン窯はなぜ変わったか

この村のパン焼き設備には三種類あり、どれも燃料には薪を使う。伝統的には丸天井型のパン窯（A）と、居間の暖房用横型ストーヴ（B）が中世以来のパン焼き設備であった。異変が現れたのは一九三六年。第三の、二段式のパン窯（C）の出現である。そして一九五〇年代からは、徐々に電気のパン窯（D）が現れ、これにとって代わられた。その他わずかであるが、少人数の家では、台所の料理オーヴン（E）を利用して、一度に一つだけ焼く家も増えつつある。

パン窯の用途はパン焼き、エンバク粒の乾燥の他にもあった。牧草の補いに、イモやマメのつる、殻、茎などをパン窯で乾燥させて、干し草に混ぜて牛の飼料にしたり、アマを乾燥させたりもした。こうしたこともパン窯を乾燥設備として利用する例である。

ところでヨーロッパでは、丸天井型のパン窯が古来からの伝統だったことはこれまで見てきたとおりだが、それが図62のように、二〇世紀中頃から急速に減りはじめた。それは二段式の窯の導入が発端となった。これは何を語っているのだろうか。

二段式は、もともとパン窯のスペース節約のために考案された。下段で薪を燃やしながら上段下段ともに熱する。そうしたら熾《おき》を掻き出し、上下二段にパン生地を並べて余熱で焼く仕組みである。一段がパン六個分の広さしかないから、当然エンバクや飼料の乾燥には小さすぎる。ということは、エンバクや飼料用の草が不要となった家が、丸天井が壊れたのを機に、二段式に切り替え始めたことを語っているのである。

一九五四年、村に電力が導入されると、同じことが電気のパン窯でいっそう顕著になる。

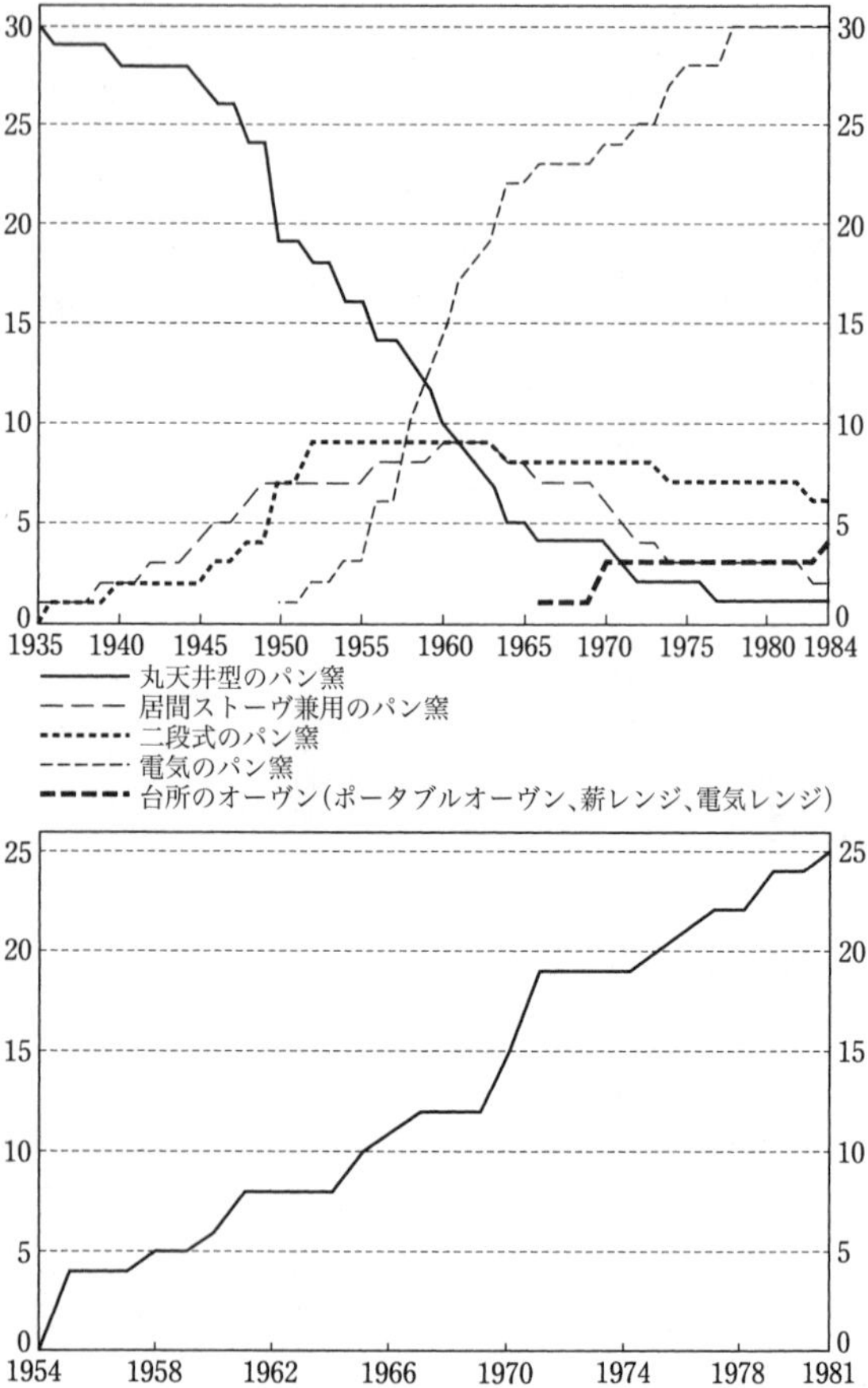

図62　マリア・ルカウ村のパン窯の台数推移と粉を買いはじめた時期

図63　テレジアのパン窯　粘土と石、石灰、耐火レンガ製。火を焚く床とパンを焼く床が同じ

図64　二段式パン窯　下段で薪を燃やし、掻き出した後、上下二段にパン生地を入れて焼く

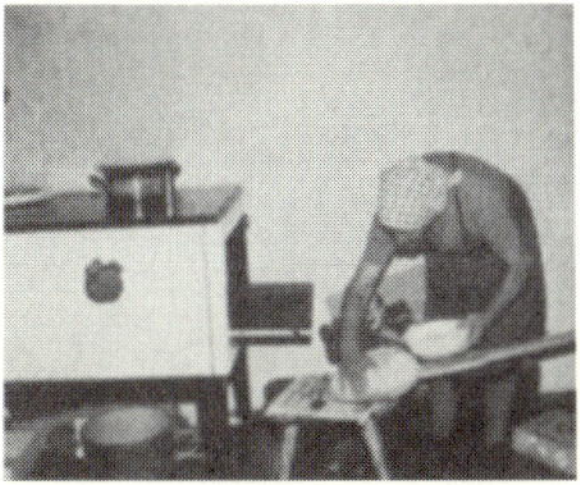

図65　電気のパン窯

ムギ畑が減って牧草地が増えれば、飼料は牧草だけで間に合うようになる。そして粉を買うようになるとエンバクが不要となる。つまりエンバクパンがすたれていったことを語っている。パン窯にはこのように昔はさまざまな用途があった。それがパン焼き以外に使い途がなくなってしまった時、丸天井型は消滅したのである。

＊テレジアのパン

イタリアでは、パン屋でつくられるパンでも、地方ごとに形に特徴がある。イタリア人なら、それがどの地方の（あるいは町の）パンかを一目で見分けるほど、個性的だ。スイスでも一昔まえまではそうであった。ドイツでも、地方特有のパンがある。このようにパンは地域ごとに大きさ、厚さ、形、つくり方が決まっているものなのである。マリア・ルカウ村のパンは特別の形はしていない。ただの円形のパンであるが、素材、大きさ、厚さは各家にほとんど差がない。だから村人は「パンなんてどの家も同じだ」と言う。ところが私はテレジアという人にとても驚かされた経験がある。

テレジア（一九三一年村内生まれ、一九六〇年結婚、農家）は、村で唯一人丸天井型でパンを焼いている人なのだが、そのパン焼きを見せてもらった時、焼きたてのパンをひとつ私にくれた。他所の家でもパン焼きを見るたびにもらう。私はそのパンたちに、焼いた人の名札をつけ、宿の部屋に並べておく。けれどパンは貯まる一方。ある日独り暮らしの人に分けるつもりで、テレジアのパンをむきだしのまま抱えて歩いていると、ご当人とばったり出くわした。そのパンを一瞥するや彼女は言ったものである。

「おやあんた、私のパン持ってどこへ行くの」

パンなんてどこも同じと言いながら、「じゃあ、他人のパンに混じったら、自分の焼いたのがどれか見分けがつかないの?」と私が訊けば、「そりゃ分かるさ!」と人びとは答える。焼いた当人にははっきり区別がつくらしいのである。

テレジアから初めて焼きあがったパンをもらった時、私は「このパンはなんという名前?」と訊いた。すると彼女は怪訝な顔で言った。「これはパンだ」と。その地方の日常のパンには、名前などはないのだ。「パン」といえばそれを指す。非日常のパンにのみ名前がついているのである。その「パン」は、直径二四センチ、高さ最大六センチ、重さ一キログラム。平均的な村の「パン」は、直径二二—三一センチ、高さ四—八センチ、重さ八〇〇—一五〇〇グラムである。

＊テレジアのパン窯

テレジアの家のパン窯(図63)は、彼女が嫁に来るまえから地下室にあった。以前のものが壊れたので新築したのが一九四九年。時の当主は戦死して、男手がなかったので、向かいのおやじが造った。パン窯は農家では主が造るものであった。この年には、村にはすでに二段式の窯もあったが、こちらは職人を呼ばなければできない。戦後の事情からか、古い型の窯が敢えて造られた。しかし以降、丸天井型が壊れた時、もうそれを再築する家はなく、二段式か電気に切り替えられてきた。その結果、テレジアのパン窯が、現存する唯一の丸天井型となってしまったわけである。築五〇年、よくもちこたえている。

パン窯の周壁は石、石灰、粘土で固めてある。正面、床から八五センチ上がった所、つまり人の腰の高さに窯口。鉄の立て扉で密閉する。内部は楕円形、寸法は長径二四〇、短径一二八センチ、丸天井の高さは最大八三センチ。窯口（高さ四〇、横幅五〇センチ）上に空気孔が二つ。これは窯内部の温度が熱過ぎたときにあける。内部の床と丸天井は耐火レンガ。この丸天井の工法は、あらかじめ木材でドーム型を造り、その上に耐火レンガを並べて接着し、固まったところで木型を燃やす。

パンを焼くときに出る煙は、大がかりな仕組みで屋根の煙突から排出される。家の壁の中にある煙道は図66のようになっている。

＊「薪の小屋」

薪はアルプスの森から豊富に産出される。パン用の薪は、ストーヴ用よりずっと太いものを軒下で一、二年乾燥させておく。この薪を一回のパン焼きに何本燃やすかは、その窯によってちがう。

丸天井型でのパン焼きは、その薪を窯床で燃やし、内部を熱してから、熾《おき》を全部掻き出してしまう。そしてそこへパン生地を並べて密閉し、窯内の余熱でパンを焼く仕組みである。窯の構造は単純だが、いざ焼くとなると、実に熱加減がむずかしいのである。熱した窯に生地を入れてしまったら、いくら温度が低いと気づいても後の祭り。追い焚きができないのだ。パンはふくらまず、中はくちゃくちゃして失敗である。だからパン生地を入れる前にちょうどよい温度にしておかなければならない。そのための秘策がどの家にもある。

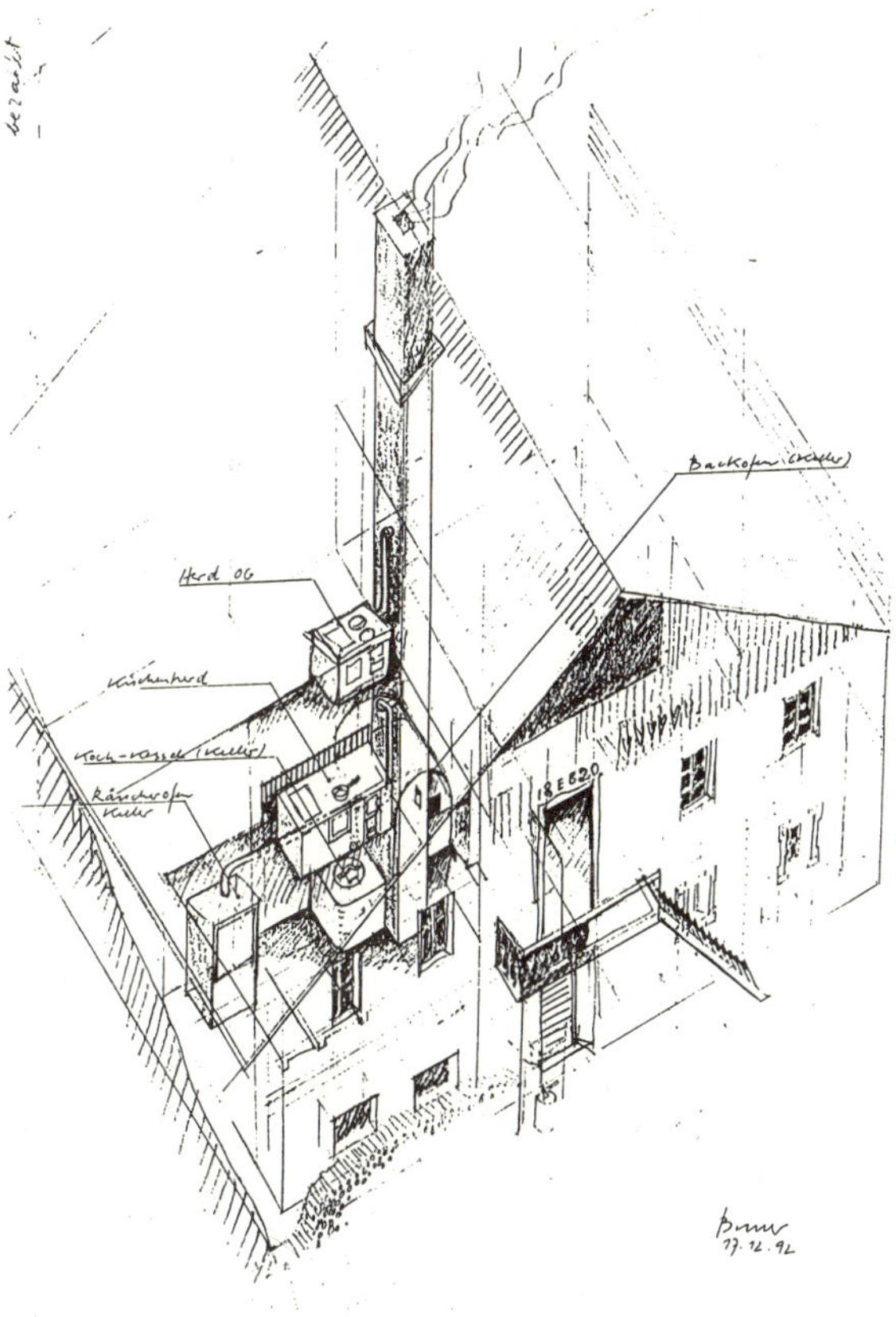

図66　テレジアの家の排煙機構　地下のパン窯と薫製の煙は、１階台所と居間、風呂場の煙と合流、２、３階のストーヴの煙と一緒に屋根からぬける

たとえば、燠を掻き出した後、小さいパンをひとつ入れて、数分間試し焼きをしてみる人、新聞紙をたたんで入れ、「主の祈り」を一回唱えて焼き色を見る人、片手を中に入れ、十数えるのに耐えられるかどうかで知る人、丸天井が熱で白く変わっていればよい、と言う人などさまざまだ。マリア・ルカウ村では一般に、薪のサイズをいつも一定に決め、それを何本燃やしたらよいかを経験で知っておく。それを守っていればだいたいよい温度になるという。

その「一定」というのはテレジアの場合はこうである。薪はいつも太さ約一五センチ、長さ八〇センチほどに伐り、それを一八本。細ければ二一―二四本。それを図67のように縦、横に組みあげる。最後に前回使った枝箒(燠を掻き出したあとの窯床を掃除する枝)を入れてここへ点火する。こうすると、マッチ一本で薪はみごとに燃え上がるのである。

こうして窯の中に組みあげた薪は、ちょうどログハウスのように見えるので、「薪の小屋」と呼ばれる。窯口は小さいから、内部で「薪の小屋」を組むのはなかなかむずかしい。へたにつくると燃え上がらない。テレジアの家では、パンシャベル(長い柄のついた木製シャベル。パン生地を窯に入れるときに使う)に一本ずつのせて組みあげる。

この薪組みは、昔は小さい子どもの仕事であった。八、九歳の子どもをパンシャベルにのせて窯の中へ送り込む。母親が「さあ、はいりな!」と言えば、子どもは心得たものであった。でも「中は暗くて、なんだか恐ろしかった」と子ども時代を振り返った人はおおぜいいる。子どもが成長して、窯に頭がつかえるようになると、近所の子どもが駆り出された。そ

図67　テレジアの「薪の小屋」

図68　軒下に積み上げげた大量の薪

のお駄賃はいつも卵二つであったという。丸天井のパン窯は子どもの思い出につきまとうものらしい。パン焼きで子どもの出る幕は、この薪組みだけである。

＊テレジアのパン焼き

テレジアのパン焼きの手順を、時間を追ってメモすると次のようになる。

1【食料室】前日夕方

大きな木製の粉箱に、買ったライムギ粉、小麦粉が仕切りの中に別々に入っている。木製の粉シャベルで各八杯ずつすくい、こね桶に入れる。約一三キログラムあり、これが一四個のパンになる。

前日に粉を桶に入れるのは、昔サワー種を前の晩からふやかしたことの名残であろう。（テレジアは発酵に生イーストだけを使うので、本当は当日の朝始めてもよい。）サワー種の場合は、かちんかちんに堅くなったものをボールに入れて湯でふやかし、こね桶の粉の真ん中を凹ませてそこへ流し込み、まわりの粉を少し混ぜて一晩おくと、翌朝ぶくぶく発酵している。昔は発酵は暗夜密やかに行なわれたものであった。

2【台所】当日朝七時半

薪レンジに火を焚き、湯を沸かし、台所を暖める。道具類を全部並べ、こね桶を台所へ。

作業番号	時　刻	しごとの場　所	しごとをする人	しごとの内容
1	前夕	貯蔵室	妻	粉のはかりだし
2	前日	地下室	夫（息子）	枝箒づくり
3	当日 7:30	台　所	妻	生地をこねはじめる
4	8:00	台　所	妻	生地をこねおわる
5	8:10	地下室	妻	パン窯に点火
6	10:00	台　所	妻	こね板用意、パン生地丸めはじめる
7	10:15	台　所	妻	パン生地に空気孔をつける
8	11:00	地下室	妻	３時間燃やした燠を窯床全体にひろげる
9	11:15	地下室	妻	燠を搔き出す
10	11:25	地下室	夫	台所からパン生地を運びこむ
11	11:30	地下室	妻	パン生地をパン窯へ入れる
12	12:30	地下室	妻	焼きあがる、窯だし、パン板へ
13	12:35	貯蔵室	夫	パンを運びこむ
14	２日後	食料室	妻	パンをフリーザーへ入れる

（記録　1978, 1981, 1984, 1989年）（夫の死後、その作業は長男に引き継がれた）

図69　テレジアのパン焼き工程表

図70　テレジアのタイル製の薪レンジ　大きな扉がオーヴン、右上の扉が焚き口、下段が灰の取り出し口、レンジ内にくまなく熱がまわり、上面の鉄板も全体が熱せられる。ベンチの上に木製のこね桶

市販の生イースト九〇グラムを湯でとかし、粉の真ん中を凹ませて流し込む。塩を手づかみでたっぷり二杯、市販のパン用スパイス（アニス、コリアンダー、フェンネル、キャラウェーシードのブレンド）を生地の表面が茶色に変わるほどふりかけ、バケツで湯を注ぎ、両手で三〇分こねる。

パン焼き前のテレジアの台所の光景は図70のようである。大量の香辛料は香りづけと防腐効果のため。焼いたパンが古くなりカビ臭くなっても、匂い消しになるという。パンに大量のスパイスを入れるのは、本来パンを長期に保存する（四―六ヵ月間）地方の特色であった。

3【台所】八時すぎ
生地がこねあがると、手に水をつけて生地の表面をなでつけ、正十字を同じところに三回重ねて描きながら、「父と子と聖霊との御名によって、アーメン」と唱える。桶のふたをして、薪レンジそばの暖かいベンチで二時間発酵させる。

十字の印は人によりさまざまな形式があるが、村のほとんどの人がつける。ある人は十印、ある人は×印（アンデレ十字）、またつける回数も一回、三回といろいろである。たとえばテレジアの実母は十を三回描き「主よ、このパンを祝し給え」と唱える。十字を描くのも、握りこぶし、人さし指、四本の指先、小指の腹などさまざまだ。どんな十字印であれ、パン生地の表面に印されたものは、消してはならないと言われている。

4【地下室】八時一〇分
パン生地を発酵させている間に、地下室のパン窯の「薪の小屋」に点火し、窯口を密閉する。

冬の朝は、家々の屋根から居間ストーヴの煙、台所の薪レンジの煙、そして時にはパン窯の煙が立ちのぼる。パン窯の薪は居間ストーヴの二倍は必要。煙も二倍出る。煙を見れば、その日どの家でパンを焼くのかが分かる。その煙の信号に目ざとかったのは子どもたちであった。パン焼きの煙を見ると、その家の前でパンの焼きあがりを待っていた。小さな丸いパンをいくつか一緒に焼いて、子どもらに配ってくれる家があったからである。電気でパンを焼くようになると、煙が出ないので、この習慣は消えてしまうのだが、今でも第二次大戦前に生まれた人びとには、最も嬉しかった子ども時代の思い出だという。

5【台所】一〇時

発酵完了。細長いパン板を二枚ベンチにのせ、同形のパン布巾を掛ける。ライムギ粉で布巾に打ち粉をしておく。食卓にのし板をのせ、その上にも打ち粉。こね桶からパン一つ分の生地を取り上げ（パンへらとしゃもじで挟んで持ち上げる）、打ち粉をまぶしながらさっとこねて円形に整え、パン板の布巾の上に並べる。一枚のパン板に六、七個のせる。最後のひとつはしゃもじでこね桶にこびりついたものを擦り取りながらつくる。

こね桶、のし板、パン板、粉シャベル、パンシャベル。どれも先祖の誰がいつつくったのか分からないほど古いというが、トウヒの自家製。こんな言い回しが村にはある。

のし板と家へ帰る道はなけりゃならぬ。

たとえ家があっても、そこへ行く道がなければどうしようもない。たとえパン窯があっても、のし板がなければパンはできないというのである。

ライムギのパン生地の場合（小麦粉との混合であっても）、小麦粉だけの生地に比べ、ここまでの作業がだいぶちがう。小麦粉だけの生地は、よくこねたり、叩いたりしてグルテン質を強力にしなければならないのだが、ライムギの生地は弾力に欠け、粘展力しかないために、強くこねると粘り気ばかり出て困る。弾力がないので発酵後は、形を崩さないようにそっと丸める。ガス抜きなどをするともうふくらまない。コムギパンばかりつくっている人の目には、それがどうも手抜きに見えるらしいのだが、ちゃんとした理由があるのだ。

そのため、桶にこびりついた生地を掻き取ってつくったパンは堅くてまずい。そのパンは「ショバレ」〈掻き取ったもの〉と呼ばれる。テレジアの家ではこの「ショバレ」を真っ先に食べる。「だって後になれば、もう食べたくなくなるから」と笑う。ある人はその生地で木の葉形の薄いパンをいくつかつくる。葉脈を切り込んであるので、煎餅のようにパリパリと食べられる。これがかえって子どもたちの楽しみなのである。サワー種をつくる家では、この「ショバレ」をサワー種にする。まずい生地も知恵しだい。最後のひと掻きまで大事にするのである。

生地をきれいに掻き取ったこね桶は、洗わない習慣。サワー種をこの桶の中で保存する家もある。イースト菌を心地よい木の寝床にそっとしておくわけである。しかし近年はプラスチックの桶を使う家が増えた。この場合はきれいに水洗いする。

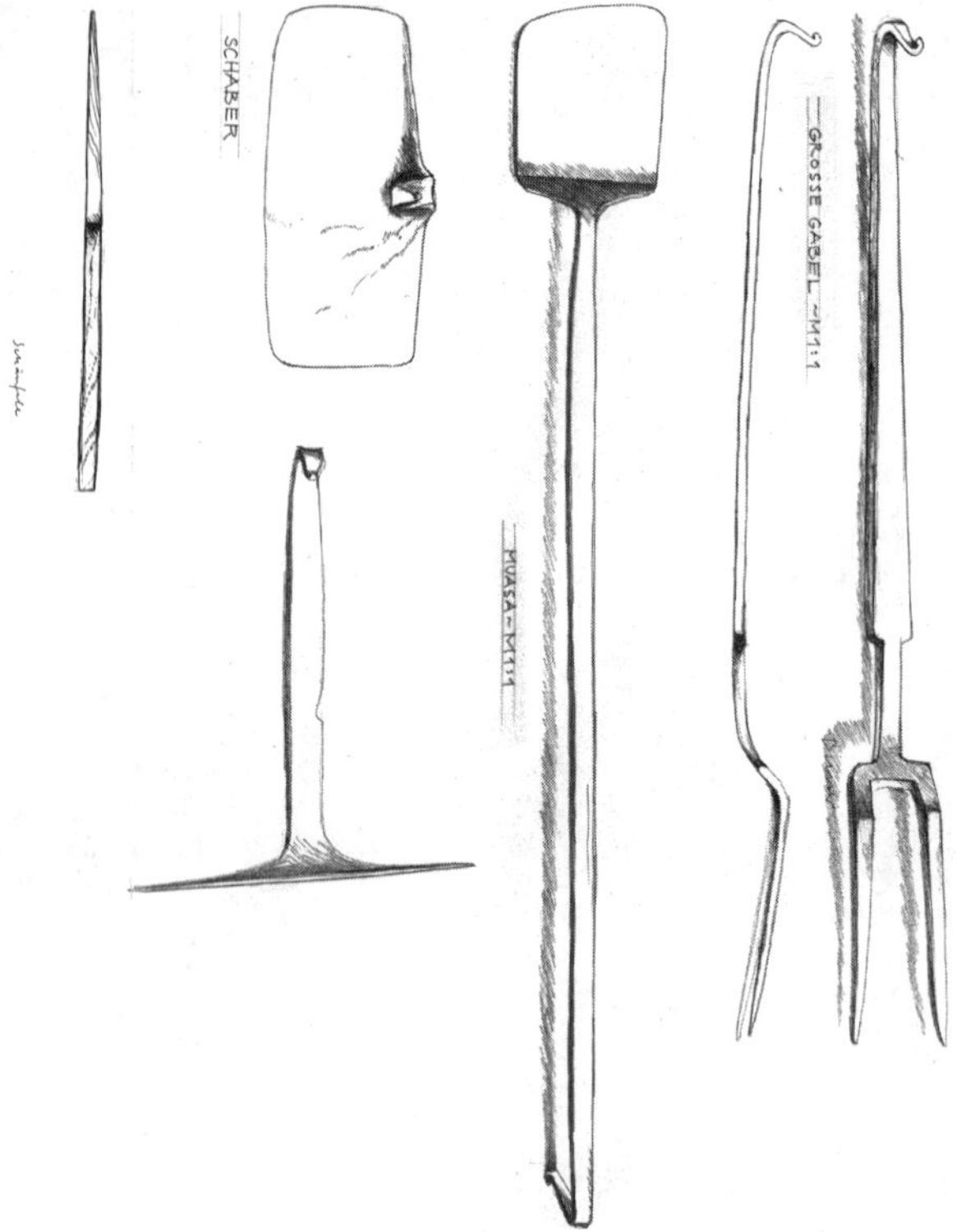
SCHABER
MUASA ~M1:1
GROSSE GABEL ~M1:1

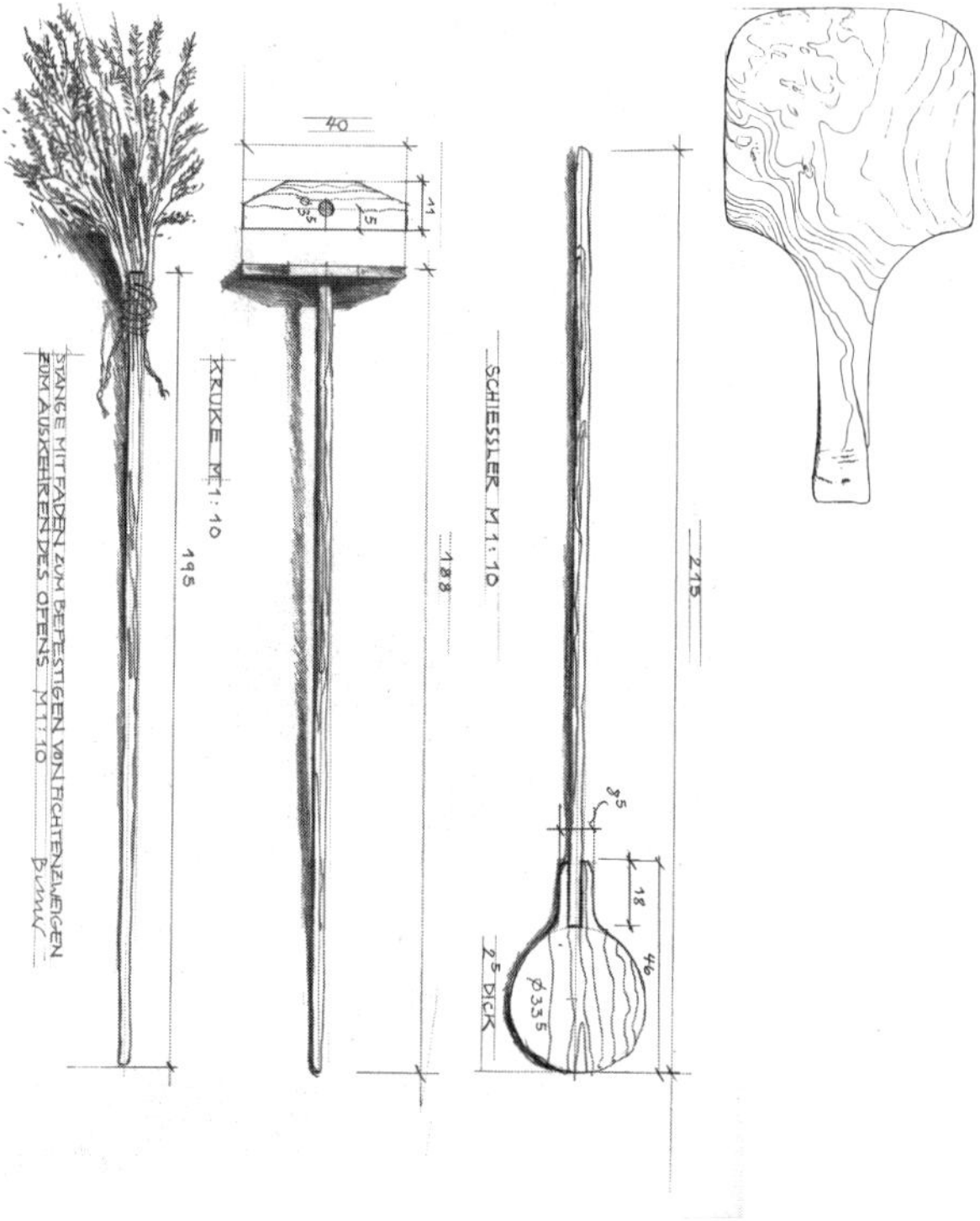

図71　パン焼き道具　左から枝箒、火掻き棒、パンシャベル、パン用のへら（正面、横）、生地の引き上げ用のへら、カユ用へら、肉刺しフォーク（横、正面）

アルプスのパンは薄いという特徴がある。薄いパンをつくるには、発酵を抑制するのではなく、ゆるめの生地を十分発酵させる。そして丸めたものが自然にだれて薄くなるようにつくるのである。

6【台所】一〇時一五分
丸めた生地に肉刺しフォークで五、六ヵ所空気孔をつける。生地の上にも布巾を掛けてさらに発酵。

焼いている最中に蒸気やガスが抜けるように肉刺しや指先で空気孔をつけたり、ナイフで切り込みをつけておく。マリア・ルカウ村のパンは、大きさ、形、厚さがどの家もほとんど変わらないが、この空気孔だけは、家ごとに特徴がある。テレジアは肉刺しで点状に穴をあけるが、その実母はナイフで川の字を描く、というようにちがうのである。

ある母親は、右中指の先で、点々と穴をあけながら、子どもたちの目の前でこんなお話をしてくれたという。

「おまえはできあがりだ。おまえもできあがりだ、と言いながら神様は、こうして人間におへそをつけたのさ」

その母親は生涯を終えるまでずっとおへそのいっぱいついたパンを焼いていた。すでに世を去った母親が、どんなふうにパン焼きをしたか、人びとの記憶は実に確かなものである。

7【地下室】一一時
ほぼ三時間燃やした薪は窯の中で燃え尽きて、真っ赤な熾になっている。この熾をT字形の火掻き棒で、窯床全体に広げる（まんべんなく熱するため）。すぐ扉を閉める。一五分そのままおく。そのかん、バケツに水を汲み、枝箒、古いフライパンの用意。

火掻き棒は先が松葉づえのような形をしているので、「ヘンゼルとグレーテル」の魔女がこれを松葉づえのかわりにして登場する。熾をかき回したり、掻き出したりするものである。

枝箒は、トウヒやモミの生枝を束ねて長い柄に結びつけたもの。この箒で、熾を掻き出した後の窯床を水拭きするのである。この箒づくりは男の仕事。窯が冷めないよう、手早く拭きとるには、枝の量がほどよく、枝先がきれいに広がり、軸をしっかり固定させることである。近ごろは枝の代わりにボロ布をつけたりする人もいる。亭主の古シャツを棒の先にくくりつけて振り回すのだ。

8【地下室】一一時一五分
パン窯の扉を再びあけ、熾を火掻き棒で掻き寄せ、フライパンに受ける。（熾は台所の薪レンジにくべる。）枝箒をバケツの水に浸し、窯の内部を三回繰り返して拭く。ジューッと音がして灰埃と蒸気があたりにたちこめる。拭きおわるとすぐ扉をしめる。灰埃がしずまると、夫（長男）がパン生地のならんだパン板を運びこむ。窯口そばのベンチに置く。

枝箒で水拭きをするのは、灰の掃除のためだけでなく、熱すぎる窯を適温に冷やしたり（とくに「薪の小屋」のあった部分は熱くなりすぎている）、窯の内部に蒸気を入れるためでもある。

9【地下室】一一時半

窯を開け、パンシャベルの先にパン生地を一個のせる。シャベルを窯の奥へ突っ込み、生地をぽんと落とす。パンがたがいにくっつかないように、矢継ぎ早に並べる。扉をしめ、右手で扉に対し十字をひとつ描きながら「神の御名によって、アーメン」と口の中で唱える。

パンシャベルの柄の先は、パンがひとつ載るほどの円形。ふくらんだ生地の形を崩さず、シャベルに移すには技術がいる。実はこのときに、敷いておいたパン布巾が役立つのである。布巾の左側をつかんで、右手を布巾の真下に差し入れながら、生地を持ちあげる。次に左手をパン生地の下に直接差し込み、さらに右手も直接パン生地の下へ。これで両手の平の上に生地がのる。それをそっとパン板へのせるのだ。

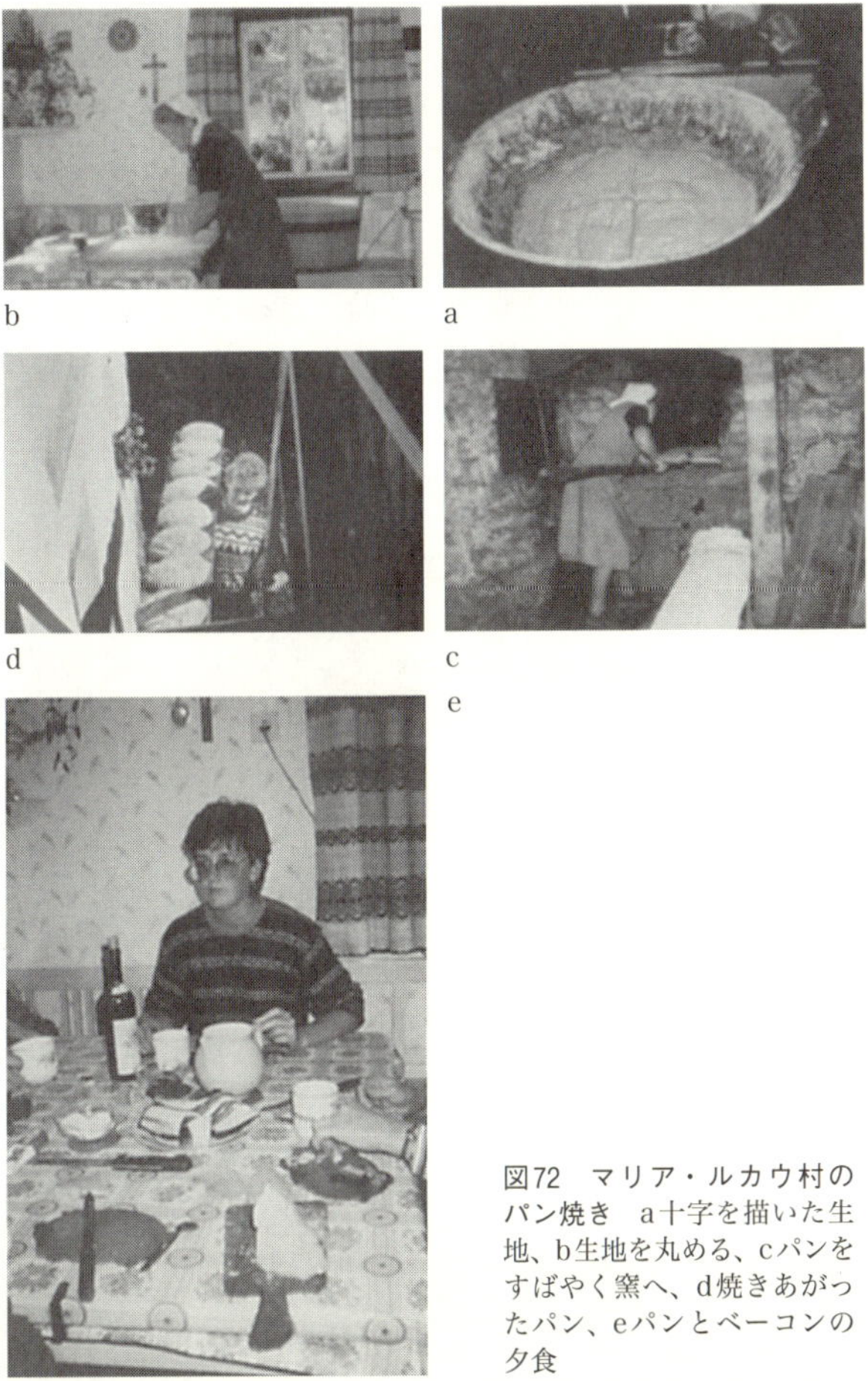

b　a

d　c

e

図72　マリア・ルカウ村のパン焼き　a十字を描いた生地、b生地を丸める、cパンをすばやく窯へ、d焼きあがったパン、eパンとベーコンの夕食

シャベルにのった生地を窯に落とすときは、さかさにひっくり返すのでなく、その向きのまま、シャベルを一瞬素早く手前に引くようにゆすると、生地はそのままぽんと床に落ちる。へたをすると、隣のパンの上におんぶしてしまったり、ひっくり返ったり、とんでもない所へ飛んで行ってしまったりする。

扉を閉めるとテレジアは、また十字を印した。どういう意味があるのかは後の「パンと十字印」の節にまとめることにして、パンの焼きあがりを見よう。

10【地下室】一二時半

パンの焼きあがり（焼き時間は一時間）。パンシャベルにのせてパンを取り出し、またパン板に並べる。食料室へ運び、翌日までパン板に置いておき、その後フリーザーに保存する。フリーザーが満杯のときは、昔どおりパン棚に立てる。

人によっては、パンが焼きあがると、艶を出すために、熱いうちにパンの表面に刷毛《はけ》で水を塗る。

ふくらまなかったパンは、「お座りのまんま」と言う。生地が立ち上がらなかったのだから。また「ベーコンみたい」とも言う。黒パンとベーコンは村の食事では対の存在で、毎晩一緒に食べる。だからパンがふくらまないと、パンでなくベーコンのようだと表現するわけである。自家製の粉でパンをつくっていた時代には、よくパンは「ベーコンみたい」になったが、買った粉ではそういうこともなくなったという。買った粉の方が質がよいのだ。

　こうしてようやく、朝七時半から始まったパン焼きは五時間かけて終わった。ライムギパンは、焼いてから二、三日目が一番おいしい。焼き立ては粘り気のために、くちゃくちゃしてまずいし、お腹にガスがたまって、健康にも悪い。この点、焼きたてがおいしい白パンとは、大きなちがいである。テレジアの家ではパンは約二週間で全部なくなる。

黒パン村の屋外のパン焼き――イタリアの村で

　北イタリアのチロル地方へ行くと、どこも母家から少し離れた屋外にパン焼き小屋がある。屋外でパンを焼く地方は、チロルに限らず大変多い。

　チロルの都ボルツァーノ。黒パン地帯の南限がこのあたりである。そこから山道をぐんぐん登ると、そこはライムギ、エンバク、ソバの地域となる。そのメルティーナ村のローザの家で、パン焼きを見せてもらったのは一九八九年、ようやく雪が解けた三月末であった。

　ローザ（一九四一年村内生まれ、一九六六年結婚、農家）の家は、はるか向こうに隣家が一軒見えるだけの、寂しい山上にぽつんとある。その家の前に、小さなパン小屋がある。まず早朝そのパン窯に薪を燃やす。といっても薪の寸法が決まっているわけではない。木《こ》っ端《ぱ》や不要の木箱なども一緒にくべている。ローザの家では二一歳の長男と、後からは小学生の子どもも加わってパンを焼く。彼女は一〇歳で奉公に出、二五歳で結婚した。それでも「母と同じようにつくる」と言うのである。

図73　チロルの屋外のパン焼き小屋

パン焼きは年に三回だけ。と言っても、その他はパン屋で買うというのではない。年三回のパン焼きで、一年に食べるパンのすべてをつくってしまうのだ。だから一回に一二〇個あまりも焼く。ライムギ粉二〇、小麦粉五キログラム。彼女の母親は一度に三〇〇個焼いたという。

屋内の暖房のきいた居間で、つくっておいた液状のサワー種（第二章「2　パン種」を参照）を入れて、粉をこねる。この地方の生地は大変ゆるく、持ち上げると、ぼたん、ぼたんと垂れ落ちるほどである。こねあがるとやはり十字を印してから発酵させる。

居間に十数枚のパン板を積み上げる。のし板に打ち粉をするが、これがさらに多量である。こね桶からそっと

b

a

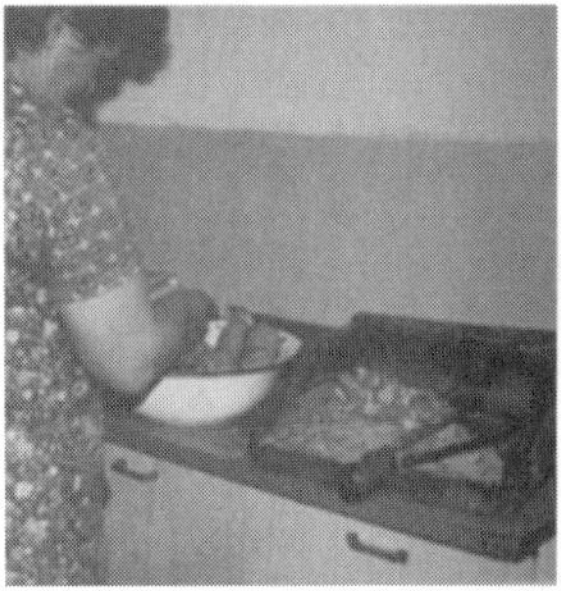

d

c

図74　チロル、メルティーナでの屋外のパン焼き　aゆるい生地、b窯の中に火を残してパンを焼く、c焼きあがったパン、d堅くなったパンをパン切りでくだき団子をつくる

生地を取り分け、打ち粉にそっとまぶしながらげんこつの大きさに丸める。パン板に布巾を敷き、打ち粉。そこへ丸めた生地を移す。一枚のパン板に七個並ぶと、板の両端に当て木を置いてはパン板を次々積み上げていく。

一八枚のパン板に、計一二六個のパン生地が並ぶ。まもなく「げんこつ」は、生地がやわらかいので崩れ、平たい円形になる。これをパン板ごと居間から運び出す。窯に入る順番待ちのパン生地が、道端にずらっと並ぶ。

パン窯の燠は、この地方では掻き出さないで、窯内の片側へ寄せる。もう片側を、柄にボロ布を結んで水拭きし、そこへパン生地を並べていく。扉はしめない。パンは数分で焼きあがるので、パンシャベルで取り出し、空いた場所に新しい生地を入れる。入れたり出したりをひっきりなしに繰り返しながら焼きつづける。パンは灰だらけになる。

焼けたパンの灰をブラシで払い、パン板にのせて半地下の食料室へ。そこのパン棚にパン板ごと架ける仕組みがある。できあがったパンは、直径は約二〇センチ、厚さは二センチであった。

チロルのように屋外にパン窯があり、しかも冬の積雪の多い地方では、パンを焼く頻度は、春の復活祭の頃に一回目、夏に一、二回、そして九月末にその年最後の分、と年にたった三、四回なのである。九月末に焼いたパンは、翌年三月末まで半年間も食べつづける。冬にパンを焼かない理由は、戸外の積雪のせいである。せっかく温かい居間でふくらんだ生地を、屋外に並べておくとぺちゃんこになってしまうから。そして夏。無雪期が短いので労働がこの時期に集中する。朝夕に星を拝む農繁期を、度々パン焼きに割《さ》くのが惜しい。冬は冬、夏は夏でパンを焼けない理由がこの地方にはある。

めったにパンを焼かないとなると、当然一回に焼く分量が増える。そして長持ちさせるには、薄くしておかないと、中にカビが生えやすいし、しかも堅くなったときには砕きにくい。よく発酵させ、生地に気泡をたくさん含ませると、乾燥保存ができるし、堅くなっても砕きやすいのである。

薄いパンを大量に焼くには、燠を掻き出してしまうより、片側で燃やしつづける方が合理的だ。余熱に頼らないのだから、寸法を決めた太い薪を燃やさなくてもよい。「薪の小屋」もつくらない。イタリアのピッツァ屋も同じようにして焼いている。扉を開けっ放して、次々出し入れするのである。

パンはしかし灰だらけになるから、熱いうちにブラシで払い落とす。古代へタイムトンネルをくぐったかと思わせるパン焼きである。

白パン村の炉の「釣り鐘」焼き――クロアチアの村で

パンを焼く「釣り鐘」と呼ばれるかぶせものは、古代から今世紀に至るまでさまざまなものがあったことは、前に述べたとおりである。私がその「釣り鐘」の実物に初めて出会ったのは、一九七八年、オーストリアの民俗学者のコレクションであった。うわぐすりをかけた陶製で、ユーゴスラヴィア産。しかしモノは残っていても、実際にこの設備でパン焼きがまだ行なわれているのかどうかは、私には長く不明であった。

ところがあるとき、「釣り鐘」でパンを焼いている写真が、ドイツで出版された料理書に掲載されているのを偶然見つけた。場所はアドリア海に近い村のようである。幾年か過ぎ、調べあぐねて私はクロアチア語の専門家故田中一生氏を訪ね、その写真を見せた。そのようなパン焼きの所在が分かったら教えて欲しいと。半年も過ぎただろうか、突然、「釣り鐘」でパンを焼いている写真がたくさん届いたのである。同氏が旅された折りに、その地を探し出し、撮影して来てくださったという。その後に内戦勃発。私自身は未だ訪問を果たせずにいる。今回は同氏のパン焼き工程の写真と、かれをそこへ案内した現地の協力者、トゥートゥニエヴィッチ夫妻から私が得た情報によって、そのパン焼きを紹介する。

一九九〇年、九―一〇月。「アドリア海の真珠」と呼ばれ、世界遺産にも登録されているクロアチアの中世都市ドゥブロヴニク。そこから三〇キロばかり山に入った所にオソィエニク村はある。パンを焼くマリーナはレストランの女将で、焼いたパンを客にも出している。

この地方では、パンは炉で焼く習慣であった。つまり、室内をストーヴでなく炉で暖房する地帯に、こうしたパン焼きが残っていたわけである。その炉は壁際でなく、部屋の真ん中にある。床から一〇センチほど上がった、かなり大きなもので、炉床は耐火レンガ。「釣り鐘」は「サチュ」saćと言われ、鉄製。[2] 作業は次のような手順である。

1　鍋に、サワー種を入れた小麦粉の発酵生地をつくっておく。
2　炉床で薪（オークが、硬い炭状になるので最適）を燃やし、炉床を十分熱しておく。
3　別に薪を燃やし、その上に「釣り鐘」を伏せて、内部を熱する。
4　2の炉床が熱くなったら、灰をどけ、小箒で炉床を掃除。
5　そこへ鍋を逆さにしてパン生地を置き、「釣り鐘」をかぶせる。
6　「釣り鐘」の上に4の熱灰をのせる。
7　一五―二〇分そのまま置くと焼きあがる。

焼き上がったパンは直径約二五センチ、高さ一五センチ。「ポガチャ」という名である。pogača は、前章で紹介した、炉で焼くフォカッチャなどと同根の言葉で、ラテン語のフォクス focus〈炉〉にちなむ、炉端焼きのパンを表している。鉄製のサチュは一九四〇年頃のもので、同形のサチュがいくつも置いてある。これを火の上に伏せて熱するという原理は、エジプトの壺焼きにも、また丸天井型でのパン焼きにも相通じている。

「釣り鐘」と丸天井型の窯。この二通りのパン焼きを比べてみると、実によく似ているではないか。あらかじめ炉床（＝窯床）と「釣り鐘」（＝丸天井）をよく熱しておき、灰を脇へどかして（＝燠を掻き出して）箒で掃除する。そこへ生地を置き、「釣り鐘」をかぶせる（＝窯の扉を閉める）。ちがいと言えば、「釣り鐘」では燠をてっぺんにのせること、一度に

図75　オソィエニク村で　釣り鐘焼き。地床炉でサチュを熱しながら、そばで、燃やした薪の灰を脇へ掃く。そこへ生地を置き、熱いサチュをかぶせ、上に灰をのせて焼く。サチュを持ち上げると焼きあがったポガチャが現れる

一個しか焼けないことぐらいで、たしかにこれは「運べる丸天井の窯」である。名称は異なるが、ハンガリー、ルーマニアなどにも同じようなものがあることは、先にも見たとおりである。

「釣り鐘」はバルカン半島だけではなく、おそらく暖炉を伝統とする地方に広域に存在していたことが推測される。たとえばイギリス南端のコーンウォール地方では、古い家ならどこにでもあったという「ポットオーヴン」。これも「釣り鐘」である。この地方は粘土製の丸天井型の窯と、「ポットオーヴン」が併存しており、焼くパンの量によって使いわけられていたという、一八世紀の記録がある。(3)

二〇一一年の夏、私は長年の願いだったドゥブロヴニク(クロアチア)を訪ね、トゥートゥニエヴィッチ夫妻にも会えた。そのご案内で、現地の料理人、モンコヴィチ Monković氏のレストランで、現地ではペカと呼ばれている鉄製の釣り鐘状のかぶせものを実見できた。そして食べた「ペカの下のラム」という名の蒸し焼き料理のおいしさに、私は今も絶賛を惜しまない。

白パン村の共同パン窯のパン焼き——ドイツの村で

＊パン焼きはくじ引きで決まる

これまで見てきたパン窯は、どれも個々の家の私有であった。今度は村有のパン窯を、村人が共同で使うケースである。こうした共同パン窯も一九六〇年頃から減少の一途をたどりつつある。例に挙げるのはドイツ南西部にあるヘンゲン村。標高七三五メートル、人口約六二〇人、プロテスタント。過疎化の進む農牧兼業の農村である。

その村の真ん中に共同パン焼き小屋がある。耐火レンガ製の丸天井のパン窯が四基設置されている。（常時使うのは一基のみ。四基利用するのは、八月の「パン祭り」のとき。）村の記録によると、このパン窯は一九二五年に改築されたものだが、共同パン焼き小屋は、三十年戦争当時には存在が確認されているそうである。

パンを焼く農家も追い追い減っているが、それでも一五軒あまりの常連がいた。このパン窯は村営なので、「パン焼き長」という役職が村役場にあり、それを務める女性職員がここをとりしきる。「パン焼き長」が毎朝、その翌日の利用者をくじ引きで決めるのである。（昔は二基の窯を利用、一日に八―一〇人がパンを焼いた。日中三、四回、夜中にも一二時まで焼いたほど繁盛した。）

パンを焼こうとする日の前日、パン小屋に人びとは集まる。朝七時に鳴る教会の鐘とぴったり同時に、「パン焼き長」が折りたたんだ紙切れを机の上に散らす。参会者はひとつ拾って、紙切れを広げる。そこにパン焼きが何回目かが書いてある。一番の人が「私は×時に窯に火をつける」とみんなに言う。後続はそれを目安に自分の焼く時間を計る。定数を越えてパン焼きの希望者が来た場合は、くじに当たった人と話し合いで一緒に焼く。パン窯一回の使用は約三時間、使用料は当時一マルク（約七〇円）。「パン焼き長」は手帳に当番をメモし、散会する。

なぜ、こんなに厳正なくじ引きをするのか、説明しておこう。パン窯は、一度パンを焼くと、余熱は長く保たれる。この余熱を利用してさらに薄いパンが焼けるほどである。二、三日はまだ温かい。五日目でもまだ温かい。共同パン窯の場合、窯が一番温かいのは金曜の午後である。翌土、日はパン焼きは休みとなるので、月曜の朝は一番低温になる。また一日のうちでは、朝より三回目の方がずっと温かい。だから薪の量にちがいが生じるのである。

その薪は焼く人の自己負担。シュヴェービシュ・アルプの森からとれるブナの枝である。私も、新緑の美しいブナの森で一緒に薪拾いをしてみた。冬のあいだに雪折れた枯枝を拾い集め、束ねて家へ運ぶ。腰の疲れる仕事である。一家でこの薪を普通、年間二〇〇束もパン焼きに使うのである。もし窯のとても温かいときに当たれば、この薪が少なくてすむ。少ないときは一回に六束、多いときは一二束。倍の差がある。それをくじで決めれば恨みっこなしということになる。

このように共同でパン窯を利用することの利点は、戸別に所有するパン窯で、パン焼きのたびに窯を熱する場合に比べ、使う燃料が往々少なくてすむことである。さらに共同パン窯二基を同時に使っていたときには、薪はもっと少なくてよかった。つまり、一の窯で薪を焚いた後、その燠を二の窯に移して利用すれば、二の窯は、ほんの少しの薪を追加するだけでよい。そしてこの燠をまた一の窯の二焼き目に利用する。こうして二つの窯で、薪を焚くタイミングを調整して交互に燃やせば、燃料は大幅に節約できる。先に鉄器時代の例で見た、連結したパン窯も、こうした利点を考えてのことだったのだろう。この地方、かつてのヴュルッテンベルク侯国（一八〇六年から王国）では、森林の樹木を乱伐から保護するために、一八〇〇年に私有のパン焼き小屋を禁止したほど、燃料は深刻な問題だった。

＊おいしいスペルタコムギのパン

ドイツは黒パン地帯である。しかしこの地は、ライムギの収穫期に霧が濃くて、刈った麦の乾燥ができない。そのため冬コムギ、しかもパンコムギ（第一章参照）でなく、スペルタコムギという古代種のムギを栽培してきた。この地方でコルンは、今でこそパンコムギを指すが、戦前はスペルタコムギを指していたのである。

スペルタコムギはパンコムギの先祖に当たる（図6と7＝四七頁）。そのちがいは脱穀のさいはっきりする。パンコムギなら、乾燥させたものは、穂を振る（打つ）だけで粒は殻から取れるのに、スペルタコムギは、〈穎《えい》のついたコムギ〉という原名のとおり、一般的な脱穀方法では、小穂の単位にばらされるだけで、殻は粒についたままなのである。そこで特殊な臼で殻をこすり取らなければならない。この臼は直径一・一メートルもある目の粗い砂岩製で、すりあわせ面にデコボコがついている。臼の上下の石の間は、小穂の厚みより一ミリだけ狭くつくられ、下石は動かないが、上石は毎分一五〇―二〇〇回転する。[4] この臼でまず小穂の殻をこすり取り、その後で粒だけを、改めて粉に挽くのである。殻をむくために、地肌のざらざらした臼を用いることは注目すべき点で、前章であげた、古代ローマのオウィディウスが述べているとおりである[5]（一三四頁）。

このムギは紀元前六〇〇〇―前五〇〇〇年紀に、コーカサス南端とメソポタミア北部の多くの集落跡から、他の数品種のコムギに混じって出土している。ドイツではヘンゲン村から五〇キロメートルにある、紀元前三四〇〇年の遺跡から、それと見られるものが現れている。[6]アルプスの北側、スイス北部から南西ドイツは、古代から現代まで、スペルタコムギの主要産地であった。

とくにこの村一帯では中世には、スペルタコムギとエンバクがムギ生産高のそれぞれ三五パーセント、一八八一―八三年にはスペルタコムギのパンは、全体の八〇パーセントを占めていたほどである。[7]この村では一九三八年まで栽培され、以後パンコムギに切り替えられた。[8]「それまで僕らは、この石ころだらけの痩せ地、しかも海抜七五〇メートルの土地で、パンコムギができるなんて思ってもみなかった」という。しかし一九八三年頃からまたスペルタコムギが見直されて、復活した。

スペルタコムギは手間はかかるが、ドイツではなかなか人気があり、パンコムギよりよいパンができるからと、スーパーマーケットでも高級品である。たんぱく質含有量が二・〇―二・一パーセントあり、パンコムギ、ライムギのどれよりも多いので、こねると良質のグルテンができるのだ。[9]生地にはこしがあり、嚙みごたえのあるおいしいパンができる。

＊共同でパン焼きをする

パン焼きにかけては村でもベテランのリーゼロッテ（一九二五―九八年。村内生まれ、結婚一九四八年、農家）を一九八五年に初めて訪ねた。

自家栽培のムギは地域の製粉所で、地粉（パンコムギかスペルタコムギ）と交換する。現在は小家族のため、一回に一〇キログラムの小麦粉で一四個のパンを焼く。薪は説明したように、一定していない。

その日彼女は午後一時にパン窯を利用することになっている。この日はパンコムギで焼く。しかしスペルタコムギの場合も水を増やすほかは全く同様にする。

【自宅】

朝一〇時準備。砂糖入りのぬるま湯で市販の生イースト（一個四二グラム）二個を溶き、小麦粉一〇キログラム（塩一握り入り）に混ぜ、ぬるま湯八リットル弱（スペルタコムギの場合はもっと水を喰うので増やす）でこねる。ライムギ粉の場合とちがい、上に引っ張り上げてパンパン叩きながら三〇分以上こねる。こねあがると「主よ、これに働きたまえ！」と口の中で唱え（十字は印さない）布巾をかける。彼女は首を伸ばしてパン小屋あたりの空をにらむ。彼女の前の、パン焼きの進行状況が、煙突の煙の様子で分かる。

煙が空へ立ち昇らず、隣家へ流れ込んだりしようものなら、「ハハア、今日は魔女がパン窯に火をつけてる」なんて笑われてしまうのだとか。だから薪はよく乾かしておかなければならない。

【パン小屋へ】

発酵中の生地を家に残して、リヤカーに薪、長柄のついた柄杓、パンシャベル、火掻き棒を積み、パン小屋へ。徒歩五分。小屋は一〇畳の広さ。流し、作業台、ベンチがある。前の人の焼いた後のパン窯に薪を七束入れ（前の人は一一束）、点火。細枝なので「薪の小屋」をつくる習慣はない。扉を閉め、前の人たちとにぎやかにおしゃべり。前の人は後片づけと小屋の掃除。

共同パン小屋のある村では、女たちの「会議」は井戸端でなくここで行なわれてきた。耳寄りの情報交換所、噂の発信地、憂さのはけ処である。掃除は必ず行なう。清潔なパン小屋が村人の自慢である。


【自宅】

パン窯に薪を燃やしている間に昼食。

【パン小屋】

燠を窯床一面に散らし、扉を閉める。

【自宅】

発酵完了。姪に電話。生地の一部で、おやつの薄い菓子パン生地をのして、パイ皿に入れる。これとパン生地をこね桶ごとリヤカーに積んでパン小屋へ。

たとえパン焼き日が雨でも雪でも、リヤカーに傘をさしかけて運ぶという。生地を丸めてからでなく、こね桶ごと運ぶのでそれが可能なのだ。しかしさすが規則尊重のドイツ人。一度くじを引いたら、雨でも雪でも取りやめない。「それぞれが家の前の雪を幅一メートルで雪掻きするのは義務だから、通行できる」と何食わぬ顔である。こうした気質が共同利用の習慣を支えているのかもしれない。

【パン小屋】

二時一〇分着。同時に姪が車で到着。パン生地入りのこね桶を二つも持ってきた。彼女と従姉妹の分。姪の生地はスペルタコムギ。一つの窯で三軒分一緒に焼くのだそうだ。燠を掻き出す。窯床掃除。

二時四五分、窯にパン生地を入れ始める。まずリーゼロッテの生地から着手。長い柄の柄杓をリーゼロッテが握り、先を水に浸すと、姪が両手を濡らし、生地を手でちぎり取り、表面を下にして素早く柄杓に入れる。

(このときに「主よ、これに働きたまえ!」と唱える人もある。) 生地はやわらかい。リーゼロッテはその柄杓を窯の奥へ突っ込み、柄をくるっと回して、パン生地を窯床に逆さに落とす。この地のパンは、たがいにくっつくように並べる。くっついた方が生地がだれずに高くふくらむからという。

続いて姪の分。まず薪の細枝を折って柄杓の中に一本入れ、それから生地を入れる。窯の中で逆さにするとパンの上にその小枝がのる。最後に従姉妹の分。こんどは柄杓に生地を入れてから、その上に棒を載せる。パンの底にその小枝が来ることになる。この小枝は、誰のパンかを知る目印だという。もっと多人数で一窯を利用するときは、小枝の数を増やす。約四〇個の生地を入れるのに一五分。扉を閉める。

村の共同の粉で、同じ大きさのパンを、同じ窯で同時に焼くのに、薪と道具と、自分のこねた生地とにはこだわりがある。薪は時間により差がある。道具は使い勝手に個人差がある。生地はこね方次第でうまさが決まる。それで共同にしないのだろう。それぞれが拾った薪、こねた生地は、その人に帰するのだ。

五〇分後に焼きあがり。ブラシに水をつけてパンの表面をこすり、再び五分ほど窯へ入れる。こうしてパンはできあがった。

実はリーゼロッテのパン生地を、試しに私も一個分ちぎり取って柄杓に入れてみた。さてパンが焼きあがると、「あんたの分よ！」と私にひとつくれた。ひときわふくらみの悪いパンである。見物の女たちが口々に説明してくれた。私は、ちぎり取った、生きたタコのようにぐにゃぐにゃする生地にてこずり、これを二、三度持ち替えた。「それがまずかった、一気に柄杓に入れなければいけなかった」のだと。このように、せっかくこねた生地も相方いかんで、パンの出来が左右されてしまうのだ。

パン焼きが終わるとまた掃除。窯の扉、レンガの壁の灰を拭き取り、床や木のベンチの灰まで拭き取る。学校帰りの孫が、今日はおばあちゃんがパンを焼いているから、と友だちを連れてやってくる。菓子パンを一切れずつもらって行った。

リーゼロッテは焼きあがったパンと道具類をまたリヤカーに積む。そこへ次の人びとがリヤカーで到着。薪を六束積んでいる。ひとしきりまたおしゃべり。「じゃ、それ食べて達者でね！」というのが、パン焼き場での挨拶。そう言って、家へ向かう。パンを満載して。

「なんでも慣れよ。うちの嫁もまだまだ」とリーゼロッテは笑った。けれど一九八九年に私がまたヘンゲン村へ行ってみると、彼女はその嫁と実の娘とトリプルで、仲良くパンを焼いていた。姪は自宅にパン窯を買ったので、もうパン小屋へは行かない。この人をふくめ私有のパン窯（燃料は薪）は一九八五年から村に三基となった。

この村のパン小屋の白い外壁には「我らの日々のパンを」と大きな装飾文字で書かれている。「主の祈り」の一節、あの「日々の御養ひ」である。

a

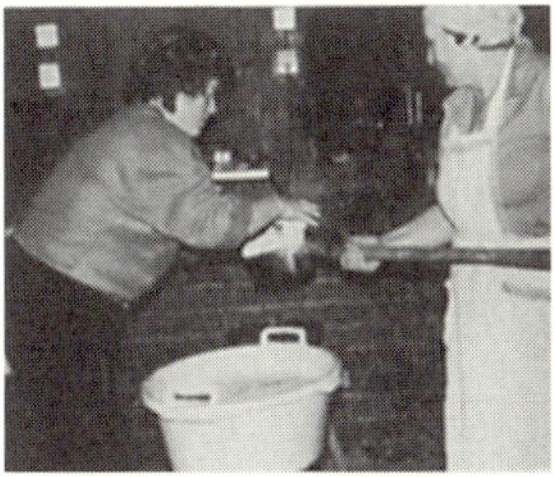

b

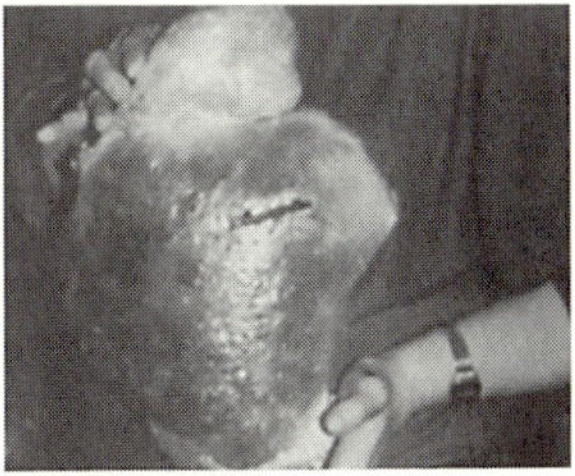

c

d

図76　ヘンゲン村で　a村の共同パン小屋、b姪といっしょにパン焼き、c焼きあがった姪のパンに小枝がみえる、d次の人びとが薪と道具を積んで到着

パン窯、土地柄、人柄

　バルカン半島から、雄大なアルプスを横切り、ドイツ南西部まで、それぞれ特徴あるパン焼きの実例を見た。パン窯のある場所が変わると、パン焼きの習慣もずいぶん変わるものである。そしてそれは風土や人の気質にも影響しているように思える。

　とくにマリア・ルカウ村とヘンゲン村には両極を感じる。マリア・ルカウ村では、パン窯は屋内にあり、パン焼きはその閉ざされた空間で、女一人で行なわれる。たった一人でもパン生地をパン窯に入れられるように、パン板とパン布巾をうまく利用する。過去の生活は大変苦しいものだったにもかかわらず、水車も、パン窯も設備はすべて個々の家の私有であり、粉挽きにも、パン焼きにも他人の手を借りることはない。オーストリアには共同パン小屋は存在しないのである。寡黙で、独立独歩の気質の人びとのパン焼きである。

　一方ヘンゲン村では、パン焼きも共同、粉も共同である（製粉所で自家製の粉を渡しても、受け取る粉は「共同の粉」）。柄杓を使うので、一人ではパンは焼けない。他人のパン焼きの進み具合で自分の作業を調整したり、一緒に焼く仲間を探し、気を合わせてパンを焼いている。とかく諍《いさか》いとは、生活の細部から起きるもので、共同のパン焼きなどは、その火種になりやすいはずだが、ここではくじ引きや小枝の目印などで、うまく解決する知恵を生み出している。明朗、開放的、話好きの人びとのパン焼きであった。

　こうした共同パン窯がいつごろからあったのか、はっきりしないが、ドイツ、フランケン地方（中部ドイツ）では古いものは一三三九年、そして一六、一七世紀には記録がたくさんある。[10] スイスでは、トゥーンで一二六四年に、そして一四世紀にはシュタイネン、その他の地で一一基確認されている。[11]

共同パン窯が造られたのは、森林保護のための薪の節約と、防火のためでもある。戸別にパン窯を私有するとなると、どうしても火事が出やすくなる。よい防火条件のもとで共同で利用する方が、より安全だったのである。しかしそれは地方ごとに、住居様式や家屋の立地密度によって異なっている。

2　パンの保存

窯の中に、パンがたがいにくっつくように並べると、パンは支えあうので生地は高くふくらむ。食パンのように、パン生地を箱に入れて焼くのも同様の効果がある。逆に、ゆるい生地をたがいに離して並べると、生地は横へ延びるので、平たいパンになる。

パンというと、こんがりとした焼きたてが最高と思いがちだが、パンの歴史を見れば、それは白パンの場合であって、しかも町なかに住んで、パン屋からパンを買うことの出来た人びとにかぎられた話である。

自家製の場合は、これまで見てきたように、パン焼きに半日以上の時間を割かなければならない。毎日焼いていたら、食べるだけで終わってしまう。だから白パンでも二週間、黒パンでは、二、三週間に一度まとめて焼いたものである。スイスのマッターホルンのふもとのあたり、ヴァリス州では、一年に一度という所さえあったのである（図25＝九四頁、五五〇〇年前のパンと並んでいる）。

チロルのように、パン焼きが年に数度というところでは、わざわざ薄いパンを焼く。するとパンは数日で堅く乾燥し、保存に耐える状態になる。ある農家では、復活祭の頃と九月の年二回しかパンを焼かない習慣である。その数は一回に五〇〇個。半年どうやって保存するのか、見せてもらった。子ども部屋の、ベッドの並んでいる真上の天井下に、端から端へ桟が一〇センチおきに渡してあり、その上にパンがびっしり並べてあった。パンを保存する方法は、大型フリーザーの登場（一九六〇年以降）までは、もっぱら乾燥させるだけであった。

アルプスの少女ハイジの白パンの話は、それを語っている。フランクフルトの家で出された、やわらかい白パンを、故郷のペーターのおばあさんにあげようと、食べずにとっておいた。薄い黒パンは堅いから、やわらかい白パンがよかろうと思ったのだ。しかし日がたつにつれ白パンにはカビが生えてしまった。黒パン世界の少女は、ふっくらした白パンが、保存できないことを知らなかった。彼女には、パンとは石のように堅くなるまで保存できるものだったのである。

ところで、パンを保存するには「パン棚」と呼ばれる道具が使われる。形は地方により、パンの大きさ、厚さによりさまざまである。どれも天井に吊るしてあるのは、ネズミに嚙られないため。

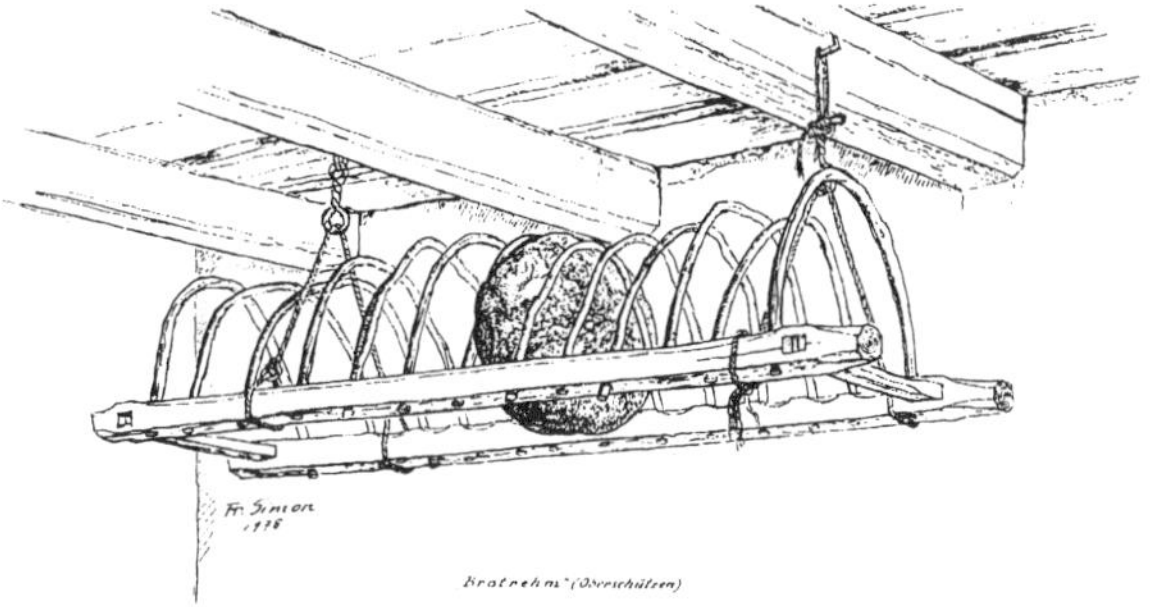

図77　厚いパンに適した横型のパン棚　ブルゲンラント州／オーストリア

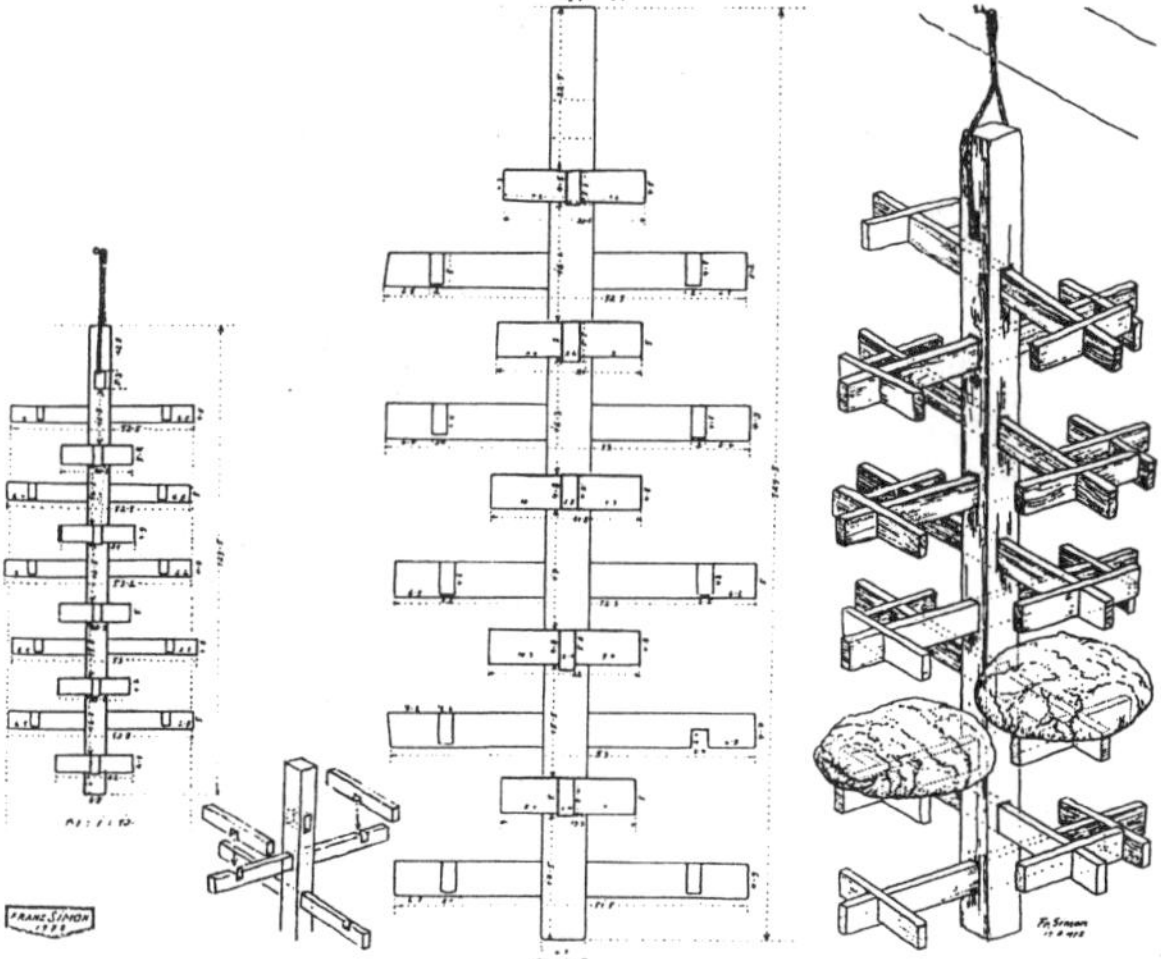

図78　厚いパンに適した縦型パン棚　ブルゲンラント州／オーストリア

図80　薄いパンに適したパン棚　マリーエンベルク修道院／イタリア

図79　薄いパンに適したパン棚　マリア・ルカウ村／オーストリア

図82　天井の桟の上に並べたチロルのパン　イタリア

図81　パンの保存法—棒に吊るしたクネッケ　スウェーデン

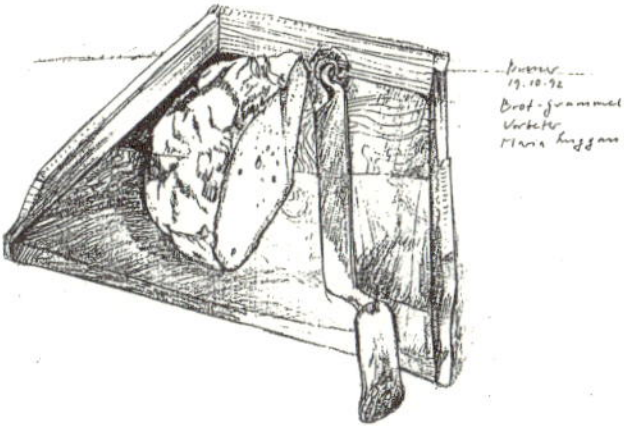

図84　パン切り　アルプス一帯

図85　チロルの食堂で籠に盛って出されるパン　砕いた、堅くてすっぱいパン、その上にセンメルとまだやわらかい「パン」。料理を待つあいだ、これをポリポリかじる／イタリア

図83　パンの保存法―納屋に積み上げたユフカ　トルコ

その他北欧のクネッケという薄パンは、現代の工場製品では、四角く切ってパックしてあるが、昔家庭でつくっていたものは、発酵パンの生地をごく薄く円形にのして、表面にデコボコをつけ、パン生地の真ん中に穴をあけて焼く。その穴に棒を通して天井に吊るしておいたものである。

クネッケは手で割ることができるが、チロルのパンのようなものは、パン切り用の道具を使わなければ切れない。切ると言うより、砕くと言った方が当たっているかもしれない。それほどパンは堅くなる。砕いたパンは、牛乳や、スープ、カユに入れたり、卵をつなぎにしてゆで団子をつくった。バターやジャムを塗ってぱくぱく食べられる日は、年に幾日もなかったのである。

3 パンと十字印

「こんなことするからって、何も私が信仰深いからじゃないよ。ただの習慣よ」

こねあがったパン生地に十字を描きながら、人びとはよく私に言ったものである。冗談好きの亭主などは横で「内心は、どうかこのパンが増えますように！と十字を描くんだよ」などと茶化してくれる。この十字は生地がふくらむにつれて見えにくくなる。そのときが発酵の完了。十字は発酵の目安である。しかしただの目印なら○でも□でもよかろうに、なぜ十字なのだろう。

この十字の印はサワー種にもつけられたことは前に述べた。その他粉箱の粉の表面にも描いておく。またマリア・ルカウ村のテレジアは、窯にパン生地を入れ終わり、扉を閉めるときも十字の印を空《くう》に描いた。あるいは別の村には、パン生地を窯に入れるとき、パン生地ひとつずつに手で十字を切る人もある。十字はこのようにパンづくりの工程にいくたびか現れる。それをまとめると十字を印すのは次のときになる。

1　粉を粉箱に入れたとき
2　生地をこね終わったとき
3　生地をパン窯に入れる（入れた）とき
4　サワー種を皿にのせたとき
5　パンに初めてナイフを入れるとき

ヘンゲン村の人びとは、十字でなく「主よ、これに働きたまえ！」という短い祈りを唱えた。それは前記の2と3の時点に当たる。このように十字や祈りは、やみくもにするのでなく、パン焼き過程の決まった時点で行なわれる。私はこれまでたくさんのパン焼きをいろいろな所で見てきたが、他のときに十字や祈りをする例は全くない。なので、ここには普遍的な意味があるはずである。

1から4に共通するのは、粉や生地が寝かされるときである。そこには時間の経過がある。そのあいだに人の不安が生じる。粉には虫がつき、カビがはえはしないか。発酵中の生地は、腐りはしないか。パン窯に生地を入れるときには、生焼けになったり、焦げたりしないか。または、保存しようとするサワー種は、腐ったり、黴《か》びたりしないか、という不安。どれも人為の及ばぬ現象への不安である。しかしワインやチーズを寝かせるとき、十字を印す人はいない。大量のパンの失敗は食べられないという深刻な恐れにつながる。だからこそ十字や祈りが行なわれ、その成功を祈るのだと思われるのである。

そして5は、初めてパンにナイフを入れる、初切りの儀礼である。マリア・ルカウ村では、「主よ、このパンと、このパンを食べる皆を祝したまえ！」と唱えながら、パンの底にナイフの先で十字を印す。パンをひとまず神に捧げて感謝し、神の祝福をもらって初めて口に入れる作法である。

初切りの前にパンに十字を印すことは、たとえばスイスのサンクト・ガレン修道院の修道士、エッケハルト四世の『食卓讃』（一〇世紀初め）と題する詩の中でも、列挙したすべてのパンに十字がついていた[12]。パンは人の力だけではつくれない。神の助けがあってはじめて、ムギはみのり、パンはふくらみ、焼きあがるのだという思いから、人びとは感謝を捧げ、神の祝福を得てはじめて、それを口にするのである。

平焼きであれば、目の前で数分で焼きあがるので、すべてが人の意思のもとにある。しかし発酵させたパンをつくる過程には、時の経過が深くからむ。それは発酵のためばかりか、焼く時間にも影響している。一時間は焼かなければならない。しかもそのかんパンは焼く人

図86　粉の表面に印された十字　マリーエンベルク修道院

の目の前から消え、パン窯の奥深くに密閉されてしまう。発酵パンは、時間待ちの文化とでも言おうか、時にゆだねて待つうちに、無意識に人の抱く不安が願望を生み、それがしぜん、十字の印となっていったと思われるのである。

発酵パンは、ムギ粒を挽き、水でこねて、発酵させ、これを焼けばたしかにできあがる。しかし、パンづくりは、つぶさに眺めてみると、単なる食品づくりと言ってはありあまるものを包蔵している。うまい、まずいを問う技術論のみでパンの文化をはかったとしたら、私たちは多くのものを見落としてしまっただろう。パンをつくり、食べるという人間の営みそのものが何を語っているか、見つめていくべきはそのことではないだろうか。

第五章　パン文化の伝承

1　パン文化の伝承

コメが私たちの主たる穀物食に当たるように、民族には主となる穀物食がある。ムギを食べる民族には、それがパンである。パンは食生活の柱だから、パンが食べ物の総称になり、食べることの象徴にもなる。パンをつくったり、食べたりするうちに形成されるパンの文化は、それゆえさまざまな形態で重層的に蓄積されながら、永々と伝承されてきたものである。そのパンの文化は、家庭という最小単位から、地域、民族、さらには地球的規模へと、さまざまな社会レベルで蓄積されているものである。

伝承されるパンの文化が一様でないことは、たとえば白パン、黒パンといった異なるパン地帯、円筒型、丸天井型といった異なるパン窯地帯、そして発酵パン、無発酵パンといった異なるパン地帯が形成されてきたことを見ても分かる。こうしたパンの文化は、地球規模で蓄積されていく。

反対に家庭や、その周辺の地域といった、小さい社会単位へ目を向けると、そこにはまた別のパン文化の蓄積が見えてくる。

家庭では日常のパンを焼く技術が、姑から嫁へ、あるいは母親から娘へ伝承される。家庭には、パンの技術面ばかりでなく、暮らしにかかわるパンの諸事万端、たとえば、しなければならぬこと、してはならぬことが、躾《しつ》け、家訓、ことわざ、言い回し、タブー、民話などの形態をとって伝承され、蓄積されている。また家庭をとりまく地域社会には、地域固有の文化が、祭りや年中行事、習俗の形で蓄積されている。種々のパンの文化がどのように伝承され、どこに蓄積されていくのか、パン文化史の形成に役割を担ってきたと思われる、代表的な例をとりあげてみよう。

2 嫁のパン焼きと姑のパン焼き

誰にパン焼きを教わるか

マリア・ルカウ村の人びとは小さいときから母親のパン焼きを見て育ち、ときには「薪の小屋」づくりのお手伝いもした。なのに、テレジアはパン焼きを姑に習ったという。しかし彼女の実母ヨゼファ（一八九二―一九八五年、村内生まれ、一九二〇年結婚、農業）は当時まだ健在でパンを焼いていたのである。そのヨゼファの実家は窓を開ければ川向こうに見える距離。そこから嫁に来たとき、姑はすでにいなかったが、その家にいた大姑にパン焼きを習ったという。このように「姑から習った」と答える人びとは多い。その女たちがパンを焼き始めた時期は、結婚後二、三年してからである。この期間が見習い期ということだろう。もっとも、実母に習ったと言う人も少しはいる。その人びとは結婚と同時にパン焼きを始めた。姑はすでにいないか、寝たきりだったそうである。つまり姑の健在な家に嫁入れば、知っているはずのパン焼きを、改めて姑に習うのである。しかも二、三年の見習いとはまた長期である。

ところが、若い奥さんたちは、家に姑がいるのに、姑に習ったとは言わないのだ。「本を見て覚えた」と言う。要するに、年配になるほど姑に習い、若くなるほど本で覚える、という傾向がはっきりしている。これは何が原因だろうか。

パン窯を制す者がパン焼きを制す

この謎は何年も解けなかった。それがパン窯に関係あることに気づいたのは、幾度か調査を繰り返した後のことである。簡単に言うと、昔はどの家も丸天井型か居間ストーヴでパンを焼いていた。その後導入された二段式や電気のパン窯は規格品であるが、丸天井や居間ストーヴは各農家が築造したものだから、造りは一定ではない。それでいくら実家のパン焼きを知っていても、婚家のパン窯に変われば、焼くという仕事は一から覚えなければならなかったのである。戦後、丸天井型の家から、二段式の家へ嫁いだ場合、あるいはその逆の場合も同様で、このように、パン窯が変われば、そのパン窯を熟知している人、姑に習わなければ焼けないのである。

たとえばテレジアの実家は二段式で、婚家に来ると丸天井型であった。別の人は実家が電気で、婚家が二段式である。いくら実母がパンを上手に焼く人でも、姑に習わなければならなかったわけである。

パン焼きとはそれほどむずかしいものだ。何本の薪を燃やせばよいのか、熱した窯はどの程度冷やしてからパン生地を入れるのか、温度計もなしに割り出せるはずもない。その窯の古さ、湿気の状態、窯の壁の厚さなどの複合した条件によって、すべてのタイミングはちがう。その窯を体得している姑の経験知が必要だったのである。

マリア・ルカウ村のアンナ（一九二九年当家生まれ、一九五六年結婚、農業）の家のパン窯は地下室にあったが、戦争中に壊れた。折り悪しく修理ができない。やむなく居間ストーヴで焼いてみることにした。ところが、こんなふうに言う。

「なにしろ前に、この居間ストーヴでパンを焼いた人がいないから、薪を何本くべればよいのか、どのくらいの時間燃やせばよいのか見当がつかず苦労した。何度やっても焦げ過ぎたり、生焼けだったり。私は居間ストーヴで焼くのをとうとうあきらめてしまった」

パンを焼くには、パン窯をあらかじめよい温度にしておけるかどうかがポイント。パンを窯の余熱で焼くという仕組みが、姑と嫁とのあいだにパン文化の伝承を育むことになったと考えられるのである。

料理などの家事は、母から娘へ伝えられるのが一般的である。しかしパン焼きは姑から習うのが伝統。それもこの村だけのことではない。丸天井型のパン窯でパン焼きをする場合、前例となる体験が是非必要で、家庭ではそれは姑だったわけである。

この村で二段式を最初に導入したフリーダ（一九一四年当家生まれ、一九三六年結婚、農業）は、跡取り娘で婿養子をとったので、実母にパン焼きを習った。結婚の年に丸天井型が壊れ、以来二段式を使っている。その嫁マリア（一九五一年村内生まれ、一九七二年結婚、農業）は、実家が電気のパン窯だったので姑にパン焼きを習った。姑の語るところでは、嫁は上手にパンを焼けるようになったが、ある日突然細長いパンを焼いたという。フリーダは大変驚いて嫁に注意した。

「農民のパンというものは、代々丸いものと決まっている。勝手に形を変えるなど、とんでもない。それに長いパンなど気味悪いじゃないか。今後は絶対そんなことをするな」

以後嫁はいつも丸いパンを焼くようになったという。

私がマリアに、パンはどんな形にするかと尋ねたら「丸くします」と答えている。けれど、なぜ彼女が一度細長いパンをつくったのか、私には察しがついた。実は嫁の実母は、村でただ一人細長いパンを焼くのである。この実母の姑が、生前、そう命じたからだという。電気の窯は長四角、パンを保存するフリーザーも長四角なので、パンを細長くする方がスペースが活かせるからという。この家では新しい道具によって、パンの形が変わってしまったのである。しかし嫁入ったマリアが、婚家のしきたりに一度だけ背《そむ》いた蔭には、食べ慣れた実母のパンがあったのであろう。

姑といっても十人十色。年配の女たちのパン焼きの思い出には苦労話がまとわりついている。テレジアの姑は、テレジアにしっかりパン焼きを教えてくれた。しかしその後は、姑は長年の夢だったという刺繡に専念し始め、刺繡三昧の生涯をおくり、一九八一年に亡くなった。テレジアは姑に教わったとおりに今もパンを焼いている。パンにつける空気孔も、生地をこねあげたときにつける十字も姑から受け継いだものであって、実母のものではない。

嫁にパン焼きを全部任せた姑もあれば、逆にいつまでも嫁にパン焼きを任せない姑もいた。たとえばテレジアの実母。彼女は八九歳でなお、二段式でパンを焼いていた。粉をこねたり、水を運んだりという力仕事は嫁が手伝った。「婆ちゃんがやりたいなら、こっちは手間が省けていいわ」という割り切りがある。

姑の撤退

嫁が来ても、姑がパン焼きに固執していたという家は多い。そうした家でも結局は嫁にパン焼きが移行することになる。そのきっかけは、電気のパン窯であった。丸天井型がいよいよ壊れたとき、電気の窯を買うことを決めるのは夫である。そしていよいよこれが到着。さて焼こうという段になって、姑はとうとう言った。

「電気のことはよう分からん。今度からおまえがやれ」

そのときの姑のせりふがどの家もそっくりなのである。この姑たちの時代には、村に電気そのものがなかったのだから、想像以上のとまどいがあったのだろう。それからというもの、おばあさんたちはパン焼きから完全撤退した。そうは言うものの、電気の窯がお手上げなのに頑固者はいるもので、嫁のパンなど食べたくないと、自分の食べる分だけパン生地をこねて、「これを焼け！」と嫁に突きだしたという人もいた。つまりこね方にこだわりがあるのだ。

娘が他家へ嫁がず、婿を取ったようなケースでは、むろん母親のパン焼きがそのまま受け継がれる。そういう人たちのパン焼きの話には、実母が登場する。姑からパン焼きを習った嫁たちの話より、ずっと生き生きと語り出されるのである。技術の伝承に託されていく、「思い」というようなものの勢いに、ちがいがあるのかもしれない。

娘が他家へ嫁ぐケースでは、実母から受け継いだ技術は途絶え、婚家の姑の技術が受け継がれる。しかしそこに全く新たな設備や道具が入ってくると、その継承パターンも崩れるのである。このように、結婚によって道具が変われば、技術継承の秩序は断絶してしまう。しかもパン窯のあつかい方ばかりでなく、パンづくりの全過程がパン窯を支配できる人の影響をうける。言い換えればパン焼き技術は、パン窯という設備をめぐって存在している。誰が焼こうと、そのパン窯に支配されるものなのである。

現代の若い世代は、電気のパン窯を持っている。実家も婚家も電気である。その場合、どれも同じ規格品だ。温度計もついている。焼きながらダイヤルで温度を高くも低くもできる。だから使用説明書を読めば使いこなせるわけである。そしてパン焼きの入門書が一冊あればよい。脚を組んで、タバコを指にはさみながらでもパンは焼ける。

「簡単よ。誰にも教わらないわ」

と、けろりと言う。だが、料理の本には、こねた生地に十字をつけることも、パン窯の扉を閉めたら「神の御名によって、アーメン」と言えとも記されていない。ダイヤルひとつで焼けるものに、祈る必要もないのである。

3　祭りの象形パン

象形パンに託された意味

小麦粉を水でこねるとグルテンができるので、生地には粘りと弾力が生じる。そのため生地は手の中で思いのままの形になるという利点がある。生地に甘味や油脂を入れて、何かの形をした菓子をつくることもできるし、発酵させた生地を使えば、さまざまな形のパンができる。日常のパンはほとんどが円や楕円のような単純な形をしているが、祭りになると、コムギの生地は晴れがましく、意味あり気な形を装うのである。何かモノに象《かたど》られたパンや菓子は、ひっくるめて象形《しょうけい》パンと呼ばれている。象りによって、人はその心の内をあらわにしたのである。

祭りはもともと人が神に供物や犠牲を捧げて、それを神とともに食する儀式であるから、祭りにパンが供えられるのは自然のなりゆきである。しかしこのとき、パンや菓子を何かモノに象ることは、単なる供物以上の意味をもっている。その形が、人の願いを神に届ける伝達手段であったり、人の思いを捧げるためであったりする。しかも粘土や木などで象ったものは食べられないが、パンの象りは神も人も食べることができるところが良い。

象形パンの古い例としては、すでに挙げた、ラメセス三世の墓に描かれたものである（図32＝一一〇頁）。さまざまなパンに混じって、牛形のパンが描かれている。またヘロドトスの伝えるところでは、エジプトでは豚を神に犠牲として捧げる祭りのさいに、貧しい人びとが本物の豚の代わりに粉をこねて豚の形につくり、これを炙って神に供えていたという。(1)

このように、象形パンの役割の第一は、本物の代わりになることである。代用は、貧しくて本物に手が届かない場合だけでなく、社会的価値観の変化により、実物の供犠が廃止された場合にも行なわれた。たとえば、収穫儀礼として古代からムギの刈り入れに合わせて行なわれていた鶏、犬、猫、山羊、兎など動物の供犠が、文化の変貌によって廃止され、代わりにパンで動物の形がつくられるようになる。あるいは古代には、自身を捧げる意味で、切った髪の毛を神に捧げていた習慣から、パン生地を編んで供えるようになるのである。(2)

象形パンのもうひとつの役割は、祈願する内容を具象化することである。人が神に祈願したい胸の内を、パンで具体的な形に表して供える。たとえば古代ギリシャ時代のシラクサでは、種播きの祭りに女性器の形をした菓子を穀母神デメテルに供えていた。(3) 生殖器が豊穣多産につながるので、その菓子をもって豊穣祈願とした。オーストリアでは第二次大戦後まで、蛇の形をしたパンや菓子もつくられていた。(4) 蛇は地表を這い、作物に有害な小動物を一掃するので、大地の実りを願う意味であろう。

象形パンにはさらに、何かの記念を表現する役割もある。故事ゆかりの日や、ゆかりの土地で、記念されるものを象る。たとえば、聖ニコラウスの日や、聖マルチンの日のヒト形のパン、クリスマスの星形やモミの木形の菓子、あるいは復活祭のゆで卵を抱いた小鳥形のパンや、子羊形のパンなど、また、サンクト・ガレン(スイス北部)の故事にちなむ熊形のパンなどなど無数にある。記念のパンは、宗教儀式を離れ、民俗行事として伝承されている。

ブレッツェル——シンボルのパン

象形パンには、シンボルのパンと呼べるようなものもある。ある形が、ある意をもっているという、暗黙の了解を獲得してしまったようなパン、とでも言うのだろうか。その代表はなんといっても、ブレッツェルという「め」の字のような形をしたパンであろう。ドイツ中どこの街角でもブレッツェルをよく見かける。共同パン小屋のあるヴュルッテンベルク州がその発祥の地だと、土地の人びとは鼻高々である。

ブレッツェルのつくり方は、小麦粉、塩、水をこねた生地を紐のように伸ばして「め」の字に似た形をつくり、塩水でゆでてからナトロンラウゲ(苛性ソーダ)液にくぐらせ、表面に粒塩を振りかけてパン窯で焼く。(現代風は、生地はイーストで発酵させ、下ゆでせずにいきなりオーヴンで焼く。)すると表面が赤茶けてぱりっと焼きあがり、熱による化学反応によって生じるナトリウム系の中性塩の塩味と独特の香りがつく。卵、牛乳、甘味料、バターなどは一切入らない。ヨーロッパでは数少ない、塩味だけの菓子である。

愛嬌のある形をしているが、その由来は、死者が埋葬されるときに副葬された指輪、腕輪、首輪などが元になっているらしい。死者送りに持たせた本物の腕輪の代わりに、小麦粉でつくったものを、葬式で参会者に配るようになったのだという。[5] ブレッツェルは、英語のブレスレット〈腕輪〉と同根の言葉。他説には、修道士が両腕を組んで神に服従の意を表すときの形から〈小さい腕〉にちなむとも。[6] 時代をさかのぼると、ザルツブルク、ドーム博物館が所蔵する、一一世紀に描かれた細密画、《最後の晩餐》のテーブルに、最初期時代のブレッツェルが見える。

中世の修道院では、キリストの降誕日、過ぎ越し祭、聖霊降臨祭のそれぞれ四日間は断食日と定められ、「午餐に二皿の魚、晩餐に小さい腕のある菓子」を食べていたことが、当時の食事メニュから分かっている。[7] 断食日には、肉はもとより、卵や乳製品も禁じられていた。ブレッツェルは粉と塩と水だけでつくられるので、修道院では断食日用だったのだろう。こうした死者の腕輪を意味したパンを、修道士が信仰心にかきたてられて、組んだ腕に見立てるようになったらしい。

ブレッツェルは、このように由来からしても家庭のパンではなく、断食日用に修道院で食べられていたものが、世俗の貧民や子どもたちにも配られ、町のパン屋のつくるものとなったようである。

世俗のブレッツェルは、民俗行事、とくに「冬送り」の祭りに、生き生きと跡をとどめてきた。一年を冬と夏の二季に分ける古代の名残で、冬の終わりに、冬を送り夏を迎える「夏と冬の喧嘩」と呼ばれる行事が、ヨーロッパ各地で行なわれているが、その日は別名「ブレッツェルの日曜日」とも言われているほど、ブレッツェルとは縁が深い。というのは、そのとき子どもたちが長い棒にブレッツェルをたくさん通し、肩に担いで「夏」になり、「冬」を追い出す戦いを演じるからである。オーデンヴァルト一帯ではこのとき次のような歌を子どもたちが歌った。

赤いぶどう酒、ブレッツェル、やって来い！
しわくちゃばばあ、死に神、出てけ！(8)

冬はものみな枯れ死する季節である。反対に、夏は生命の燃え盛る季節。「しわくちゃばばあ」は枯れ死を、「赤いぶどう酒」は生命を意味している。こうして冬を追い出し、待ち焦がれるように夏を迎え入れるのである。このような擬人化された冬と夏の対立というテーマは非常に古く、ヨーロッパはもちろん、古代へ遡ると、シュメール文学に残る「夏と冬の兄弟の喧嘩」というストーリーに、すでに原形を見ることができるほどである。(9)

冬送りの行事にブレッツェルが担がれるのは、この菓子が元は死者とかかわりのあったことを暗示している。かつては死者送りの腕輪を意味したものが、こうして民俗行事では死の追い出しのシンボルとなった。ひいては厄払い、春来たる祝いのパンへと変遷したようである。

この冬送りの時節は、キリスト教社会では四旬節の時期と重なっている。これは復活祭を

図87　ピーテル・ブリューゲル《謝肉祭と四旬節の喧嘩》

ひかえて、四〇日間の禁欲をもって、キリストの受難と死に思いをいたす、宗教的な時間である。その四旬節の第三日曜日か、その近辺に「夏と冬の喧嘩」が催されていた。この日は俗に「死の日曜日」（冬が死ぬ日）とも呼ばれたのである。

ここでブレッツェルの描かれた、パンの文化史上重要な絵をひとつ見ることにしよう。宗教的、民俗的に非常に忠実に描いたといわれる、ブリューゲルの《謝肉祭と四旬節の喧嘩》（一五五九年、板、油彩）[10]。謝肉祭は、四旬節の禁欲生活に入る直前に行なわれる、飽食とどんちゃん騒ぎの民俗行事。この祭りと、それに続く四旬節とを擬人化して、対立関係においた作品である。

まず、左側が謝肉祭、右側が四旬節の

風景。謝肉祭には肉料理や、卵や牛乳の入ったワッフルなどを食べる。四旬節には断食食として、肉の代わりに魚、ワッフルの代わりに、卵も牛乳も入っていないブレッツェルが、それぞれ謝肉祭と対照的に配置されている。断食日にブレッツェルを食べる習慣が、世俗社会においても継承され、定着していることが分かる。

後景中央の家は、パン屋。路面に張り出した棚や籠の中にはパンやキッシュに混じってブレッツェルが見える。外の柱に看板代わりのブレッツェルが二つひっかけてある。このようにブレッツェルが掛けてあればパン屋を表すのである。そのためにブレッツェルは、ヨーロッパの多くの都市で、パン組合の発足当時から紋章に取り入れられ、パンとパン屋のシンボルとなっている。

ところで、「謝肉祭と四旬節の喧嘩」のモチーフだが、これは中世にはポピュラーな主題で、当時の絵画をはじめ、謝肉祭劇などの文学にも例がある。[11] しかしさらに言えば、この主題の背景には、先に述べたような、「夏と冬の喧嘩」が明らかにからんでいる。四旬節にブレッツェルが現れるのは、これが断食の食べ物だったということに加え、冬が死に、春がよみがえるという、死から再生へ向かう意味がブレッツェルに象徴されていると思われる。

このように象形パンは、作物の豊穣や長寿などという、幸福への希求と、悪天候、飢餓、死などという、禍への恐れから生まれ、伝承されてきた。時の経過の中でその根源は紛れ、本来の意味が種々に転化してしまっていることが多い。しかし、象形パンは、平凡にうつろう日常の、食べ慣れたパンとはちがい、祭りのひとときを楽しませてくれる、イメージ性の強いパンである。愛らしい、素朴な形のなかに、古代人の抱いた自然への心象や、神への願望が込められているのである。

4　民話の中の記憶

「ヘンゼルとグレーテル」の魔女のパン焼き

本書の章が進むにつれ、パン焼きというものが分かってくると、子どものときに読んだグリム童話「ヘンゼルとグレーテル」の民話を思い起こされた読者もあることだろう。民話は伝承された文化の宝庫である。こうしたお話はいつ、誰が創作し、書き残したというものではなく、いつとはなしに、誰言うことなく語り継がれていくので、しばしば地域、時代を越えた真実がかくされているものである。そしてパンの文化も、多くの民族の民話の中に蓄積されている。ヒトや動物がパンをもらう話、パンを与える話、パンを分け合う話、あるいはパンを盗む話、パンを焼く話など、その例は多くあるが、グリム兄弟が収集した「ヘンゼルとグレーテル」は中でもとくにポピュラーである。これを例に、民話にどのようにパンの文化が伝承されているかを見ることにしよう。

このお話では、魔女はヘンゼルがちっとも肥らないのに業をにやし、いよいよヘンゼルを煮ることにする。同時にパン窯でパンも焼き、ついでにグレーテルも焼いて、ふたりとも食べてしまおうともくろむ。しかしグレーテルは魔女を騙《だま》してパン窯に押し込め焼いてしまう。これが魔女のパン焼きの場面である。私も子どもの頃、魔女が入れるようなパン窯とは、どんなものなのだろうかと想像を巡らせたものである。そんな大きなパン窯は空想であって、ありえない話だ、と片付けてはいけない。この場面は、実際のパン焼きとよく整合し、かなり事実に沿ったものである。しかしパン焼きの実際を知らないと読み解けない要素もふくんでいる。そのため、これまで多角的に研究され尽くしているかに見える「ヘンゼルとグレーテル」も、この場面については論じられることがなかったのである。

ところでこのお話は、初めからわれわれの知っているストーリーだったわけではない。いくども改筆を重ねた末に落ち着いたといういきさつがある。なぜ改筆されたのか、その経過をたどってみると、後で述べるように、思いがけないことが見えてきた。

このお話の特徴は、あたかも実際あったかのように、時代、場所、登場人物が、現実の状況下に設定されていることである。食い詰めたきこりの夫婦が森に子どもを捨てることを発端とし、この世の現実を舞台に筋が展開する。主人公の子どもたちや親は、一九世紀にはどこにでもいた貧しいきこりの家族である。住んでいる家も、食べ物も、あたりの森のたたずまいも、現実のまま。とはいえ、子どもを食う魔女がいたり、お菓子の家という、常ならぬものが紛れ込んでいたりする。しかしそれをもふくめて、この種の現実物語は、その細部まで、いかにも実際起こったことのように、それらしく描かれなければならない。その意味で、魔女のパン焼きも、またパン窯に押し込められる場面も、ごく日常的な現実に即していなければならないはずなのである。

お話はどう変わったか

このお話の類話はヨーロッパにはいろいろ存在していたのだが、グリムの「ヘンゼルとグレーテル」は、隣家に住む娘から採取したヘッセン地方のお話が元になった。[12] このお話のパン焼きの場面を現存する手稿本の段階から、グリム生前の最終版となった第七版まで、私はすべての版で比べてみた。

魔女のパン焼きの場面は、手稿本（一八一〇年）と初版（一八一二年）に少しちがいがあり、その後第二版（一八一九年）から第四版（一八四〇年）まではほぼ同様。そして第五版（一八四三年）で大きく変更されて、その後はほぼそのまま第七版（一八五七年）まで維持されている。[13]

大改筆された第五版中のこのお話は、実はその前年に出版された別の編者による民話集から借用したものだったという。それを突き止めたレレケというドイツの学者によると、その民話は、シュテーバーという民俗学者の『アルザスの民衆本』（一八四二年）所収の、「卵菓子の家」[14] だという。レレケは、グリムの第五版が第四版とどれほどちがい、このシュテーバー版にどれほどそっくりかを、逐一つまびらかにしてくれた。[15] 一行ごとに両者の表現の同一性を指摘しているのだが、なぜか魔女のパン焼き場面には言及がない。そこで私たちは、シュテーバー版とも比較する必要がある。まず読んでみよう。

魔女のパン焼きの場面を三節に分けておく。その主題は、次の三つの通り。

1　魔女は、ヘンゼルをいよいよ食べることにする。その前夜の準備。
2　当日の朝、魔女がグレーテルに命じたこと。
3　グレーテルがどのように魔女を騙してパン窯に閉じ込めるか。
この順を追って第四版と五版、それにシュテーバー版とを比べてみよう。

1【前夜】
第四版までは、魔女は翌朝のパン焼きのために、前夜にパン生地をつくっておく、と言う。当時はサワー種で発酵させていたので、前夜にふやかしたパン種を生地に仕込み、一晩かけて発酵させていた。魔女も当時の習慣にしたがっているわけである。シュテーバー版では次の項で見るように翌朝突然パンの話が出る。グリムの第五版は、それにしたがっている。

2【その翌朝。グレーテルを熱いパン窯の中へと誘う】
第四版までは、子どもをパンシャベルに載せて、パン窯の中へ送りこむ。これは前章で見たように、「薪の小屋」を組むときに子どもがさせられる仕事であった。「入りな！」と言えばすぐ通じるほど、子どもの日常的なお手伝いなのだ。魔女が子どもをパン窯の中へ入れというのは実にうまい騙し方である。「中を歩き回って」も、薪組みのとき子どもがそうするからである。

1　魔女は、ヘンゼルをいよいよ食べることにする。その前夜の準備

第四版	四週間たったある晩のこと、おばあさんは妹に言いました。 「早くするんだ、水を汲んでここへ持って来い。おまえの兄ちゃんがふとっていても、いなくても、明日は殺して煮ることにする。ついでにパンも焼けるように、これからパン生地でもつくっとくとしようかね」
シュテーバー版	堪忍袋の緒が切れて待ちきれなくなった魔女は、グレーテルちゃんのところへ来て、言いました。 「ぐうたらコック、水でも汲んでこい！　明日こそヘンゼルを煮て、ばらばらにして食べてしまおうじゃないか」
第五版	四週間たった頃、それでもヘンゼルが痩せているので、堪忍袋の緒が切れて、もう待ち切れなくなりました。 「やい、グレーテル」 おばあさんは女の子に怒鳴りました。 「早くするんだ、水を持ってこい。ヘンゼルが肥っていようが痩せていようが、明日こそやつを殺して煮ることにする」 （中略） 「泣いたって無駄だ」 おばあさんは言いました。 「なんの役にも立たないぞ」

また「パンシャベル」は、原文では「板」であるが、次の項で分かるように、この板には長い柄がついているので、おそらく地方特有のパンシャベルの一種で、「グレスター板」と呼ばれていたものの略称であろうと、私は考えている。いくつもの丸いパンを一度にのせたり、長いパンをのせるためのものである。

ところがここでおかしいのは、「パンが焼けたかどうか見てこい」と言うことだ。パンは、燠《おき》を掻き出したあとの余熱で焼くから、そのときパン窯の中には、火も炎もなく、一時間もかけてパンを焼いたあとは、温度がかなり低下している。魔女はグレーテルをパン窯に突っこんで焼いてしまう魂胆だが、これでは仔豚の丸焼きでも無理だろう。パン窯の熱気がいささか乏しいのである。それにパンの焼け具合を見るには、パンシャベルでパンをひとつ取りだし、コンコンと指先で叩いてみれば分かることは、誰でも知っていたことである。

一方シュテーバー版では、パンが焼けたかどうかではなく、パン窯の中が十分熱いかどうか見てこいと魔女は命じる。パン焼きでもっともむずかしいのは、前に記したように、パン生地を入れる前に、窯の中をちょうどよい温度にしておくことである。それを調べてこいというのは、実にもっともな理屈である。しかも窯からは炎がめらめらと吹き出している。聞き手の子どもを怖がらせる効果もあるので、なかなか巧みな騙し方である。グリムはこのアイデアをそっくり取り込んだ。こうして魔女の悪だくみを、もっともあり得る現実の話の中に忍ばせることに成功したのである。

ところで魔女のパン窯はどこにあるのだろう。第四版ではそれがはっきりしない。家の中

2　当日の朝、魔女がグレーテルに命じたこと

第四版

　その翌朝グレーテルは早起きして、火をおこし、そこへ水の入った大鍋を吊るさなければなりませんでした。

「ちゃんと見てるんだよ」

　と魔女は言いました。

「あたしはパン窯に火をつけて、パン（生地）を入れてくるから」

（中略）

「グレーテル、パン窯の方へおいで！」

　グレーテルが来ると、

「パンがこんがり焼けたかどうか、ちょっと見ておくれ。目が弱っちゃってね、向こうが見えないのさ。おまえも見えないのなら、パンシャベル[16]の上におすわり。中まで押してやるから。そうすりゃ中を歩き回って調べられるよ」

シュテーバー版

「泣いたって無駄だ。外のパン窯の方へお行き。火はもう燃やしてあるから、パンも焼ける」

　グレーテルちゃんを外へ突き出し、パン窯の方へ小突いて行きました。パン窯には火が赤々と燃えていました。

「さっさと（這って）お入りな！」

　魔女は言いました。

「中がじゅうぶん熱くて、パンを入れてもいいかどうか見てくるんだよ！」

第五版

　翌朝早く、グレーテルは外で水の入った大鍋を吊るして、火を燃やさなければなりませんでした。

「ではまず、パンでも焼くとするか」

　おばあさんは言いました。

「パン窯はもう熱くしてある。パン生地もこねてある」

　おばあさんはかわいそうなグレーテルを外へ突き出し、パン窯の方へ小突いて行きました。パン窯からは炎がめらめらと吹き出しています。

「（這って）お入りな」

　魔女は言いました。

「中がちゃんと熱くて、パンを入れてもいいかどうか、よく見てくるんだよ」

か、外かが分からない。シュテーバー版では家の外にあることがはっきりしている。グリムも第五版からこれにしたがった。さらにヘンゼルを煮る大鍋も外にあることをはっきりさせている。より具体的になったことで、絵本の挿し絵や、お菓子で魔女の家をつくったり、あるいはオペラの舞台装置をつくるためにイメージが鮮明になったのである。次に最後の文節では、魔女が騙そうとした、その同じ手口で魔女が騙されてしまう、というのがこの話のうまみであるが、その部分では、どういうことになるのだろうか。

3【めでたく魔女はパン窯へ】

グリムの第四版までは、グレーテルは魔女をパンシャベルに載せてパン窯の奥へ押しこめる。しかしいくら魔女が軽かったとしても、小さい女の子の力では、大人を載せて押しこむというのは無理であろう。シュテーバー版では、ドンと突いて窯の中へのめり込ませる。グリムもそれにならっている。これなら子どもにもできそうである。そしてなによりこの場面が成功したのは、前段で「炎がめらめら」と言っておいて、ここへ魔女を突っこんだところ。劇的で、絶対に魔女は死ぬと確信できるのだ。

以上見たように、シュテーバー版の最大の功績は魔女を炎の中へ突っこむという発想である。言いかえれば騙しのトリックをより現実にそくした状況下に設定し得たことである。こうして比べてみると、グリムの魔女のパン焼き場面が成功したのも、『アルザスの民衆本』に依存した結果だったことがはっきり分かる。シュテーバーの採録をいかに評価していたか

3　グレーテルがどのように魔女を騙してパン窯に閉じ込めるか

第四版

「どんなふうに始めるのか分からないわ。おばあさんがまずやってみせてよ。この上にすわって。そしたら押してあげるわ」

そこでおばあさんはパンシャベルの上にすわりました。おばあさんは軽かったので、パンシャベルの柄の届くかぎり奥へ押して、大急ぎで扉を閉め、鉄のかんぬきをかけてしまいました。

シュテーバー版

グレーテルは言いました。

「でもどうするのか分からないわ。まずやってみせて。そうしたらそのとおりにやってみるわ」

老いぼれの馬鹿な魔女は、腹ばいになってパン窯にはいりました。グレーテルちゃんは素早く魔女をひと突きし、奥の方へ転ばせて、扉を閉めたので、魔女は焼け死んでしまいました

第五版

「どういうふうにするのか分からないわ。どうやって中へ入るの？」

「とんま」

「窯の口は大きいんだ。ほれ、あたしだって入れるじゃないか」

腹ばいになって頭をパン窯に突っ込んだのです。そのとき、グレーテルはおばあさんをひと突きし、向こうの方へ押し込んで、鉄の扉を閉めて、かんぬきをかけてしまいました。

を示している。模倣は最高の賛辞と言うべきであろうか。シュテーバーはアルザスの人びとの、活き活きとした語りを、方言のまま忠実に記録した。しかしグリム童話の蔭にかくれ、地方の図書館にうずもれてしまった。一方グリムは終始標準語を用い、文学的な推敲をほどこした。そうしたことへの評価は分かれるものの、世界的な普及を見たのである。

グリムの借用の件の是非はさておき、本書での関心事は、すぐれた民話というものは、いかに現実の細部に忠実であるかということである。

民話の中の記憶

「ヘンゼルとグレーテル」はフンペルディンクによってメルヘン・オペラとなった。クリスマスともなるとヨーロッパの一流劇場が、この出し物で子どもたちを引きつける。私も機会あるごとにあちこちの劇場で見ることにしている。舞台が魔女のパン焼きの場面にさしかかると、私までもわくわくする。魔女の家の外につくられた石と粘土でできた丸天井のパン窯。この内部が熱くなったことをどうやって観客に見せるのか、演出の見どころである。ここでも煙突がものをいう。初め少し過剰なほど黒い煙がもくもくと出て、だんだん火の粉が出はじめ、ついには勢いよく火の粉を噴射させる。これでパン窯の中は真っ赤に燃えて熱いぞ、ということを子どもに知らせるのである。前章に出た村人たちが、煙突の煙を見て、その家でパンを焼いていることを知ったり、煙の色でパン焼きの進み具合を推し量ったりしたことを思い出そう。煙突の煙は有効なバロメーターなのである。

図88　魔女をパン窯へ　フランツ・ポッツィの挿し絵

図89　魔女をパン窯へ　テオドール・ホーゼマンの挿し絵

あるいは青銅色のロマンチックな雰囲気のパン窯が、きらめくドロップやクッキーのついた魔女の家のそばに、舞台を強調するかのようにセットされるばあいもあった。パン窯で火を焚くにつれ、寂しげな青銅色が赤い色に変わり、真っ赤になり、もう爆発するのではないかと心配でたまらなくなるほど燃えつづける。そこへ魔女を押し込めるのだ。瞬間、「ギャアーッ」と凄まじい叫びが、燃え盛るパン窯の中から聞こえてくる。観衆の子らは、この声に息を呑み、満足するのである。「ヘンゼルとグレーテル」のパン焼きの場面は、こうしてこのお話のクライマックスたりえたのである。

オペラではこの場面を迎えると、観衆の子らは興奮してよくコンコンと咳をしはじめる。あるとき、そのひとりが突然声をあげた。

「ぼく知ってる。これは本当のことじゃないんだよ！」

そう言わずにはいられないほど、信じてしまう。

魔女のパン焼きは、子どもがパン窯の中にはいるという習慣、パン生地を入れる前に、パン窯の中を適温にしておかなければならないという技術的要点を、正確に、巧みに利用して生みだされたものだったのである。あたかもすべてが現実であるかのような状況下で、ありえないようなことが起きるところに、魅力がある。言い換えれば、よくできた民話は、本当のことだったと信じさせるような力を備えている。その意味で、民話は伝承されてきた時代を深く記憶しているのである。

5　パン窯にまつわる暗い影

魔女は中世において、しばしば火あぶりの対象であった。裁きで魔女と断罪されれば、火あぶりの刑が待ち受けていたものである。

この哀れなやつらを、まるで魔女を火あぶりにでもするように責め苛《さいな》みはじめました。とっつかまったある百姓などは、ひと言も白状せぬうちに、もうパン窯へ突っ込まれ、尻の方から火をつけられ、脅かされたほどなのです。[17]（原文通り引用）

三十年戦争時の農民の悲惨な被害を描いた『阿呆物語』（一七世紀）の一場面である。パン窯で魔女が火あぶりになる昔話のモチーフは、こうした現実をふまえて生まれたのだろう。

パン窯は口が狭く、中は大きくて暗い。使われていないときはひっそりと忘れられている。人が隠れるにはよい場所でもある。逃亡者が隠れるから、追っ手は必ずパン窯を調べたものである。あるいは中世の謝肉祭劇などを読むと、ここへ間男《まおとこ》をかくまったりもする。[18]共同のパン小屋の窯は、いつも利用されて、夜も温かい。逢引の格好の場でもある。

パン窯の中にいたことのない者は、他人をパン窯の中に探さない。(19)

ネーデルラントの諺で、ブリューゲルの《ネーデルラントの諺》(一五五九年、板、油彩)にも描かれている。「蛇の道は蛇」とか、「泥棒を捕らえるのは泥棒にさせろ」に通じる意味だというが、男であれ、女であれ、おとながパン窯の中へ入るのは尋常ならざる事態である。逃亡、不義密通、犯罪、刑罰など、暗い影がパン窯にはついてまわるのである。二〇世紀にそれはきわみに達する。

第二次大戦下、ナチスの軍隊がフランスに侵攻した。田園地帯に広がるオラドゥールという小村まで到達したときであった。村の住民を男女別にそれぞれ集合させ、突如老若問わず全住民を銃殺したのである。逃れえたのはわずか数名であった。また、召集に危機を悟り、家に隠れ潜んだ人びともいくらかはあったが、直後、村中に焼き打ちをかけられ、村は全焼した。家の焼け跡から逃げ惑った人びとの焼死体が見つかる。パン窯の中にも二人の焼けた遺体があったという。(20)

第六章　貴族のパンと庶民のパン

1　中世の白パン社会と黒パン社会

社会階層によって食べ物に差が生じるのは必然であろうが、それがパンにもはっきりと現れていた。白パンと黒パンは古ゲルマンの叙事詩『エッダ』では、こんなふうに語られるのである。

エッダは重いパンをとり出した。ふすまのまざった分厚いパンを。それを盆にのせて食卓に運び、スープの皿もそえた。（中略）
モーディルは刺繡をした純白の麻布で食卓をおおい、小麦の白くうすいパンをそこへおいた。
銀の皿も運んできた。あぶったベーコンに焼いた鳥肉がのっていた。ぶどう酒はかめに満ち、杯はみごとな細工であった。(1)

エッダの家ではフスマのはいった、ごろんとした重たいパン。これをちぎってスープに落として食べていた。この家系からは後に奴隷の族《やから》が出る。一方モーディルの家では、うすくて白いパンがテーブルかけの上に品よく置かれていた。その家系からは、やがて王が出るという筋書き。物語成立時の社会状況をふまえたものなのであろうが、食べているパンの白黒で、身分差を予感させる興味深い話である。

事実、王や貴族は白パンを食べていた。カール大帝が八〇〇年頃に出した「御料地令」第四五条には、「御料のために小麦粉のパンをつくるパン職人を備え置くべきこと」と定めている。[2] 当時、民衆が焼いていたのは黒パンであって、白パンとなると、扱いを知る専門の職人が必要だった。それほど王侯貴族は白パンに執着し、仮に旅先でも、御料地でも、常に白いパンを食べていたのである。

中世社会の白パン用の粉は、小麦粉を一度だけ挽き、目の細かいふるいにかけた、上質の粉であった。白パンとは、このきめ細かい粉でつくったものだけを指していた。一方、そのふるいには、フスマや目の粗い粉が残る。こちらでも色の浅黒い二級品のパンがつくられた。その他、エンバクパンやライムギパンなどもあったが、どれも浅黒い色をしているので、白パンにたいして黒パンと総称されていたのである。

上層階級は、黒パン地帯に住んでいても白いパンを食べていた。たとえば一四八五年から八七年にかけて、黒パン地帯のアルプスを旅したイタリア人、サントニーノの旅日記に、興味深い情報が残っている。行く先々、司教と随伴の一行を迎えた城で、大宴会が催される。

図90　貴族の野外での食事風景　仔豚の丸焼きと白パンだけの食事。パンは当時テーブルへじかにおいた。細長いコッペパン、その半切り、丸いセンメル、ともに典型的な中世の白パン。まだフォークがなく、すべては手づかみ。その汚れた手は、亜麻のテーブルかけでふいた。手織りタピスリー、1460年頃

そのときのパンについて「パンは雪のように白くて軽い」とか「パンは白くて羽のように軽かった」「かわいらしい形の白いパン」「軽くてきれいな形をしたパン」などと書き留めている。黒パン地帯でも、貴族のパンは、美食家のイタリア人にかく言わしめるほどのものだったのである。しかしその白パンも、城を離れると手に入らない。ある教会での軽食について、「そこには最上のワインと白いパンもあった。パンはヘルマン殿が従僕にモンスベルク城から運ばせたものである」と言っている。(3)「白いパン」とわざわざ書かれるほど、当時は貴重で、喜ばしいものだったのである。

その白いパンには、センメルという丸パンと、コッペパンのように細長くて両端につまみのついているものとがあった。

そしてもう一種、貴族の食卓にのったのは、「トランショワール」〈まな板〉と呼ばれたパン。こちらはフスマ入りの小麦粉製で、しかも堅くて目のつんだ、細長い箱のような形をしていた。これを食卓で薄くスライスし、各自が皿の代わりに食卓にじかに置く。そしてこの上に肉料理などをのせて、ナイフで肉を刻みながら食べた。このまな板パンは、一人の使う枚数には、たとえば主人は三枚、息子は二枚、さらに身分の下のものは一枚、というように身分差があり、ことに賓客には、まな板パンが目の前に高々と積み上げられたというから、(4)一度の食事でかなりの量が消費されたことになる。使ったものは自身で食べたり、犬や貧者に与えられた。

こうしたまな板や皿代わりのパンは、すでにローマ人も知っていた。ウェルギリウスの

『アエネーイス』(紀元前一世紀初め)に、飢えのあまり「食卓を噛る」とか「食卓までも食べ尽くす」という奇妙な表現が現れるのだが、その「食卓」とは、実はパンでできていたのである。薄くて堅い円形のパンで、四つ割りにするために、十の字の分割線がついていた。そのパンの上に食べ物を載せ、普段はのっている物だけを食べるのに、今は空腹でこれまでも食べる、というくだりである。(5) この食卓パンは、さしずめ折敷《おしき》とか、プレイスマットの役割で、元は供物をのせた盆だという。(6)

現代のゲルマン系の国々の夕食では、皿(木製か、陶磁器製)の上に、スライスした黒パンを置き、その上にハムやチーズをのせる習慣である。そしてナイフとフォークを使って、ステーキでも食べるかのように、刻んでは口へ運ぶのである。朝は手づかみでパンを頬張っていた同じ人びとが、夕べにはナイフとフォークでパンを切りながら食べる。なぜか、とあるドイツ人に訊いてみたら、「手は一日中使うものだから、晩ともなるとくたびれちゃうので、道具を使うのさ」と。こんな冗談でかわされてしまったが、このパンもやはり、元はといえば「まな板パン」なのだろう。

私たちの身近な皿パン、といえばもちろんピッツァ。一九九四年のリレハンメルの冬季オリンピックにも「食べられる皿」が登場した。紙皿風ジャガイモ製の皿で、ゴミにならず、地球にやさしいというふれこみだった。それもこれも、伝統の延長線上で発想されたものなのだろう。ここで思いだすのは、無発酵パンの世界。そこには無数の「食べられる皿」が今も健在である。

話を中世に戻そう。貴族の白いパンにたいし、庶民のパンは黒いパンであった。

フランスは今でこそ名だたる白パン地帯だが、そこでも中世には、庶民のパンは黒パンであった。都市のパン屋では、むろん白パンを売っていたが、たとえば「パン・ド・シャピトル」〈参事会員のパン〉などというパンの呼び名が語るように、白パンはどれも上層、富裕階層が買ったパンである。庶民のパンは「パン・ビ」〈灰褐色のパン〉とか「パン・ブルジョワ」〈市民のパン〉などと呼ばれた。ライムギや、混合ムギ（麦畑に混作された種々混ったムギ）、あるいは小麦粉の二級品でつくられていた。これが典型的な市民のパンで、一般の町人、役人、質素な聖職者、商人、職人などの日常パンとして、都市で最も多く売られていたのである。(7)

一九世紀になっても、パンによる階級差は残っていた。スイスの作家イェレミアス・ゴットヘルフがこう記している。

下僕は下僕、女中は女中のほかでなく、農民は農民にすぎず、市民は市民であると思い込んでいる。人間は着ている衣からでなく、愛の掟によって判断し遇するものであることを知らない。愛する神が人間のそれぞれの階級に、きめの細かいもの、きめの粗いもの、大衆向き、上流向きというように、特殊なパン生地をつくったと思い込んでいる。こうしたことが不幸なのである。(8)

スイスの農民には、パンそのものが年中欠乏していた。パンを得ることは、硬い鉱石からパンをつくりだすほど困難で、土曜日に白い小さいパンを一個買うのに、パン屋に卵を五個も渡さなければならなかった。また、カユを食べた後の「食後」として、黒いパン一切れで我慢しなければならなかったとも言っている[9]。

現代社会には、白パンと黒パンとの間に身分の格差などはない。伝統的に黒パンを食べてきたアルプスの村では、「白い三悪」といって、白パン、塩、砂糖のとり過ぎを警戒する。村人のパンをつくる市販の粉は、小麦粉もライムギ粉も同じ価格である。でも人びとはいっこうに真っ白いパンに変える気配はない。ライムギとコムギの配合率が逆転しつつあるとはいえ、ライムギはいまだに存在感を保っている。塩、砂糖のとり過ぎは分かるとしても、白パンまでがなぜ寒冷地帯では警戒されるのだろうか。

野菜の不足しがちな寒冷地で、白パンばかりに頼るとどうなるか、その栄養成分を黒パンと比べてみよう。

次頁の表のように、ライムギパンの方がコムギパンより、ビタミンBは二倍も多くふくまれている。クネッケはさらに多く、コムギの全粒粉（ムギ粒のすべてを残している粉で、胚芽やフスマも含む）に至っては三倍にもなる。ミネラルも黒パンの方が圧倒的に多い。冬が長く寒冷な、ヨーロッパでは、とくに中世には、食糧は常時不足がちであった。そうした中で、乏しい食べ物からくる、栄養不足を補ったのが黒パンだったのだ。貴族のようにフルコースで数十品の料理を食べられれば、摂取する食品は豊富になるので、白パンでもよいかも

パンの種類	ライムギ全粒粉パン	コムギの白パン	コムギの全粒粉パン	グラハムパン	クネッケ	センメル
たんぱく質 (g)	7.3	8.2	7.5	8.4	10.1	6.8
脂肪 (g)	1.2	1.2	0.9	1.0	1.4	0.5
炭水化物 (g)	46.4	50.1	47.4	48.2	77.2	57.5
カロリー (kcal)	240	260	240	250	380	280
ナトリウム (mg)	420	385	370	370	460	490
カリウム (mg)	290	130	210	210	440	115
カルシウム (mg)	43	60	95	95	55	24
リン (mg)	220	90	265	210	320	109
鉄分 (mg)	3.3	0.9	2.0	1.6	4.7	0.7
ビタミンB_1 (μg)	180	86	250	210	200	70
ビタミンB_2 (μg)	150	60	150	110	180	35
ナイアシン (μg)	0.6	1.0	3.3	2.5	1.1	0.9

g：グラム　mg：$\frac{1}{1000}$グラム　μg：$\frac{1}{1000}$ミリグラム

図91　パンの栄養成分表
(100グラム中)

しれない。しかし仮に、中世の庶民が幸か不幸か白パンを食べていたとしたら、ビタミン、ミネラル、食物繊維が不足するのはあきらかである。黒パンは頑健な身体をつくるために、野菜不足を補う栄養源だった。貴族の白パン用の粉を、ふるい落とした残りかすで、庶民は貴族のパンよりずっと栄養価の高いパンを食べて、生き延びてきたと言ってもよいだろう。

今日では、フランスもすっかり白パン地帯に属し、白パン一辺倒である（近年それが見直される傾向にあるが）。しかしかれらは、肉、乳製品のほかに野菜、果物、魚介類にも恵まれているから、栄養の補いはつく。だがそれにしても不思議と、かれらは黒パンを嫌がる。まさかパンで差別をするつもりでもあるまいが。ドイツのプンパーニッケルという、ずっしりしてレンガのような黒パンを、フランス人は、かつてナポレオンの馬のニッケルのパンだったと、まことしやかに伝えるほど、黒パンを馬鹿にする。第一次大戦中、フランス側のプロパガンダのひとつは、「ドイツのパンはカカ（ウンチ）」というものであった。そして新聞は、ドイツのパンはフランスのパンより黒い、と書き立てたという[10]。戦争に巻き込まれたパンこそ、いい迷惑だろうに。

フランスでは、かつての貴族の白パンを庶民も食べるようになり、パンについては総貴族化がすすんだ。日本も過去には白米の社会層と、雑穀のそれとが存在していたが、配給米制度以来、こちらも言うなれば総貴族化である。一方ドイツでは、敗戦後経済復興をとげ、豊かな国となったにもかかわらず、頑として黒パンを常食している。しかも貧富を問わず黒パンとなった。こちらはパンの総庶民化であろうか。しかしＥＵの波は黒パン地帯にも白パンを徐々に運びつつある。朝食や、町で売られるサンドイッチは白パンが多くなった。そしてアルプスの村でさえ、過去にはクリスマス前日と復活祭だけに食べた白パンが、週に一度食卓にのぼるようになった。やはり総貴族化は進行しているようである。

2　パン屋

パン焼きの近代化

ポンペイの遺跡を見ると、当時すでに古代のパン焼きは完成し、そのパン窯で現代とほぼ変わらないパンやケーキが焼かれていたことが分かる。それ以降中世をつうじてパン屋のパン焼きに変化はなかった。アルプスの農家と同じようなパン窯で、パンを焼いていたのである。

パン屋の近代化は、まず産業革命下のイギリスで試みられたパン窯の改良と、前に見たように、人工培養イースト、そして生地をこねる機械の出現によって始まったと見てよいだろう。

それ以前は、パンをこねるのは重労働だった。「自分が動かなくても、何でもむこうから歩いてくるようにするのさ」「どんな道具も呼べばむこうからやってくる。（中略）桶ちゃん、はい、パンをこねて」[11]。紀元前五世紀の喜劇作家クラテスの書いた作品に出てくる、奇想天外な話の一節だが、パンづくりでもっとも骨が折れるのは、言うまでもなくこねること

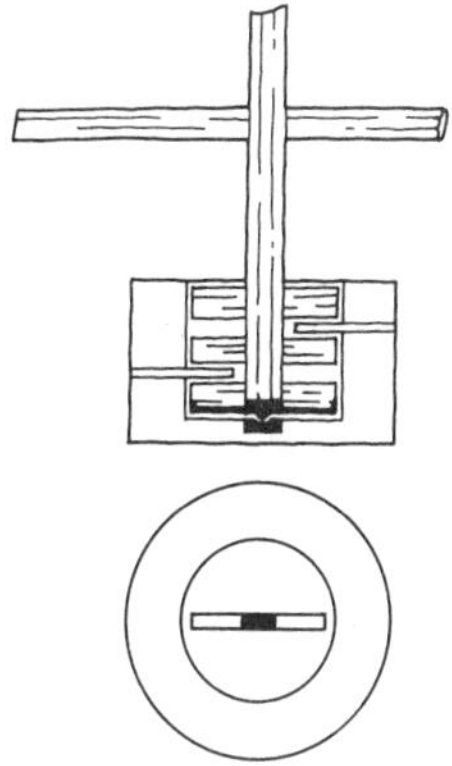

図92　古代ローマのこね器　２枚の翼のついたシャフトを回転させ、生地をこねる

図93　笛の音頭でパンをこねる古代ギリシャの女たち　テラコッタ

であった。だから、こうだったらいいのになあ、という夢のひとつが、こね器なのである。古代ギリシャでは、女奴隷たちがリーダーの吹く笛のリズムにのって、パンをこねているテラコッタの像がのこっている。ソーラン節にのって網を引くような感じだったのだろうか。労働歌は、いつの世にもきつい仕事の中から生まれるものである。

　都市では、人口の集中にともなうパンの需要から、製パンも産業化の必要にせまられていた。産業革命によって、燃料は薪（木炭）から石炭へ変わる。それまでのパン窯では構造上石炭は使えない。しかも大量生産ができない。そのためイギリスでは、一八世紀後半から石炭用の、箱形のパン窯が現れた。その原理は、鉄の箱を縦型ストーヴに組みこんだようなもので、下段で石炭を絶えず燃やしながら、上段でパンを焼くというものである。

　パン窯内部の床も、楕円形から方形に変わった。それにつれて、パンの形も変わった。量産の必要にせまられた、もっとも標準的な品種は、パン窯内部を有効利用するために、丸から箱形へ。ブリキの焼型が考案されたのである。私たちが食パン、イギリスパンなどと呼んでいる、型に入れて焼く四角いパンはこうして始まった。型に入れるようになってはじめて、パン生地がだれずに、高くふくらむようになったのである。一九世紀初めに出た料理書に、ブリキの箱に入れるとよいと推奨されている[12]。

　もうひとつ、私たちになじみのフランスパンの方も、昔から皮がぱりっとしていたわけではない。フランスパンのように、中身がふっくらして、皮はぱりっとしたパンを焼くには、特殊な蒸気を出したり止めたりできるオーヴンがなければならない。フランス産のコムギはグルテンが少ないので、この粉でパンをふっくらふくらますには、焼き初めに、パン窯に蒸気を大量に送り込まなければならない。しかも途中でその蒸気を止めないと皮はパリッと焼きあがらない。そんなことは従来のパン窯では無理な話で、現在でも家庭用オーヴンではむずかしい。それを可能にしたのは業務用の蒸気オーヴンというものだった。このオーヴンのおかげで、質の悪い粉にもかかわらず、あの独特のおいしいパンが生まれたのである。蒸気窯の登場は、イギリスでは一九世紀末のことであったが[13]、フランスでは一九一〇年まで、旧来のパン窯が全土で使われていた[14]という。

このように、イギリスパンやフランスパンの歴史はまだ一〇〇年程度のもので、ポンペイ時代からの一九〇〇年間、パン焼き技術はほとんど変わらなかったのである。しかし技術に変化はなくとも、その間に人のたゆまぬ生の営みが繰り広げられてきたからには、パンの文化も豊かに展開していたはずである。それでは中世のパン屋ではどんなことがあったのだろうか。

パン組合の許認可制度

そもそもパン屋という職業はいつごろ成立したのだろう。旧約聖書の「エレミヤ書」に、「パン屋街から毎日パンを一つ届けさせた」（37・21）という記述が現れるところをみると、紀元前六世紀にはエルサレムにすでにパン屋があったことになる。古代ギリシャにも紀元前五世紀頃にパン屋があったことがわかっている[15]。古代のパン屋は粉挽き作業とパンづくりとが未分離の状態だった。ローマのパン屋、ピストルは、〈粉にする〉という語から生じたものので、元は粉挽き職人を指していた。それもただエンマーコムギを挽く人だけがそう呼ばれていたとプリニウスは伝えている[16]。エンマーコムギでつくる白パンは、当時最上のパンである。ポンペイのパン屋の跡を見ても、パン窯の前に臼がいくつも並んでいる。粉屋と兼業だったことがここでも分かる。

ヨーロッパ中世になると、パン屋と粉屋はいちおう分業し、パン屋がムギを仕入れ、労賃を支払ってそれを粉屋に挽かせることになった。あまり細かく挽くと、フスマも粉々になって、粉にまじってしまうので、粗びきにしていた。その粗びき粉をふるいにかけ、真っ白なきめの細かい粉と、フスマ混じりの粗い粉とに分けるのはパン屋の仕事で、それから白パンや黒パンをつくった。

しかし両者の分業がはっきりしていなかった初期には、粉屋もパンを焼いて売ったりもしたので、パン屋としばしば諍いをおこした。たとえばオーストリアのある町では、パン屋と粉屋とが争いを繰り返すので、一五八一年、きまりがつくられた。粉屋はライムギパンだけを売れるものとし、センメル（小さな白パン）とブレッツェルをつくるのを止めること。パン屋は、コムギパンもライムギパンも売ってよいが、きめ細かい小麦粉に、粗びきの重たい粉を混ぜてはならないこととし、両者に罰則規定をもうけたりしている[17]。専業パン屋がその社会的立場を確立し、他の関連職業を分業させていくには、過程があった。

ヨーロッパに都市が成立し、人口が増えるにつれ、当然、生活必需品であるパンも需要を

図94　パン屋の絵、メンデルの12兄弟団の家譜より　店の棚は、よろい戸をはね下ろしたものだった。それで「よろい戸」が「店」を意味するようになった。棒に通したブレッツェル、大きな丸い黒パン、十字の切り込みのついたセンメル、コッペパンが並ぶ。1465年の、ドイツ最古のパン屋の図といわれる。ニュルンベルク

得て、パン屋の数は増えていくのだが、パン屋のほかにも粉屋や、宿屋、近隣の村からの行商人などもパンを売り出したので、過当競争が始まる。一二、三世紀になると、パン屋は社会的地位を確保し、同業者の市外からの参入を団結して制限するために、組合を結成するようになる。商人の組合をギルドと言うのにたいし、こうした職人の組合は一般にツンフト、あるいはインヌングと呼ばれている。その組合は、領主のお墨付きをもって権威づけられることになった。司教座のあった、ドイツ、ザクセンの中世都市ナウムブルクを例に、認可証の仕組みを見ることにしよう。

ナウムブルクのパン組合に保存されていた、この組合最古の文書によると、この地では、大都市に一世紀遅れて、一三二九年に、司教がパン屋に許可証を発行している。組合は司教の直轄となり、将来にわたって諸権利を与えられ、社会的身分を保証され、組合長にはマイスター〈親方〉の称号が与えられた。このマイスターという称号は、後に技能検定試験に合格した職人の職級となる。

パン屋は、パンの値段や目方を勝手に決めてはならず、組合長とその下に置かれた一名の組合幹事との協議にゆだねられる、としている。この町では、組合長と幹事は毎年改選され、就任の際、二名の組合員を伴い、福音書に手をおいて、パンの価格を時価適正に決定することを、司教と町と参事会員に宣誓しなければならない。これは組合権のつづくかぎり将来にも有効であるなどと記されている。こうした規定は町によってさまざまであるが、宣誓しなければならなかったことに変わりはない。

組合認可の見返りは税ではねかえる。年に数回（この部分原文欠損）の現金と現物によ る、司教への納税が義務づけられた。[18] その現物が司教指定の「シュトレン」という名の白パンである。これが後世ドライフルーツ入りのクリスマス菓子となった。

しかし組合は、支配権力からお墨付きをもらうことによって、組合の権威と販売権利を獲得できる。一方の権力側は組合を直轄し、パンの市価を安定させ、かつ税を取ることができるという、両者もちつもたれつの関係ができあがったのである。また組合は成員や徒弟の数、パン屋の窯の数などを自主規制し、後には技能検定を行ない、徒弟がほかのパン屋へ修業の旅に出る制度や、マイスター制度などが確立されることになったのである。

ニュルンベルクでは、「パン焼き権」という権利が、特定のパン屋に与えられ、将来にわたりそれらの家系にのみ、パン焼きが認められていた。そうした家は一六二九年に九四軒であった。一七九三年時点で、たとえばシュミット家は、過去三〇〇年間に三二人のパン屋の親方を輩出しながら存続していた。[19] このようにパンを焼けるパン屋数が限られてしまうと、権利をもつパン屋の跡取り以外は、生涯店を持つことができないという問題が生じる。抜け道はただひとつ、権利をもつパン屋の親方が死ぬのを待って、その未亡人と結婚することだった。一六五〇年から一八〇〇年の一五〇〇年間に、五二四人の親方が出て、内八九人がパン屋の未亡人と結婚している。[20]

このように組合員のパン屋は保護されていたが、その反面、組合に属さないでパンを売る人びとには、前に記したように、販売品目の制限をしたり、決まった曜日に開かれる市の、決まった場所で正午までしかパンを売ることができないというような、種々の規制が課せられていた[21]。

パン焼き権がないためにパン窯を所有できなかったパン職人も多くいたわけである。この職人たちは町営のパン窯を借りて、人びとが家でこねて、運んできた生地を請負の形で焼くだけであった。そして労賃としてパン生地の一部を取得し、そこで販売もしたので、やはりパン屋と呼ばれていた。あるいは、窯のない職人や、一般家庭の人びとは、家でこねて焼くばかりにしたパン生地を板にのせて、パン窯を所有しているパン屋へ運び、現物（こねたパン生地の一部）を労賃として、焼いてもらった。その板は、畳半分ほどもあり、パン生地が落ちないように縁がつき、真ん中に頭が入る大きさの穴があけてあった。その穴に頭を突っ込み、板を両肩に水平にのせて、両手で押さえながら運んだというが、むずかしそうである。それに天気の悪い日には運べない。

ドイツのケルン近郊在住のヨゼフ・クルトジィーファー氏（一九二八年ヴェストファーレン州生まれ、会社経営）が、子ども時代の食事について語ってくれたことがあった。父親が町工場の労働者の家庭で、母親は家でパン生地をこねると、それを板にのせてパン屋へ運び、焼いてもらったという。労賃は第二次大戦前で五〇ペニヒであったという。その板には穴はなく、平らなものであった。「どういうパンをつくったの？」と訊くと、かれは私のノートとペンをとりあげて、図96のようなスケッチを描いて見せた。「ここにはライムギパン、ここにはコムギパン、丸いのが混合パン、いつもこのように置いた」。パンの切り込み

図95　角笛を吹くフランドルのパン屋　預かったパンの焼きあがりの合図、あるいはパンを焼く用意ができた合図か。専用のブレッツェル棒を下げ、よろい戸に黒パン、白パン、ブレッツェルを入れた籠。立ててあるのはクリスマスのパン

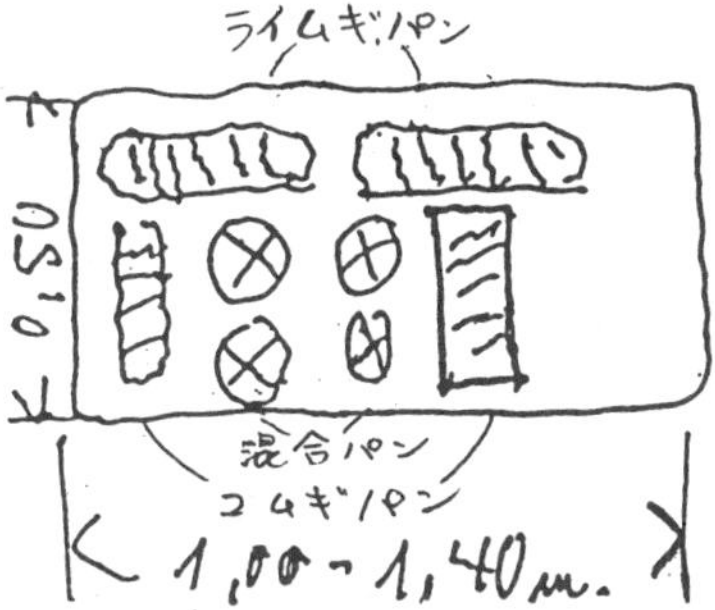

図96　パンをのせてパン屋へ運ぶパン板　第二次大戦前

方から、置き場所まで覚えている。鮮明なパンの記憶である。暮らしはたいへん厳しく、母親が細々とつくる野菜やじゃがいもを食べて暮らした時代であったという。

それでも二〇世紀第二次大戦までこうした習慣が残っていたのは、町なかでは火事の危険から、パン窯が禁止されていたり、あるいは国や地方によっては領主がパン窯の独占権を持ち、一般には所有が許可されなかったりというような、各地の事情からである。[22]

パンの価格は、仕入れたムギの値によって決まる。ところが中世のパンは、ほとんど値段が変わらなかったのである。というのは、ムギ相場の変動を、パンの価格でなく、目方（大きさ）で調整していたからである。たとえば、オーストリアでは一グロッシェンで買えるパンを「一グロッシェン・パン」（およそ一ポンド三〇ロート、約一キログラム）、同様に、「一クロイツァー・パン」、ドイツでは「一ペニヒ・パン」などと呼ばれていた。

一七七一年の飢饉の年には、パンはいつもの半分の大きさになってしまった。それを記憶にとどめるべく、ニュルンベルクの人びとは、街角の石壁にその実物大の模型を彫り残している（図100）。このように凶作の年には、前年より小さくなってしまうのである。つまりムギの価格変動に応じて、パンの価格でなく目方の方が変動したわけである。

このパンの重量決定にさいしては、その年のムギの収穫高から、仕入れ値を割りだし、諸経費とパン屋の賃金（使ったムギの量に対し、一定割合のムギでもって換算）を加算して、パンをどのくらいの目方にすればよいかを算出する。そして町中のパンの目方がそれにしたがって統一され、市民に販売される仕組みであった。ニュルンベルクでは一四三一年に、重量規定が組織化された[23]。

　オーストリアのシュタイアマルクのような地方都市でも、パンの価格に変化はほとんどなかった。例外は、通貨価値の下落した一六二一―二三年、飢饉のあった一八一一―一七年、一九一六―二一年、つまり約四〇〇年あまりの間にたった一六年だけで、その他は、常に目方の方が変わったのである[24]。そのためパンの目方などを定めた「パン条令」がパン屋の店頭に掲示され、また市場の一角には、「パン秤」と呼ばれる秤が設置されていた。市民はこの秤でパン屋の目方をごまかしがないかどうかチェックしたものであった。

　ウィーンでは今でも市の中心地、シュテファン大聖堂入口脇の壁に、一エレ（長さの単位）の標準が打ち込まれ、またパンの大きさを示す標準も、彫り込まれたまま残っている。こうした通貨本位のパンの販売価格システムは、古代ローマ時代でも中世フランスでも同様である[25]。

パン屋に科せられた刑罰

　ムギの収量ははげしく変動した。ドイツのライプツィッヒでは、たとえばパンの重量規定が、一五九三年から一六九六年までのおよそ一〇〇年間に、一八八回も見直されたという[26]。このようにパンの目方がくるくる変わるものだから、これが目方をごまかす温床になる。そのためパンの重量を監視する制度が生まれた。

　たとえばニュルンベルクでは、すでに一三〇二年には、市の参事会から送られた四人の参

年月日	パン屋名	センメル(2個組)	パン	ライムギコッペパン
1663・10・22	R・P	18 L		
	H・P	14 L	4 P	
	W・P	14 L		
	G・F		3 P 23 L	
1664・8・26	R・P	19 L	3 P 20 L	
	H・P	16 L1/2		3 P 24 L
	W・P		3 P 30 L	
	G・F		3 P 27 L	
1665・5・28	R・P	20 L1/2	4 P 17 L	
	H・P	19 L	4 P 30 L	
	W・P	19 L		
	G・F		5 P	
1669・10・9	R・P	22 L	5 P 8 L	1 P 1 L1/2
	H・P	21 L	4 P 30 L	
	W・P		5 P 8 L1/2	
	G・F		4 P 8 L	

年月日	パン屋	2グロッシェンパン	1グロッシェンパン	六つ編みパン	ライムギコッペ(小)L	2クロイツァーセンメル	2クロイツァーライコッペ	パン(大)
1679・8・12	H・P	4 P						
	H・G	3 P 9 L						
1685・12・11	H・S・OP		1 P 30 L					
	H・G		2 P 1 L					
1687・6・25	G・H		2 P 4 L	4 P 9 L	15 L			
1693・9・25	H・S・OP			2 P 16 L (−9L)		10 L1/2 (−1/2L)		1 P 6 L (6L1/2)
	G		1 P 13 L (+1L)	2 P 21 L (−4L)		10 L1/2 (−1/2L)	21 L (−8L)	

図97　アドモント市（オーストリア）の17世紀のパン屋の重量検査からの抜粋表　1 P（ポンド）は当時32 L（ロート）、しかし基準は時代、地方により一定ではない。1ポンドが500 g前後（467.6－561.9）、1ロートが16 g前後（15.6－17.5)。「殿様」は重さ○○あるべきところ、××。よって△△の不足（－)、あるいは過多（＋）と記している。表上：同じ日付けでも、パン屋により重さに差のあること、表下：同じ価格のパンでも年月日により重さに差のあることを示している

図98　パンのほどこしの情景のまわりに描かれた、パンづくりの場面
パン屋がパン生地の目方を計っている。パンと秤はパン屋にとって諸刃の剣

事会員と、四人のパン屋の親方とから成る監視組織がつくられている。[27] 一九世紀からは警察が担当するようになる。そして悪いパン屋を見つけると、刑罰を科したから、この役は「パンの殿様」とか、「パン屋の殿様」と呼ばれるようになった。この「殿様」たちは、毎週夜中に抜き打ち検査をして歩いた。

検査ではまず、パンに十分火がとおっているか、生焼けか、くちゃくちゃか、無許可の添加物が入っていないか、などから始まり、使用の粉は適切に挽かれたものかなど、細かい点にまで及んでいる。

パン屋には事細かな規制が課せられた。ニュルンベルクで一三〇二年から一三一五年に出されたパン屋およびパン規定によると、およそ次のようなことが定められていた。


小麦粉とライムギ粉を混ぜ合わせぬこと。両種は別々に保存すること。

小さすぎるパンを焼いたパン屋は、罰金六ペニヒを町議会に支払うこと。

小さすぎるパンは、パンベンチにのせ、五個を四個分の値で売ること。これに違反したものは六〇ペニヒを町と町議会に支払うこと。

請負のパン焼き職人（店を持たず、町から借りたパン窯で、市民のこねてきたパン生地を焼く職人）が違反した場合は、水責め、つまり枷《かせ》をつけて水につけられること。

パンの販売は毎日検査を受けること。

町の外部からパンを持ち込んで販売する者が、規定に違反した場合は、パン三〇個が切り刻まれること。

どのパン屋もパンの販売には、パンの下に布巾を敷くこと。(28)

この水責めの刑はニュルンベルクは例外的に請負のパン焼き職人にのみ科せられているが、他の都市ではすべてのパン屋に及んでいた。

その他、都市によっては、ムギは市の穀物市場で、役人監視の元で買うこと。パンに焼ける分量以上のムギを仕入れないこと。仕入れたムギの量を帳簿に記入すること。規格のパンをつくること（菓子パンのような好き勝手なパンを焼いてはいけない）。焼いたパンにはパン屋の標識を入れること。決められたパンの質を守ること、などなど。また防火のために、パン窯にも造営規準が設けられていた。それでもパン窯を火元とする火事はほとんどの町で発生していた。

とくに有名なのは一六六六年のロンドンの大火である。四日間燃えつづけ、一万三二〇〇軒が全焼した。そもそもの火元はプディング通りのパン屋であった。その火の粉が東風にのって、道を隔てた向いの旅籠《はたご》の、中庭に積み上げてあった干し草に飛び移り、つづいてテムズ街の倉庫に燃え移ったのだという。(29)パン窯のあるところに火事の心配が絶えなかったので、パン屋はその意味でも規制の対象であった。

「パンは神がつくり、パン屋は悪魔がつくった」という言い回しがドイツにはある。悪魔がつくった職業と見なせるほど、パン屋はきつい仕事だと解釈するのがパン屋。悪魔がつくったと見なせるほど、パン屋は悪いやつらだと解釈するのが消費者である。後者が語るように、細かい規制にもかかわらず、いたるところに悪徳パン屋がいたことは事実である。小説家エーリッヒ・ケストナーの先祖は代々パン屋であったというが、その人びとについて彼は愉快なことを書いている。

一五六八年というと、メアリー・スチュアートが獄中の身となった年で、ブリューゲルの《農民の婚宴》の描かれた年でもあるが、またそれはケストナーのご先祖様がザクセンのデーベルン市で小さすぎるパン（目方不足を意味する）を売った廉《かど》で、罰金刑に処せられ、それによって初めて市の年代記に登場した年でもあるそうだ。さらにこのパン屋は性懲りもなく、一五七八年、一五八〇年、一五八七年、一六〇五年にも年代記に登場したのである。有名になろうと思ったら、小さすぎるパンか、大きすぎるパンを焼くことだ。もっとも、大きすぎるパンを焼いた話なんぞは、聞いたことも読んだこともない、とケストナーは笑っているのだが、それはともかく、その子孫もパン屋となった。そして一六一三年、一六二一年、一六二九年と三度も年代記にのったというのである[30]。

パン屋に対する刑罰には、重量不足（小さすぎる）、粗悪な質だけではなく、変わった理由づけもある。たとえば一五四〇年、ドイツのヴィンツハイムのパン屋は、パンが小さすぎたために五グルデンの罰金を払わされた。すると今度は「傲慢から」大きすぎるパンを焼いたという廉で、二倍の一〇グルデンもの罰金をとられたというのである[31]。

図99　パンの殿様　不正なパンを切り刻むために、ナイフを持っている。1700年頃

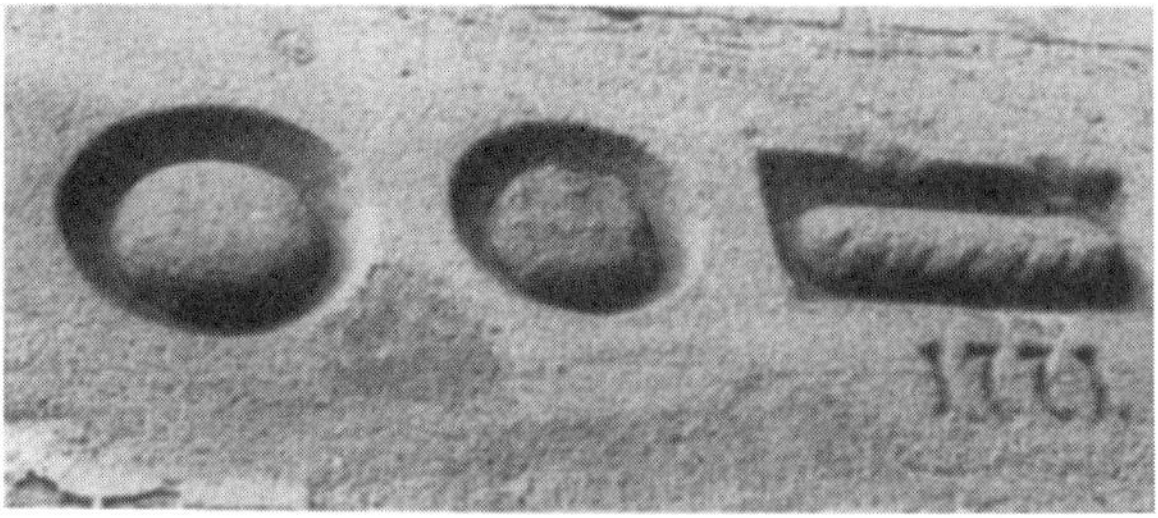

図100　ニュルンベルクの町に遺された目減りしたパンの記念（レリーフ）　飢饉の年と小さくなった度合いがわかる

「傲慢な」パン屋は、消費者には大歓迎されるはずなのに、監視団にパン屋の親方たちが参加していたことが災いしたのだろう。大きすぎるパンは、価格破壊ということになる。市場に殴り込みをかけたのだから、同業にすれば許せない。倍の罰金に値するほどなのだ。経済的バランスの問題を、傲慢の罪という、キリスト教倫理を利用して罰しようというのである。こうして「傲慢から」大きすぎるパンを焼いて記録に残ったパン屋も実はあったわけだ。さしものケストナーも、これには思い及ばなかったらしい。おそらく、組合の同業者は大きすぎるパンに、参事会員は小さすぎるパンに、より厳しい目を光らせたにちがいない。いずれにせよ、目方不足、目方過剰のパンは、ともにエンマ帳に記載され、ずたずたに切り刻まれてしまうのである。

しかし罰金刑ですむならまだしも、中には重い刑罰を受けたパン屋も多くあった。パリやロンドンでは、目方不足のパンを首に掛けられ、手足を縛られ、街角でさらし者にされたり、市中引き回しの目にあわされたりした。[32] さらに強烈なのは、ドイツ、オーストリア、スイスなどのゲルマン人の刑罰である。悪徳パン屋は椅子に座らされたり、籠や檻に入れられ、衆目の中、川に頭まですっぽりと漬けられる。いわゆる「パン屋の洗礼」と呼ばれていた名誉毀損刑である。こうした水責めで死ぬことはなかったが、目方の不足分一ロート（約一六グラム）につき一回の割で、水に漬けた所もあったというから大変厳しい。[33] 厳しいということは、それだけパンに値打ちがあった、ということである。

この刑を受けたチューリッヒのあるパン屋などは深く恨んで、一二八〇年、自分の家に火

図101　パン屋の水責めの絵はがき　ニュルンベルク、1900年頃

をつけ、チューリッヒの町を半焼させてしまった。[34] ウィーンでは一三四〇年に出た条令に「古来からの習慣によりパン屋は水に漬けられるべし」と謳われているというから、[35] これは相当古い伝統なのだろう。

「パン屋の洗礼」はウィーンでは一七七三年まで行なわれ、全国で廃止となったのはようやく一七八四年にというほど、[36] 史上根強くつづいた、パン屋の受けた特殊な刑罰なのである。

ニュルンベルクでは、パン屋の水責めを一三一五年に早々と廃止、代わりに次のような罰則を科すことになった。

ライムギパン二ロート（約三〇グラム）不足で塔内禁固一日および罰金三〇ペニヒ、四ロート（約四五グラム）で同二日および三〇ペニヒ、六ロート（約九〇グラム）で同三日および三〇ペニヒ。コムギはさらに厳しく、二ロートで同二日および三〇ペニヒ、三ロートで同三日および三〇ペニヒ[37]である。

目方をごまかすのは、なにもパン屋に限ったことではないのに、パン屋だけがこんな目にあわされたのである。パンがいかに食の基本であったか、神聖なものであったかを物語っている。だから騙されようものなら、市民の怒り心頭に発するわけである。

またパンは何より供給を安定させておかなければならないものでもあった。そのためにパン屋は、どの職種よりも厳しく、事細かに規制され、監視を受けなければならなかったのである。

終　章　パンは何を意味してきたか

1　パンのほどこし

パンをほどこした聖人

クリスマスプレゼントの起こり、聖ニコラウス（サンタクロース）の贈り物のひとつが、パンだったことは、日本ではあまり知られていない。『黄金伝説』では、小アジアの古代都市ミュラ（現トルコ領）の一帯が飢饉に見舞われたとき、そこの司教だったニコラウス（四世紀）が、コムギを満載した船からコムギを分けてもらい、人びとに配ったが、船の荷は少しも減っていなかった。もらったコムギは、その地方のすべての人びとに二年間にわたって分けあたえられたが、底をつくことはなかった。[1] そしてそのパンで人びとを救ったという。こうした言い伝えから、聖ニコラウスはパン屋や船乗りの守護聖人にもなったほど、パンとは関係が深い。聖ニコラウスばかりでなく、フランスのパン屋と菓子屋の守護聖人、聖オノレ、ドイツの王妃聖エリザベートも、貧者にパンをほどこしたことで知られる、代表的な聖人である。ほかにも指折ればたくさんいる。

ヨーロッパ中世は、慢性的な食糧不足状態であった。ムギの収穫率が現代の約一〇分の一しかなかったのである。収穫したムギは、翌年播種する分を取り除いた残りが、その年の実質的収量となる。播いたムギがその二倍稔って初めて、播いた種の元がとれるわけだが、中世初期、八〇〇年頃のムギの収量データによると、スペルタコムギは収量の五四パーセントを翌年の播種用に残しておかなければならなかった。パンコムギは六〇パーセント、オオムギ六二パーセント、ライムギ一〇〇パーセント（つまり収穫したものすべて）をまた播かなければならなかった[2]。

これを収穫率になおすと、スペルタコムギは播いた量の一・八倍、パンコムギは一・七倍、オオムギは一・六倍、ライムギは一倍というように、どれも二倍に達していないのである。播いた量の二倍だけのムギを収穫することさえできなかったわけで、いかに食べられる量が少なかったかが分かる。中世全体のムギの収量は平均でも、種播き時のだいたい三倍ぐらいと推測されているが、それでも今日のおよそ一〇分の一しかない。そのうえ農民は、収量の半分ないし三分の一の賦課租を納めなければならなかったのである。

まして飢饉が数年もつづけば、餓死者はおびただしい数にのぼったのである。そして都市ではムギの値段が高騰し、パンの大きさをどんなに小さくしても間に合わなくなったほどである。このような状況であったから、パン屋はたった一ロート（約一六グラム）の目方不足で、一回の水責めにされたのである。

こうした状況下、パンのほどこしは人を餓死から救うことを意味していた。ほかのどんな行ないにもまさる第一の徳とされたので、パンをほどこした人物が聖人と見なされることが多かったのであろう。

キリスト教世界のこうした善行の礎にあるのは、天国を受け継ぐ人びとについて語った、イエスの次の言葉である。

わたしが飢えていたときに食べさせ、渇いていたときに飲ませ、旅をしていたときに宿を貸し、裸のときに着せ、病気のときに見舞い、牢にいたときに尋ねてくれたからだ。（中略）わたしの兄弟であるこれらの最も小さい者の一人にしたのは、わたしにしてくれたこ

図102　クニグンデ像　アルプスの古い街道に建つ小さい聖堂も、パンをほどこした聖人、クニグンデに由来している。立像はコッペパンと聖書をもっている。「人はパンのみにて生くるにあらず」と語っているようだ

となのである。(「マタイによる福音書」25・35―40)

「小さい者」(体力、生活力、経済力、社会的立場などの弱い人)にこの六つの徳をほどこせば、それをイエスに行なったのと同じことになるという。社会福祉の精神がここに見いだされる。そして「飢えていたときに食べさせ」はその筆頭に置かれているのである。

ここで言う「兄弟であるこれらの最も小さい者」とは、平等な間柄を指している。一方がパンをもち、もう一方がもたないというのが不平等だから、もてる者がもたぬ者と分かち合うという思想のようである。貧者を憐れんでパンをほどこすのでなく、分け合うことなのである。中世において、この思想がよく実践されていたのが修道院であった。

修道院のパンのほどこし(分かち合い)

修道院で行なわれていたパンのほどこしは、文書からも知ることができるが、建築物自体にもその跡を留めている。スイスのサンクト・ガレン修道院に保存されてきた、カロリング朝時代の平面図(九世紀初め)を例にとろう。この図面は結局実現されなかったものだが、当時の修道院の暮らしぶりを伝える重要な資料である。

この平面図には、修道院正面入口のすぐ右手に、パンをほどこす接待係の修道士[3]の待機室がすでに設けられている。パン焼き小屋はもちろん、その他旅人を泊める部屋、病棟などもも備えており、イエスの言葉に従った修道精神が読み取れるのである。[4]後世の修道院の平面図

図103　パンをほどこす修道士たち　シュトラースブルク、1477年。木版画、彩色

を見ても、たとえば一〇四三年頃の第二クリュニー修道院でも、さらに一一五〇年頃の第三クリュニー修道院でも、ほぼ同様のほどこしが行なわれていたことがわかる。[5]

修道院は清貧のうちに、「祈りかつ働け」を生活モットーとし、院の敷地内には大規模な穀物庫、脱穀場、粉挽き場、パン焼き場、醸造所などを備え、時代の最先端をいく生産技術を開発し、自給自足経営によって蓄えを増やし、さらに土地の寄進をうけて、大土地所有者となっていった。その弊害も否めない事実であるが、一方、貧者救済のためにパンを分けることにも精力的だったのである。

宿を乞うて修道院の門を叩いたのは、他所の修道院長や司教座聖堂参事会員などのような高位聖職者、王侯貴族などもあれば、修道僧、世俗の旅人、物乞いの貧者、放浪者、虚弱者、病人などもいた。こうした人びとに、たとえばコルビー修道院では、パンだけでなく、ビールやワイン、野菜、チーズ、ベーコン、ときには肉までをあたえたという。その他、修道僧が身につけていた靴や衣服、毛布、薪、家事用具、九世紀からは金銭も分けあたえられた。このような修道院の宿泊所は、ホスピティウムと呼ばれ、ここから後世「ホスピス」や「ホスピタル」という概念が生まれることになる。この費用には、修道院の全収入の一〇分の一が割り当てられていたというから、かなり多額である。そしてその采配を任されていたのが門のかたわらに待機していた接待係だったのである。(6)

九世紀後半になると、この活動はさらに発展し、接待の部署が二局にわかれる。来訪者を馬に乗って来る長者と、徒歩で来る貧者とに区別し、長者接待局と貧者接待局がそれぞれに対応するようになった。貴賓や長者が宿泊する場合は、多額の寄付を申し受け、それも貧者接待局の方へ回したのである。

クリュニー修道院では、貧者が食べ物や宿を乞うと、パンを一日に一ポンド(約五〇〇グラム)、ワインを一マス与え、出発のときには弁当ももたせた。さらに貧者接待係は毎週修道院の周壁の外へ出て、近隣の村の病人や大勢の子どもたち、寡婦、障害者、そして飢饉や天候被害で援助を求める農民を訪ね、パンやワインを配ってまわった。(7)

このように修道院では、年中ほどこしが行なわれていたが、それでも中世の慢性的飢餓状態が解消されることはなかった。飢饉の年には、修道院の財政は大赤字となる。ある修道院では毎日五〇〇—七〇〇人の飢えた人びとを養うために、高価な銀の十字架を売りはらいもしたが、それでも大勢が門前で餓死していったという。その数は別の修道院では一日に一七〇〇人にものぼったという[8]。

死者のパン、貧者のパン

こうした修道院の日常的なパンのほどこしとは別に、ヨーロッパ中で、盛大にパンがほどこされる特別な機会があった。不思議なことにこの習慣は、死者と密接な関係をもっているのである。そのほどこしの行なわれる機会はまず、一一月一日の万聖節（聖人となった死者の日）と翌一一月二日の万霊節（一般の死者の日）、アメリカで言うハロウィンの日である。

私が一九八四年に訪ねた、アルプス山中のマリーエンベルク修道院（イタリア、建立一二世紀）に残る、代々の修道院長の日誌によると、たとえば一六四六年一一月二日付けで「貧者に大きな贈り物をした。七〇〇人の人びとにパンが贈られた」とある[9]。別の年、同日にも、九〇〇人の人びとにパンが贈られたというから、ほどこしは大規模である。この修道院はアルプスの山腹に聳え立ち、そのふもとの村は、現在でも人口はたかだか五〇〇人ばかりである。ほどこしを求めて、山を徒歩で登った人びとが九〇〇人もいたとすると、かなり遠方からも来たのであろう。修道院のパンに御利益があると思われたからではない。死者の日のほどこしは、年中行事なのである。そしてこの日のほどこしの習慣は、修道院ばかりか、世俗社会にも根づいているのである。

たとえばアルプスのマリア・ルカウ村では、第二次大戦直後まで、この習慣が残っていた。ただ、一三歳以下の貧しい家（総戸数五〇戸のうちの八戸）の子どもたちだけが村中の家からそのほどこしを受ける、というように矮小化した形であるが。本来は老若男女を問わず、貧者にパンがほどこされたのである。

また別の地方ではこの日、貧者が家々をめぐり、戸口で歌ってはパンを貰い歩いた。

脂入りのカユを煮るお百姓さん、
あんたの牛に幸運を
屋敷と家畜小屋に幸運を
あんたの鶏にも、お子たちみんなにも！
報われますように
脂入りのカユを煮るお百姓さん！(10)

そして貧者はバターの入ったカユをよばれ、パンを貰う。このとき、「ありがとう」でなく「報われますように」（Vergelt's Gott!）と言うのが、ほどこしへの返礼であった。死者の日に貧者にパンをほどこすと、神からの報いがあると信じられるようになってしまった。だからどんなケチでも、この日のパンのほどこしには気前がよかったという。このように世俗では、物乞いが多く来れば来るほど、幸運の先触れ(11)と解釈されるようになっていたのである。

パンのほどこしの行なわれる、次の機会は葬式である。マリア・ルカウ村では、農民が白パンを食べるのは、復活祭の一日だけであったが、例外が葬式で、参会者全員にパン屋のセンメル（丸い小さな白パン）がひとつずつ配られた。その習慣は一九六〇年頃までつづいていた。

葬式にパンを配る習慣は、中世来広く行なわれてきた。キリスト教によると、この世で行なわれる善行は、煉獄（天国の前段階にある、死者の清めの場）へ行った死者を救済する助けとなる。だから葬式では、貧者にほどこしを行なうよう、教会が奨励したという経緯がある[12]。

パンのほどこしの習慣は、葬式のほか、死者の命日にもあった。先に記したマリーエンベルク修道院の修道院長の日誌では、「一六九四年六月一九日。故院長（前任者）の三〇周忌にあたり、相当量のほどこしものが貧者に配られた。その一人一人に、大きいパン一個、チーズ一かたまり、焼いた肉一切れがほどこされた。このほどこしものを貰った貧者は三四〇人であった」という。

貴族の中には身内が亡くなると、修道院を建立し、それを教会に寄進して、そこで死者の冥福を祈ってもらうというようなこともあった。そこでも命日にはやはり貧者にパンが配られたのである。ときにはそれはすさまじい規模のほどこしになった。

オーストリアのクレムス大聖堂などの例はその最たるもので、「ほどこしの日」にはパンと肉が配られる儀式が催されたのだが、その数は一六七六年には一万八〇〇〇人に、一七〇一年には現金も加わり、二万四一五九人に、一七六五年には二万三八八一人に配られたという。そもそもこの大聖堂つき修道院は、タッシロ公爵が、狩りで命を落とした息子の冥福のために、命日に永久にほどこしを行なう目的で寄進したものであった[13]。これもやはり煉獄にいる身内のための善行のつもりである。ほかにも、フランスのプレモントレ修道会創立者の命日には、パン一二〇〇個、チーズ四〇〇個、ワイン四〇〇マースが配られたという。ハンガリーの王と王妃の命日には、パンが四五五〇個焼かれ、寄進修道院一マイル以内に在住するすべての貧者に配られた。というように、修道院寄進者の命日にパンをほどこした例はたくさんある[14]。

パンはこのように、死者の日、葬式、命日という、死者とかかわりのある日に貧者にほどこされてきた。時代が移ると、パンでなく、社会事業のための基金や奨学金などが死者の名によって設立され、死者の遺徳を偲ぶという形に変わる。イギリスの「ダイアナ基金」もその流れを汲むものだろう。彼女の死後、日を置かずして設立が発表された。これも元はパンを配るという精神を現代にそくした形になおしたものと言えるだろう。

民俗学者ハンス・コーレンの『ほどこし』（一九五四年）によると、死者と結びつくようになった原形は、葬式後に会食をした古い習慣であるという。キリスト教初期には、葬式後に参会者は会食をしていた。籠に食べ物や飲み物を入れて持ち寄り、かたわらに居合せる貧者とも分け合いながら食べたものであった。そしてこの葬式の会食は墓やそのそばで行なわれていた。ぶどう酒を酌み交わすに先立ち、まずそれを墓石の上からかけたり、割れ目に流し込んだり、墓石に備えつけの小鉢に注いだりした。つまり死者に酒を注いでいたのである。

分かち合うべきもの

死者に現物を供えるというようなことは私たち日本人には日常的なことだが、今日のキリスト教ではとうに忘れ去られている。しかし当時は、ほどこしを受ける貧者は、死者として会食に与《あずか》っていたのだとコーレンは解釈している(15)。するとパンは、死者と会食する意味で貧者に分けられていたわけである。そしてこの葬式のほどこしは命日にもくりかえされるようになり、さらに「死者の日」に一般化されたのだろうという。

あの世の死者とこの世の貧者とを結びつけたのは、このようにキリスト教会であったが、基の精神は、初めに挙げたイエスのあの言葉にある。死者に食べ物を供える意図をもって、この世の貧者にそれをほどこすことは、キリストに対してするのと同じことなのである。貧者を憐れむからほどこしたのではなく、尊ぶからほどこしたのだと考えるべきかもしれない。だからこそ「死者の日」に訪れる物乞いが、どんなケチにも歓迎されるという、民俗習慣を生む結果にもなったのであろう。「報われますように！」という返礼にそれが現れている。

同様の言葉は英語にもある（God bless you!）。西欧の国際援助も、こうした思想が根底に流れている。

私がチロルの農家でパン焼きを見せてもらったとき、こんなことがあった。おかみさんはパン生地の残りで小さい丸いパンをひとつつくり、大きなパンと一緒に焼いた。前に話した、子どもらに配るための小ぶりのパンである。私が幼い子をふたり連れていたので、パン窯から取り出すと、それを娘の手にのせてくれた。どの人にもこのパンに懐かしい思い出があったように、娘も望外の喜びに顔を輝かせている。お兄ちゃんにも半分あげなさいと私が言っても、娘はそのパンを、小猫でも抱えているように離そうとしない。それを見たおかみさんは、

「パンだけは分けなきゃいけないんだよ、パンだけはね」

言葉のちがいも忘れて言い聞かせるのである。居合せたおばあさんも寄ってきて、

「そうだよ、パンを分けないのはよくない」

険しい顔つきで言う。娘はパンの小さい丸さをいとおしんで、切り分けたくなかったらしい。代り番こに丸嚙りする、ということで、子どもたちの話し合いは落ち着いたのだが、私にも印象深い出来事であった。どんなときにも人と分かち合わねばならないもの。パンとはそうしたものだという、人びとの信念を見たのである。

パンの歴史は、ムギをいかに食べられるものに加工するかにはじまり、より多く、よりおいしく、を目指してきた軌跡であるが、通り過ぎた時代から見えてくるのは、そればかりではない。いかに社会にパンをくまなくいきわたらせるか、という配分の問題がある。パンをもっている人びとに偏りのあったことが、革命を生み、新たな社会思想や政治体制を生み、

パンへの渇望が戦争を惹き起こす要因ともなった。私たち人間は、パンを分け合うことがいまだにできないのである。

地球上の人口は、西暦二〇一三年には確実に七〇億人を越える。地球の人口は爆発中である。地球の半分ではあり余るパンをそまつにし、他の半分では餓死していく人びとが、この今の瞬間にもあとを絶たない、という矛盾。先進国の課題は、まさにこの解決であろう。食糧危機の解決策は、農業生産性の問題ではなく、世界中の穀物を平等に配分しようとする精神の問題である。しかしパンを持てる者が持てぬ者と分け合うことを、地球規模では実現できていないのが現実である。やさしそうでむずかしい今の課題がここにある。

パンは何を意味してきたのだろうか。パンの歴史をふりかえると、パンは第一に生きることを意味していた。古代には「パン食い人」と呼ばれたエジプト人は、今、日常のパンをアエーシ・バラディ「私たちの命」と言いあらわす。パンは命を支えるものだからである。このように先人が教えてくれたことは「私」だけが生きることでなく、私たちみんなが生きること。パンを分かち合うことである。

最後の晩餐でイエスがパンを割いて弟子たちに与えたのは、家長がそうする習慣だったからである。パンを分かち与える者が、一族の長たりえたのである。英語の Lord は loaf ward〈パンを管理する人〉を意味し、Lady は loaf dige〈パンをこねる人〉を意味していた。ともに命をあずかっていたのである。「パンをともにする」という言葉から、company

やcompanionという言葉がうまれた。パンを分かち合う仲間が、共同体なのである。

パンが生きることを意味するなら、パンを分けることは何を意味するのか。

たしかに極限状況下で、パンを分けることは決してやさしいことではない。なぜならそれは、自分の生存を他人にゆずることをも意味するのだから。ではパンがあり余っていたらどうだろう。するとパンの価値はさがり、私たちはその価値に鈍くなり、粗末にあつかう。浪費へと走ってしまう。しかしその浪費が、知らずに他者の生存を危うくしているかもしれない。極限状況でパンを分かち合うことがむずかしいのは、パンが生存そのものにかかわるからである。逆に言えば、その状況にある相手には、それほど必要だということである。

いまや「パンをともにする」ことは、地球全体という共同体でおこなわれるべき事態になっている。私たちひとりびとりも、一時の同情やあわれみからでなく、パンだけは分けなければならないという信念を、自らに言い聞かせることが大切なのだ。パンの歴史を振り返ってみると、私たちがおいしいパンを食べられることに、あらためて喜びを感じる。それとともに、パンは人と分け合って、ともに食べるものであることも痛感するのである。

2　ある巡礼の古い記録から

アルプス山中のマリア・ルカウ村は、奥地の寒村とはいえ、その教会は一六世紀初めにマリアのお告げによって建立され、いくつもの奇跡を伝え、近隣地方に知れわたっていた。オーストリア国内ばかりかイタリア、スロヴェニアなどからも、その奇跡を慕う巡礼を集めたのである。巡礼は七つの深く切れ込んだ沢と聳え立つ山々を登り下りして、数日かけてこの奥地を徒歩で訪ねて来た。

スロヴェニアの男爵であったヴァルヴァソールも、そのひとりである。かれは一六八八年に『ケルンテン地誌』で、はじめてこの地を広く知らしめたのである。同書には村の教会の全容を示す銅版画に紹介文が添えてあり、その文末に興味深いことが述べられている。本書の結びにかえて、その文書を書き記す。

ルカウ、セルヴィーテン修道院は、マウテン（地名）市場より、きわめて高く単調な山あいを登る、二つの険しい道の上方、チロルとの境にある。（中略）かなり高地に位置するにもかかわらず、さらに高い山々に囲まれて、眺望はまったくひらけない。その他子細としては、そのすぐ脇によい宿が一軒あり、この修道院に巡礼に訪れる旅人を迎えてくれる。当地は音色のよい鐘を響かせる教会も備えている。また当地は奇跡が起きたことにより聖なる地である。なかんずく死んだ子どもを聖母の祭壇に安置したところ、再び生き返り泣いたといわれる。（中略）

人びとはことに冬の期間、かくも貧窮なる暮らしをいかにしのいでいくのだろうか。家は雪で覆われ、聳え立つ修道院でさえしばしばすっぽり雪の中に埋まるという。驚嘆と称しても過言ではない。ルカウはこの谷ともども、オルテンブルク伯爵領、ポルティエ家に属す。当地では穀物を麦藁ごと、ただふたつの石の間で、あるいは板の上に置き小槌で叩いて、粉をつくり、それを水でこねて、ようやくパンを焼く。それを余所者は、はるばるルカウへ巡礼した記念に、自らの汗で買い取るのである(16)。

一七世紀後半、この村にはまだ水車もなく、手回しの石臼か木槌で粉をつくっていたことが見える。ひとつのパンづくりに流す汗はいかばかりであったろう。村人は乏しいムギでこうしてパンをつくり、巡礼に供したのである。パンという、この汗のたまものを、巡礼もまた、自らの汗の代償によって手に入れる。パンとはかくも尊いものであった。ヴァルヴァソールが思いを込めて伝えたかったのは、このことであろう。難路をあえぎ、訪ね来たる、その労苦をもって、巡礼は村人のつくるパンを受け取り、それを懐に、満ち足りて往路をまたたどっていった。

アルプスの小村について書かれた最初の文書には、パンはこのように記されている。

注（巻末の参考文献案内に掲載されている文献については略記したものもある）

序　章　米偏世界へ渡来した異邦人

（1）「イソポのハブラス」312頁以下。
（2）現在ローマン・カトリックでは、「我等の日用の糧を今日我等に与えたまえ」。
（3）マタイによる福音書6・9—13、およびルカによる福音書11・2—4。
（4）「ぱあてるのすてる」（我らの父）と題され、以下に所収。尾原悟『キリシタン版について——「おらしよ断簡」』1—12。および教義集『どちりいな・きりしたん』（加津佐、一五九一年、日本語、国字）でも同様に、「御養ひ」となっている。『どちりいな・きりしたん』26頁。
（5）A Dictionary of Selected Synonyms in the Principal Indo-European Languages. s. v. Bread.
（6）田北耕也校注「天地始之事」『キリシタン書、排耶書』（日本思想大系）岩波書店　一九七〇年、399頁。
（7）この話に関して、田北氏はヨハネ13・26「我がパンを浸して与ふる者」を註に挙げている。また、パンは飯に通じる、という指摘がある。前掲書、同頁。
（8）大槻玄沢口授「蘭説弁惑」『紅毛談・蘭説弁惑』（江戸科学古典叢書）恒和出版　一九七九年、33頁。
（9）立原翠軒「楢林雑話」『海表叢書　第二巻』（復刻版）成山堂書店　一九八五年、13頁。

第一章　パンとは何か

（1）藤井純夫『植物と文明』岡山市立オリエント美術館　一九八二年、15頁。以下も参照のこと。藤井純夫「レヴァント初期農耕文化の研究」『岡山市立オリエント美術館研究紀要』一九八一・一、52頁以下。その

他 Aharon Horowitz, The Quaternary of Israel. New York 1979, p. 312f.

（2）三輪茂雄『「粉」の文化史』（NHK市民大学）日本放送出版協会　一九八五年、16頁以下。

（3）Max Währen, Brote und Getreidebrei von Twann aus dem 4. Jahrtausend vor Christus. In: archäologie der Schweiz. 7-1984-1. (Sonderdruck), S. 5.

（4）三輪茂雄、一九八五年、21頁。

（5）飯尾都人訳『ストラボン　ギリシア・ローマ世界地誌』（Ⅱ）12・3・30　龍渓書舎　一九九四年、144頁（C556）。

（6）T・S・レイノルズ、末尾至行他訳『水車の歴史』平凡社　一九八九年、22頁。

（7）チャールズ・シンガー他編、平田寛、八杉龍一他訳『技術の歴史』（四）筑摩書房　一九七八年、540頁。

（8）シンガー、544頁。

（9）例外的に、ボヘミアにコホタ・ブフタ、ウィーンではブフテルンと呼ばれるゆで饅頭がある。プラムを餡のように煮詰めたもの（ポヴィドゥル）を、発酵させたパン生地に詰めてまるめ、鍋の湯に浮かべて、ふたをしてゆっくりゆでる。できあがりは中華饅頭にそっくりだ。なぜゆでるかといえば、蒸し器というものが伝統的になかったからである。

（10）掲載は小谷一夫氏のご厚意による。フリードリッヒ・ヴィルヘルム・ヴェーバー（一八一三―九四）はドイツ、ヴェストファーレンの医師で、州議会議員を務めた詩人。マティアセック氏 Dr. Johanna Mathiasek のご教示。

（11）田中正武『栽培植物の起原』（NHKブックス245）日本放送出版協会　一九七五年、55頁。

（12）田中正武、98頁。

（13）Udelgard Körber-Grohne, Nutzpflanzen in Deutschland. Stuttgart 1988, S. 56f.

（14）阪本寧男『ムギの民族植物誌』学会出版センター　一九九六年、47頁以下。

(15) 阪本寧男、一九九六年、6頁。
(16) 阪本寧男、一九九六年、49頁。
(17) 阪本寧男、一九九六年、27頁。
(18) 阪本寧男、一九九六年、52頁以下。
(19) 阪本寧男、一九九六年、147頁以下。
(20) Jack R. Harlan, The Origins of Cereal Agriculture in the Old World. In: Charles A. Reed (ed.), Origins of Agriculture. Paris 1977, Table 2. p. 359.
(21) 阪本寧男、一九九六年、58頁。
(22) 「世界の食べもの」6・92以下、および6・123。
(23) ノルウェーのパン職人Ramberg氏のご教示（一九九五年）。
(24) 「世界の食べもの」（週刊朝日百科）朝日新聞社　一九八一年、5・206。
(25) 松谷敏雄氏のご教示（一九九五年）。
(26) Patty Jo Watson, Archaeological Ethnography in Western Iran. Arizona 1979, p. 68.
(27) 「世界の食べもの」5・48以下。および大村次郷、一九九六年、12月号。
(28) 児島満子氏のご教示（一九九六年）。
(29) 丸山純氏のご教示（一九九六年）。

第二章　パンの発酵

(1) 松本博『製パンの科学』26頁。および阿久津正蔵『パン科学』210頁。
(2) 「本職のサワー種」は、現在ドイツの製パン業者のあいだで行なわれている方法。辻製パン技術専門カレッジの江崎修氏のご教示による。なお、詳しくは吉野精一『パン「こつ」の科学』69頁以下を参照のこと。

（3）江崎修氏ご教示のライムギパンのレシピを記す。
サワー種270g、ライムギ粉150g、フランス粉（中力粉）200g、塩9g、生イースト8g（ドライイースト4g）、水210g、五―六分こね、五―一〇分布巾をかけてねかす。まるめて五〇分発酵させ、生地に切り込みを入れ、オーヴン230度で四〇分。
（4）大槻真一郎編『プリニウス博物誌　植物篇』18・102、409頁。
（5）小泉武夫『発酵』29頁。
（6）東京農業大学の和田政裕氏のご教示（一九九七年）。
（7）『プリニウス博物誌』18・62、68、398―400頁。
（8）『プリニウス博物誌』18・104、410頁。
（9）石毛直道編『世界の食事文化』186頁。
（10）アテナイオス、柳沼重剛訳『食卓の賢人たち　1』3・114c、一九九七年、60頁。
さらに114d、「ニカンドロスによると、エジプト人がキュラスティスと呼んでいるのは大麦で作ったパンだという」とあるが、オオムギパンは誤認であろう。
（11）『プリニウス博物誌』18・62、注11―（1）、399頁。
（12）ヘロドトス、松平千秋訳「歴史」2・77、93頁。
（13）日清製粉編『パンの原点　発酵と種』日清製粉株式会社　一九八五年、46―48頁。
（14）石川耕一郎訳『ミシュナ――ペサヒーム』11頁。
（15）M・ジョーンズ編『図説・旧約聖書の歴史と文化』171頁。
（16）『聖書大事典』「まつり」1122頁。
（17）『聖書大事典』「晩餐」969頁以下。
（18）アテナイオス　3・109c、一九九七年。

(19) アテナイオス　3・109 e、一九九七年。
(20) アテナイオス　3・114 d、一九九七年。
(21) Lexikon für Theologie und Kirche. Bd. 2, s. v. Brotbrechen. Sp. 706f.

第三章　パン焼き

(1) 現代の炒りムギがチベットに存続することから、古代の炒りムギの可能性が以下に示唆されている。中尾佐助『料理の起源』（ＮＨＫブックス173）日本放送出版協会　一九七二年、74頁。
(2)『プリニウス博物誌』18・72、401頁。
(3)『プリニウス博物誌』18・97、408頁。
(4) Servii Grammatici, AEN. I. 179, p. 71.
(5) 高橋孝一「ザンスカールの子どもたち」「季刊民族学」（51）千里文化財団　一九九〇年、31頁。
(6) 脱穀しやすいムギの場合は、穂ごと炒るのでなく、脱穀してから粒を炒る。ヨーロッパの場合、私の知るかぎりでは、脱穀後水煮してからパン窯で炒り、それを製粉する。この習慣はエンバクやスペルタコムギを伝統食にする地域の一部に細々と残っている。エンバクは粒が非常に硬質なため、生麦を挽くのが大変だったからであろう。スペルタコムギも穎が硬くて脱穀しにくい。だから、元は穂ごと炒っていたのかもしれない。
(7) トゥワン湖岸遺跡。コルテヨ文化。
(8) Max Währen, Die Entwicklungsstationen vom Korn zum Brot im 5. und 4. Jahrtausend. 1985, S. 374f.
(9) Portalban am Neuenburger See, Inv. Nr. PA78, Se32, FS13. Max Währen, 1985, S. 375.
(10) Twann, Inv. Nr. 720MS10.

（11）Währen, Brote und Getreidebrei von Twann aus dem 4. Jahrtausend vor Christus. In: archäologie der Schweiz 7-1984-1, 5f. および Max Währen, 1985, S. 377.
（12）Kap. 7. 2. Abs. 3.
（13）Währen, 1985, S. 377.
（14）Währen, 2002, S. 381–400.
（15）Twann, Inv. Nr. 911 OS2, Abs. 7, Zone M, Qm. X651.
（16）Währen, 1985, S. 377ff.
（17）Museum Yverdon, Kt. Waadt 所蔵、直径一〇五ミリ。
（18）『プリニウス博物誌』18・106、410頁。
（19）アラビア語で tennūr, tannūr, イラン語で tanūra, トルコ語で tanūr, アルメニア語で thonir, ヒンディ語で tāndūr, アラム語で tannūrā, いずれもアッカド語の tinūru, tenūru にさかのぼることができる。吉川守「シュメール史料に見る食文化――パンを中心に」『古代中近東の食の歴史をめぐって』中近東文化センター 一九九四年、23頁。
（20）例えばスイス、テッシン州の灰焼きパンの報告。
Fritz Dorschner, Das Brot und seine Herstellung in Graubünden und Tessin. (Diss. Univ. Zürich 1936), S. 19.
（21）Walter von Stokar, Die Urgeschichte des Hausbrotes. Leipzig 1951, S. 141.
（22）L. Braidwood; R. J. Braidwood; B. Howe; Ch. A. Reed; P. J. Watson, Prehistoric Archeology along the Zagros Flanks. Chicago/Illinois 1983, p. 157.
（23）阪本寧男、一九九六年、表5。
（24）Braidwood, p. 157f.

(25) 藤井純夫、一九八一年、58頁以下。
(26) Athenaeus, 10, 418E; 10, 447C.
(27) Wolfgang Helck, Das Bier im Alten Ägypten. Berlin 1971, S. 24-27.
(28) Luise Klebs, Die Reliefs und Malereien des mittleren Reiches. Heidelberg 1922, S. 119f.
(29) Helen Jacquet-Gordon, A Tentative Typology of Egyptian Bread Moulds. In: Dorothea Arnold (hrsg.), Studien zur altägyptischen Keramik. Mainz am Rhein 1981, S. 23f, Fig. 1-5.
(30) Jacquet-Gordon, p. 22f.
(31) ローフ『古代のメソポタミア』70頁。
(32) 吉川守、25—27頁。
(33) enkryphias artos または enkryphia アテナイオス、柳沼重剛訳、3・112b、110。
(34) アテナイオス、柳沼重剛訳、3・109c—110c、111、115e—d。
(35) アテナイオス、柳沼重剛訳、3・115e。
(36) アテナイオス、柳沼重剛訳、3・111b。
(37) マーガレット・ミッチェル、大久保康雄、竹内道之助訳『風と共に去りぬ』1（世界文学全集22）河出書房新社　一九八九年、371頁。
(38) アテナイオス、柳沼重剛訳、3・115e。
(39) Liddell, Scott, Jones, A Greek-English Lexicon. s. v. kribanos. Oxford 1968.
(40) H. Frisk (hrsg.), Griechisches Ethymologisches Wörterbuch. s. v. klibanos. Heidelberg 1973.
(41) 川崎義和訳「アイスキュロス断片」『ギリシア悲劇全集』（10）、309。岩波書店　一九九一年。
(42) アピーキウス、ミュラ＝ヨコタ・宣子訳『古代ローマの料理書』6・361。三省堂　一九八七年、135頁。
(43)『プリニウス博物誌』18・105、410頁。

(44) Betty Mayeske, Bakeries, Bakers and Bread at Pompeii. A Study in Social and Economic History. (Diss. Maryland 1972) UMI 1997, p. 25f. および Dictionnaire des Antiquités grecques et romaines. (éd.) Ch. Daremberg; Saglio, Edm. Paris 1877–1919 (Graz 1969), s. v. Clibanus.

(45) Stephanus, Thesavrvs Graecae Linguae. Vol. 5. s. v. kribanos, Klibanos. Graz 1954 (1572).

(46) B. A. Sparkes, The Greek Kitchen. In: JHS 82. London 1962, pp. 121–137, Plate 4–8.
Sparkes, The Greek Kitchen, Addenda. In: JHS 85. London 1965, pp. 162–163, Plate 29–30.

(47) アテナイオス、柳沼重剛訳、112 c。

(48) testu. testa〈土器〉から出た言葉で、その意味ではチェレプ〈土器〉からチェレプヤが生じたのと同じである。

(49) Marcus Porcius Cato, On Agriculture. (tr.) W. D. Hooper. 76・4 (The Loeb Classical Library). London/Cambridge/Massachusetts 1967 (1933), p. 85.

(50) Backglocke.

(51) Ortutay (ed.), Magyar Néprajzi Lexikon. s. v. sütöbura. Budapest 1980.

(52) Zoltán Szilády, Alte Siebenbürgische Feuerherde. In: Anzeiger der Ethnographischen Abteilung des Ungarischen National-Museums. Budapest 1916, S. 9.

(53) Hella Schürer von Waldheim, Zur Geschichte und Verbreitung des Fladenbrotes in Europa. In: Zeitschrift für Österreichische Volkskunde. Wien 1914 (3–4), S. 31.

(54) Zoltán Szilády, S. 11.

(55) Jonke Deanović (éd.), Dictionnaire Etymologique de la Langue Croate ou Serbe. s. v. crijep. Académie Yougoslave des Sciences et des Beaux-Arts. Zagreb 1971.

(56) Franz Hampl, Das Museum für Urgeschichte des Landes Niederösterreich. (Katalog) Wien 1976,

S. 123.
(57) Hampl, S. 134.
(58) ヘーシオドス、松平千秋訳『仕事と日』442（岩波文庫）一九九三年。
(59) Publius Ovidius Naso, Fasti. (übers.) Niklas Holzberg. 6. 313–317. (Sammlung Tusculum) Zürich 1995, S. 262, 263.
邦訳も参照のこと。オウィディウス、高橋宏幸訳『祭暦』（叢書アレキサンドリア図書館Ⅰ）国文社　一九九四年、232頁。
(60)『プリニウス博物誌』18・88、405頁。
(61) 藤井純夫、一九八一年、58頁以下に同じ話題がある。詳しくは本書198頁以下。
(62) ハインリヒ・プレティヒャ、関楠生訳『中世への旅』白水社　一九八二年、60頁。
(63) Moriz Heyne, Das Deutsche Nahrungswesen. Leipzig 1901, S. 268.
(64) Fritz Dorschner, Das Brot und Seine Herstellung in Graubünden und Tessin. Diss. Zürich 1936, S. 18.
(65) Dorschner, S. 19.
(66) ラブレー、渡辺一夫訳『ガルガンチュワ物語』第25章（世界文学大系8）、筑摩書房　一九六一年、223頁。
(67) Görzer Urbar. HHSTA, Hs. B 756. Haus- und Hof-, Staatsarchiv Wien. passim.
(68) Epulario. Stampato in Venecia per Francesco Bindoni & Mapheo Pasini, Nelmese di Luio M. D. XLVII.
一五一九年から一五九六年までの四版はバイエルン国立図書館。掲載図には一五四七年版を使用。
(69) Balthassar Staindl von Dillingen (gedruckt), Ain künstlichs und nuzlichs kochbuch. 5, 31, Ain

höflich essen / haißt der raiff, 1547. バイエルン国立図書館。

（70）Marx Rumpolt（gedruckt), Ein new Kochbuch. Franckfort am Mayn 1581. (Olms Presse Hildesheim/New York 1980) Nr. 20, S. 167.

（71）Athenaeus, 14, 643E–648C.

（72）「世界の食べもの」3・273。

（73）立原翠軒編「楢林雑話」『海表叢書　第二巻』（復刻版）成山堂書店　一九八五年、13頁。

（74）バンコックで林のり子さんが見かけたという露店のパン屋。同氏のご教示。一九七八年。

（75）エドワード・モース、石川欣一訳『日本その日その日』（東洋文庫171）平凡社　一九七〇年、183頁。

（76）村井弦齋編『食道楽』（二）1・8。写真版「秋穂割烹教授所」五月書房　一九八四年（明治三八年）。

（77）青木康征訳『完訳コロンブス航海誌』平凡社　一九九三年、368頁。なお訳者のご教示によると、コロンブスはスペイン語文では、「ビスコッチョ」を航海食、「パン」を現地のパン状の食物とした。しかし当書のイタリア語文では、その書き分けがないため、その意をくんで「〔乾〕パン」と訳された由。

（78）林屋永吉訳『コロンブス航海誌』（岩波文庫）一九七七年、187頁。

（79）アテナイオス、柳沼重剛訳、一九九七年、3・110。

（80）Martha Bringemeier, Bäuerliches Brotbacken in Westfalen (Beiträge zur Volkskultur in Nordwestdeutschland.). Hf. 22. Münster 1980, S. 76f.

（81）Petrus de Crescentiis, New Felt und Ackerbaw. Lazarus Zetztner, Straßburg 1602.（Univ. bibliothek Graz III 20608 Rara-1）

（82）Günter Wiegelmann, Alltags- und Festspeisen. Marburg 1967, S. 28.

（83）"benben" (bnbn). Lexikon der Ägyptologie, s. v. Brot. Sp. 871.

（84）Sir Arthur Pickard-Cambridge, The Dramatic Festival of Athens. Oxford UP. 1988, p. 61. 中務哲郎

氏のご教示によると、二世紀の辞典 Pollucis Onomasticon に、このオベリアス運びがディオニュソス神殿に運びこんだものは、一、二、三、メディムノスであったと書かれているそうである。それを重さに換算すると、およそ大が七九、中が五三、小でも二六キログラムあったことになる。大人の男女と子どもぐらいのパンと思えばよいのだろう。

（85）Sparkes, 1962, Fig. 2. original: American School of Classical Studies Athens, Agora Excavations. p14165, p2116.

（86）Sparkes, 1962, p. 128, Pl. IV2. アリストパネス、「雲」96『ギリシア喜劇』（I）（ちくま文庫）一九八六年では、プニゲウスのまわりに炭を置いていたことが推測できる。

第四章　パンを焼く村を訪ねて

（1）「ケーキ」「クーヘン」はここでは〈菓子〉ではなく、〈薄いパン〉の意。

（2）メソポタミアのフブスという、平焼きを焼く中華鍋を伏せたような鉄板、サージと同類。

（3）Elizabeth David, English Bread and Yeast Cookery.（Penguin Books）London 1977, p. 178f.

（4）Udelgard Körber-Grohne, Nutzpflanzen in Deutschland. Stuttgart 1988, S. 69.

（5）古代においてもエンマーコムギ、あるいはスペルタコムギは同様の軽石のような臼で殻を剝いていた。たとえば、オウィディウスの『祭暦』6・318。

（6）Federsee 遺跡から。Körber-Grohne, S. 81f.

（7）Körber-Grohne, S. 72–80, Abb. 11, 12.

（8）そのころ導入された種播き機では種の滅菌に乾燥滅菌剤しか使えず、スペルタコムギ用の液剤が使えなかったために、パンコムギに切り替えることになったという。

（9）Körber-Grohne, S. 70.

(10) Günter Kapfhammer, Gemeindebacköfen im nördlichen Unterfranken. In: Bayerisches Jahrbuch für Volkskunde. 1969. S. 147f., Fig. 12.

(11) シュタイネンのパン窯は露天にあり、内部直径が三メートルとすでにとても大きかったという。Josef Keßler-Mächler, Ein Gemeindebackofen in Steinen aus der Zeit um 1300. In: Steinen. (Separatabdruck aus den Mitteilungen des Historischen Vereins des Kantons Schwyz. Heft 61. 1968, S. 119–125.

(12) Ekkehard IV, Die Benedictiones ad mensas. In: Mittheilungen der Antiquarischen Gesellschaft in Zürich. Bd. 3. 1846, S. 106f.

第五章　パン文化の伝承

(1) ヘロドトス、松平千秋訳「歴史」2・47。

(2) Ernst Burgstaller, Österreichisches Festtagsgebäck. Linz 1983, S. 47.

(3) Athenaeus, 14, 647f.

(4) Burgstaller, S. 59. その蛇パンは長さが七五センチもあったという。また、東チロル州には、菓子用の蛇型（ブリキ製）がある（Museum Schloß Bruck, Lienz）。蛇パンは完全にすたれているようである。

(5) Max Höfler, Bretzelgebäck. Archiv für Anthropologie – Neue Folge Bd. 3, Heft 2. Braunschweig 1904, S. 104.

(6) Bretzel は brachiola〈小さい腕〉にちなむ。Heyne, S. 277. また、中世ラテン語では bracellus と表現され、古文書によるとこれは、「両腕を、ひとつを上に交叉させて形をつくる」と説明されている。Eckstein, Sp. 1562.

(7) Eckstein, Sp. 1562.

（8）Max Höfler, S. 100.

（9）Samuel Noah Kramer, The Sumerians. Chicago/London 1963, pp. 217–220. 以下の解説も参照のこと。五味亨「ドゥムジとエンキムドゥ」『古代オリエント集』（筑摩世界文学大系1）筑摩書房　一九七八年、43頁。また、冬あるいは死を追い出す行事は、以下にも豊富な例がある。フレイザー、永橋卓介訳『金枝篇』（二）（岩波文庫）一九五一年、293頁以下。

（10）森洋子『ブリューゲル全作品』中央公論社　一九八八年、271頁。

（11）森洋子、一九八八年、274頁。

（12）グリム自身が「ヘッセンのさまざまなお話から」と記している。また類話も挙げている。Heinz Rölleke (hrsg.), Brüder Grimm, Kinder- und Hausmärchen. Ausgabe Letzter Hand. Bd. 3. (Reclam) Stuttgart 1984, S. 25f. これはカッセルのヴィルト家につたわっていたものと推測されている。Heinz Rölleke (hrsg.), 1984, S. 448.

（13）グリムの「ヘンゼルとグレーテル」所収本の各版については、参考文献に掲載。グリム童話成立の経緯については、以下を参照のこと。小澤俊夫『グリム童話の誕生』（朝日選書455）朝日新聞社　一九九二年。

（14）August Stöber (hrsg.), Elsässisches Volksbüchlein. Nr. 243. Straßburg 1842, S. 102–109.

（15）Heinz Rölleke, August Stöbers Einfluß auf die Kinder- und Hausmärchen der Brüder Grimm. In: Fabula 24, Bd. 1983, S. 11–20.

（16）パンシャベルの原文は板 Brett。しかし第三、四版には、それで「柄の届くかぎり、できるだけ奥へ」魔女を押し込んだという加筆がある。なので、ここでは単なる板切れやパン板ではなく、グレスター板 Gresterbrett（パンを一度にいくつものせたり、細長いパンをのせたりするためのパンシャベル。柄がついている）の略称であろう。

(17) Hans Jakob Christoffel Grimmelshausen, Der Abenteuerliche Simplicissimus 1-4, S. 17.
(18) 藤代幸一訳「悪魔を呼び出す遍歴学生」『ハンス・ザックス謝肉祭劇集』（一五五一年）南江堂　一九七九年、128頁。
(19) 森洋子『ブリューゲルの諺の世界』白凰社　一九九二年、385頁以下。「かまど」の原意はパン窯。
(20)「ナチスが襲った日（フランス、オラドゥール村）」（ＮＨＫ教育テレビ、ＥＴＶ特集）一九九六年八月二六日放映。およびロビン・マックネス、宮下嶺夫訳『オラドゥール――大虐殺の謎』（小学館文庫）一九九八年。

第六章　貴族のパンと庶民のパン

(1) 松谷健二訳リーグの歌「エッダ」『中世文学集』（筑摩世界文学大系10）一九七四年、17―19頁。
(2) 上原専祿訳「伝カール大王御料地令国訳嘗試」『ドイツ中世の社会と経済』（上原専祿著作集４）評論社　一九九四年、87―120頁を参照。
(3) サントニーノ、舟田詠子訳『中世東アルプス旅日記』筑摩書房　一九八七年、56、115、34、58、148頁。
(4) ブリジット・アン・ヘニッシュ、藤原保明訳『中世の食生活』（叢書ウニベルシタス）法政大学出版局　一九九二年、254頁以下。
(5) ウェルギリウス、泉井久之助訳『アエネーイス』（上）３・257、７・111―126（岩波文庫）一九七六年。
(6) 115の注として、G. J. Fordyce, P. Vergili Maronis Aeneidos. Libri VII–VIII. Oxford 1977, p. 83f.
(7) フランソワーズ・デポルト、見崎恵子訳『中世のパン』白水社　一九九二年、87―93頁。
(8) Jeremias Gotthelf, Der Bauernspiegel. Bd. 1, 1836, S. 178.
Hans Riedhauser, Essen und Trinken bei Jeremias Gotthelf. (Diss. Zürich, 1984) Stuttgart 1985, S. 112.

(9) Riedhauser, S. 102.
(10) レイモン・オリヴェ、角田鞠訳『フランス食卓史』人文書院　一九八二年、89頁。
(11) アテナイオス、柳沼重剛訳、6・267F、一九九二年。
(12) イギリスの料理書 Rundell, A New System of Domestic Cookery. 1807. に「ブリキ型で焼くと、皮がとてもよくできる」と言っているのが、料理書では初出らしい。Elisabeth David, p. 208.
(13) Blümel-Boog, 5000 Jahre Backofen. Ulm S. 109.
(14) レーモン・カルヴェル、山本直文訳『パン』（文庫クセジュ）白水社　一九六五年、32頁。
(15) アテナイオス、3・112d。
(16)『プリニウス博物誌』18・108、411頁。
(17) その町はシュタイアマルク州のアドモント市。Adalbert Kratse, Der Markt Admont und seine Bäcker. In: Das Steirische Handwerk. Katalog zur 5. Landesausstellung 1970, 1. Teil. Graz, S. 506.
(18) 認可証のラテン語原文およびドイツ語対訳は以下に所収。Naumburger Kreis-Blatt. Nr. 46. Den 16. Nov. 1833, S. 254-257.
(19) Bäckerinnung Nürnberg (hrsg.), Chronik des Nürnberger Bäckerhandwerks von 1302-1982. S. 42f.
(20) Bäckerinnung Nürnberg (hrsg.), S. 43.
(21) Robert Baravalle, Das Steirische Bäckergewerbe. In: Kulturreferat der Steiermärkischen Landesregierung (veranstaltet), Das Steirische Handwerk. Graz 1970, S. 482.
(22) パン窯の独占権については以下を参照のこと。阿部謹也『中世を旅する人びと』平凡社　一九七八年、118頁以下。
(23) Bäckerinnung Nürnberg (hrsg.), S. 77.
(24) Baravalle, S. 480.

(25) パンの価格については以下を参照のこと。フランソワーズ・デポルト、144頁以下。
(26) Hermann Eiselen (hrsg.), Brotkultur. Ulm, Köln 1995, S. 212.
(27) Bäckerinnung Nürnberg (hrsg.), S. 46.
(28) Bäckerinnung Nürnberg (hrsg.), S. 16f.
(29) R・J・ミッチェル、M・D・R・リーズ、松村赳訳『ロンドン庶民生活史』みすず書房 一九八一年、114頁。
(30) エーリヒ・ケストナー、高橋健二訳『わたしが子どもだったころ』(ケストナー少年文学全集7)岩波書店 一九八四年、26頁以下。
(31) Mittelalterliches Kriminalmuseum (hrsg.), Justiz in alter Zeit. Rothenburg o. d. T. 1989, S. 347f.
(32) ブリジット・アン・ヘニッシュ、131頁以下。およびマドレーヌ・P・コズマン、加藤恭子、平野加代子訳『中世の饗宴』原書房 一九八九年、112頁。
(33) Mittelalterliches Kriminalmuseum, S. 465.
(34) Eiselen (hrsg.), S. 213.
(35) J. E. Schlager, Wiener Skizzen aus dem Mittelalter. Wien o. J., S. 188.
(36) Baravalle, S. 480.
(37) Bäckerinnung Nürnberg (hrsg.), S. 82.

終章 パンは何を意味してきたか

(1) ヤコブス・デ・ウォラギネ、前田敬作、今村孝訳『黄金伝説』一九七九年、60頁以下。
(2) ハンス・ヴェルナー・ゲッツ、轡田収他訳『中世の日常生活』中央公論社 一九八九年、216頁以下。
(3) 中世の修道院では一般に elemosynarum と呼ばれていた。

（4）W・ブラウンフェルス、渡辺鴻訳『西ヨーロッパの修道院建築』鹿島研究所出版会　一九七四年、60頁。
（5）W・ブラウンフェルス、77、78頁以下。
（6）Michel Mollat, Die Armen im Mittelalter. München 1984（Paris 1987）, S. 50.
（7）Elke Stein, Hungrige Speisen. Ulm 1966, S. 40.
（8）Mollat, S. 61.
（9）日誌閲覧と解読はマリーエンベルク修道院図書館長、ヨゼフ・トースP. Josef Toos師のご厚意による。
（10）Hanns Koren, Die Spende. Graz/Wien/Köln 1954, S. 59.
（11）Koren, S. 59.
（12）一五六九年のザルツブルク教区会議。Koren, S. 77.
（13）Koren, S. 45f.
（14）Koren, S. 49.
（15）Koren, S. 90f, 124.
（16）Johann Weichard Valvasor, Topographia Archiducatus Carinthiae. Nürnberg 1688（Klagenfurt 1975 Verlag Heyn）, S. 122–123.

あとがき

書き終えてみると、内容が実に多岐にわたっていることを感じる。多くの方々にお世話になり、ご教示を得たおかげである。その経緯をかんたんに記して謝辞にかえたい。

パンの文化史に関心をもって、まず読んだのはスイスのマックス・ヴェーレン博士 Dr. Max Währen の多くの著作である。ヴェーレン博士は、古代遺跡から出土するパンの実物の調査で、画期的な業績をもっておられ、またすばらしいパンと道具のコレクターとしても知られる、パン文化研究の第一人者のひとりである。スイスのご自宅に泊めてくださり、研究方法を伝授してくださった。

パンの文献資料集めは、ウィーンの民俗学博物館の図書室からはじめた。そこでゴットシャル博士 Dr. Gottschall から、半年のあいだ手ほどきをうけた。日本から手紙で用向きを伝えておいたので、一日目から大テーブルに資料を満載して、私を待ち受けていた。あまりの多さに困惑していると、かれは言った。「みんなコピーするのは大変だ。まず、まだ買えるものと、もう買えないものに種分けしよう」。しかしその後が変わっていた。買えないものでもその著者は余分にもっているはずだから、訪ねていってもらって来ればよい、と言う。そして本を取って著者名を見ては「生きている」「死んでいる」とやりだした。そして「死んでいる」ぶんだけをコピーした。「生きている」著者たちはヨーロッパ中に点在していた。おかげで私は旅回りに明け暮れることになったが、すばらしい研究者たちを知る機会となった。

その他の多くの文献はベルリン国立図書館とバイエルン国立図書館をおもに利用した。とくに前者は、迅速なコピーサービス、文献の所在探し、親切な情報提供では、世界でも屈指であろう。ヨーロッパやアメリカ各地の大学図書館からも協力を得た。日本の閉鎖的な大学図書館や、サービスの悪い国会図書館にくらべ、頼みの綱となったのはこうした外国の図書館である。

パンの文化史は、さまざまな分野に関連しているので、各分野の専門家のご協力とご教示がなければ成り立たない、まったく人騒がせな学問である。本書の章にそってお名前を挙げさせていただく。

キリシタン関係の文書は上智大学図書館内の「キリシタン文庫」にすべてそろっている。ムギの構造や性質については、龍谷大学の阪本寧男氏に、たびたび懇切なご指導を得た。図1コムギ穂の構造は、お訪ねしたとき描いてくださった図が元になった。ドイツの元ローマ・ゲルマン博物館のマリア・ホプフ氏 Dr. Maria Hopf にも資料をいただいた。元シュトゥットガルト大学のケルバー＝グローネ氏 Dr. Udelgard Körber-Grohne には、お宅に泊りこみで、スペルタコムギのレクチャーをしていただいた。図7の種々のムギは、そのときくださったサンプルを私が撮影したものである。

近東の文化については、東京大学東洋文化研究所の松谷敏雄氏に大変お世話になった。ジャルモ遺跡の発掘レポートや、写真をお貸しくださり、関係分野のすぐれた専門家もご紹介くださった。そのほか同研究所および中近東文化センターの図書室も利用した。

発酵については元大阪女子大学の松本博氏、東京農業大学の和田政裕氏がわかりやすく説明してくださった。

古代エジプトのパンについては、ヴェーレン博士とベルリンの国立エジプト博物館長クラウス氏 Dr. Rolf Krauss に資料をいただいた。あるとき私は同博物館へパンを焼く像を見に行った。しかしその像は展示室の奥にしまわれて、その手前で特別展をやっているので見られないという。はるばる来たので、なんとかお願い、と館長に直訴すると、館長が閉館後に奥からその像を出して、見せてくださるという。待っているあいだに、館長は私に必要な資料を出し、コピーをいろいろくださった。その後もご厚意でいくども写真を送ってくださった。そのほか東海大学図書館にもよい資料があった。また中田英策氏にはエジプト風のパン壺を試作していただいた。

古代ギリシャは、京都大学の中務哲郎氏が手を差し延べてくださるまで、遠い存在であった。同氏は一年におよんで資料をくださり、解説し、アプローチの方法を一から教えてくださった。おかげで魅力ある世界を知り、ひきこまれた。さらに東海大学の久保田忠利氏からも探していた資料をいただくなど、いろいろな面で助けていただいた。本書で大活躍したアテナイオスの書物は、私の宝庫であるが、柳沼重剛氏の邦訳のおかげで、日本語で読めるようになった。先生から作成中の索引をいただき、懇切なご教示を得、面白いこぼれ話などを楽しんだ。お三方のご協力がなければ、私はギリシャのパンについて一行も書けなかったと思う。

日本の天火にかんしては、日ごろ教わることの多い、道具学の専門家山口昌伴氏に、貴重な写真をお持ちの林のり子氏の存在を教えていただいた。

マリア・ルカウ村では、ささいな誤解で村人から取材拒否をうけたときのショックは忘れようもない。そのさい、母校の恩師、元上智大学図書館長アルムブルスター先生は、国際的な解決策を考え、旅をされた折りにこの村を訪ね、人びとの誤解をとく努力をしてくださった。先生は困ったときのみんなのすてきなお助けマンで、カトリック司祭である。私が番組に協力することになっていたNHK教育スペシャル、「人間は何を食べてきたのか」のチーフ・ディレクター（当時）上田洋一氏は、「よくあることです。誠実に、ねばりづよく交渉しましょう」と励ましてくださり、一晩で村の各方面に手紙を書いてしまった。また元駐日オーストリア大使館のザッツィンガー氏 Dr. Ingeborg Satzinger も、理解を示され、行政にはたらきかけてくださった。

第五章の「2　嫁のパン焼きと姑のパン焼き」は、エッソ石油株式会社の「女性のためのエッソ研究奨励制度」の助成を受けた研究の結果である。

実地調査のさいには、イタリアのラミニ氏 Francesco Ramini とズッピーニ氏 Anacleto Zuppini に、またドイツの故クレプレ氏 Annelene Klöble にお世話になった。そして現地では大勢の方々にご協力いただいた。

ブリューゲルの作品は、パンの文化史上からも大きな役割をはたすものである。森洋子氏はすでに多くの著作で、民俗学的視点からもブリューゲルを扱っておられ、おつきあいをとおしても、著作からも私はおおいに啓発をうけた。

グリム童話にかんしては、ベルリンの国立図書館、カッセルの「グリム兄弟博物館」Brüder Grimm-Museum を利用し、「東京こども図書館」および同館の森本真実氏（グリム研究）には、探していた資料をいただいた。

ニュルンベルクの友人ケストナー氏ご夫妻 Helmut, Christine Kestner は、泊めてくださり、資料の調達、写真撮影など、私の頼みをいつもかなえてくださった。

そして援助修道会の景山あき子氏、ハンガリー語の粂栄美子氏、アラビア語の井上有希子氏、東京農業大学の佐々木翠氏、ベーカーズタイムスの故藤本徹氏、聖書註解刊行会の伊藤進氏、日本パン科学会の内田迪夫氏、日本製粉中央研究所、日清製粉、大阪あべ野辻製パンカレッジの方々も、ご専門の分野でご教示下さった。

写真は図版リストに記したように、龍谷大学の阪本寧男、東京大学の松谷敏雄、写真家の大村次郷、広告プランナーの丸山純、民族学博物館の山本紀夫、ノルウェーのランベルク、毎日新聞の故市倉浩二郎、上智大学の量博満、パテ屋の林のり子、カステラの福砂屋、クロアチア語の田中一生、スイスのマックス・ヴェーレンの諸氏、そして多くの博物館、美術館からご厚意でご提供いただいた。

手描きのスケッチは、ハノーファー在住の建築家ブロイアー氏Dipl. Ing. Jörg Breuerが私の頼みに応じて描いてくださった。同氏は休暇でマリア・ルカウ村に来られたとき知りあい、パン焼きのビデオ撮影のさい大型ベンツを提供し運転をしてくださった。そのおりと、後日再度村へ出かけて描いてくださったものである。またパン棚のスケッチはフランツ・シモン氏Franz Simonから贈られた、私の愛蔵品である。氏は、オーストリアのオーバーヴァルトで、高校の美術教師をつとめたのち、郷土博物館を設立。郷土の家屋や道具を、愛情あふれるスケッチで残しておられる。モノを瞬時に写し取る時代をよそに、博物館の中庭で、ひとり黙々と鉛筆を動かしておられた。

執筆中は友人の野村壽子さんをたびたび図書館へ、雑用に、と駆り出し、手伝っていただいた。

筑摩書房の元編集者湯川進一郎氏は、長きにわたり以前の著者を心にかけ、助言をくださった。

数枚の手描きの図は娘のうららによる。引用文の訳で注記のないものは、私自身の訳による。

『パンの文化史』はもともと本書の前編集者、朝日新聞の河津小苗さんが企画された。彼女は「私の知るかぎり、もっともねばりづよい」と私を評したが、それは愚図ということで、たしかに手こずらせ、年月を費やした。河津さんは、生活文化に造詣深く、数々の名案と、私の知らなかった情報をくださり、今日まで誠実に私を励ましつづけてくださった。また、脱稿後に本書の編集を引き継がれたのは、朝日選書編集長の柴野次郎氏である。実はかれ、古代エジプト人なみの「パン食い人」で、本書にぴったりの人物。書きたいことを書きたいだけ自由に書かせ、写真えらびも任せてくださった。おかげで私としては納得のいく仕事ができ、それがたいへんありがたかった。索引も彼の力によって成った。

ほかにもお名前を記しきれないほど、たくさんの方々のお世話になった。書かれなかった悲喜こもごものドラマを秘めて、一冊の本ができあがった。深い感謝を捧げる。

献呈　上智大学史学科教授　量博満先生に

パンの文化に関心をもち、ヴェーレン博士の著作を翻訳していたある日のことであった。私は研究室に先生を訪ね、なんて面白いものだろうかと言った。すると、「自分で研究されたら、もっとおもしろいですよ」とおっしゃった。その一言が私のライフワークへの扉となった。いまもって至言であったと思う。先生は当意即妙のたとえ話で、大所から私の視野をひろげ、今日まで研究を支えてくださった。

一九九七年一二月

舟田詠子

schauet» Nürnberg 1669. Stadtbibliothek Bildungscampus Nürnberg. Nor. K. 49, Bl. 36
図100　ニュルンベルクのパンの記念レリーフ
Foto: Helmut und Christine Kestner
図101　パン屋の水責めの絵はがき
«Bäckertaufe» Museum der Brotkultur, Ulm
図102　聖クニグンデの像
Kapelle der hl. Kunigunde, St. Lorenzen, Lesachtal Kärnten　写真：舟田詠子　1989年
図103　パンをほどこす修道士たち
Museum der Brotkultur, Ulm

オーストリア　マリア・ルカウ村　Zeichnung: Jörg Breuer 1990
図85　チロルの食堂のパン
イタリア　写真：舟田詠子　1984年
図86　粉の表面に印された十字
イタリア　マリーエンベルク修道院　写真：舟田詠子　1984年
図87　謝肉祭と四旬節の喧嘩　P. Bruegel d. A. «Der Kampf zw. Fasching und Fasten» Kunsthistorisches Museum Vienna. GG 1016
図88　フランツ・ポッツィの挿し絵
Hänsel und Gretel, ein Märchen bey Georg Franz. 1839. bpk - Staatsbibliothek zu Berlin. BIV 1C, 988R
図89　テオドール・ホーゼマンの挿し絵
Bilderbogen von Theodor Hosemann, Nr. 53. Staatliche Museen zu Berlin Preussischer Kulturbesitz, Museum Europäischer Kulturen. 33C580
図90　貴族の野外での食事風景
Liebesgarten. Germanisches Nationalmuseum Nürnberg. Gew672
図91　パンの栄養成分表
Bundesausschluß für volkswissenschaftliche Aufklärung e. V.: Brot 1972, "Mittlerer Nährwertgehalt in 100 g" S. 9
図92　古代のこね器
Mau: Pompeji, Fig. 226 (一部改変)
図93　古代ギリシャのパンをこねる女たち
©Musée du Louvre. CA804, Foto: P. et M. Chuzeville
図94　パン屋の絵、メンデルの12兄弟団の家譜より
Stadtbibliothek Bildungscampus Nürnberg. Amb. 317.2°f. 84r
図95　角笛を吹くフランドルのパン屋
J. A. Berckheyde, Hoornblazende bakker. Museum der Brotkultur, Ulm
図96　パン生地をのせてパン屋へ運ぶパン板
Zeichnung: Josef Kurtsiefer, Siegburg 1992
図97　17世紀のパン屋の重量検査からの抜粋表
Kratse: "Auszüge über die Brotarten und das Brotgewicht von Admonter Bäckern" S. 509
図98　パンのほどこしとパンづくり
Cripijn de Passe naar Maerten de Vos «Voeden van hongerigen» Rijksprentenkabinet Amsterdam. RP-P-BI-6079E12
図99　パンの殿様
Johann Kramer: Trachtenbuch, «Ein Beckman der das Brodt

図66　テレジアの家の排煙機構
オーストリア　マリア・ルカウ村　Zeichnung: Jörg Breuer 1990
図67　「薪の小屋」
オーストリア　マリア・ルカウ村　写真：舟田詠子　1989年
図68　軒下の薪
オーストリア　マリア・ルカウ村　写真：舟田詠子　1987年
図69　テレジアのパン焼き工程表
オーストリア　マリア・ルカウ村　作表：舟田詠子
図70　薪レンジ
オーストリア　マリア・ルカウ村　Zeichnung: Jörg Breuer 1989
図71　パン焼き道具
オーストリア　マリア・ルカウ村　Zeichnung: Jörg Breuer 1990
図72　マリア・ルカウ村のパン焼き
写真：舟田詠子　1984年　Mitwirkung: Theresia Salcher
図73　チロルの屋外のパン焼き小屋
イタリア　メルティーナ　Zeichnung: Jörg Breuer 1989
図74　チロルの屋外のパン焼き
Cooperazióne: Anacleto Zuppini, Rosa Klöss
図75　クロアチア、オソィエニク村のパン焼き
写真：田中一生　協力 Zeliko, Izumi Tutnjević; Mato, Marina Violić
図76　ドイツ、ヘンゲン村のパン焼き
写真: 舟田詠子　1985年　Mitwirkung: Willi, Lieselotte Stooß, Waltraud Vöhlinger, Fritz Wolf, Adolf, Annelene Klöble
図77　厚いパンに適した横型のパン棚
オーストリア　ブルゲンラント州　Zeichnung: Franz Simon
図78　厚いパンに適した縦型のパン棚
オーストリア　ブルゲンラント州　Zeichnung: Franz Simon
図79　薄いパンに適したパン棚
オーストリア　マリア・ルカウ村　写真：舟田詠子　1981年
図80　薄いパンに適したパン棚
イタリア　マリーエンベルク修道院　写真：舟田詠子　1984年
図81　棒に吊るしたクネッケ
Nordiska Museet, Stockholm　写真：舟田詠子　1984年
図82　天井に並べたチロルのパン
イタリア　写真　舟田詠子　1989年
図83　納屋に積み上げたユフカ
中央トルコ　クエルシェヒール県　写真　大村次郷　1996年
図84　パン切り

museum Stillfried. 69-ST123　写真：舟田詠子
図49　丸天井のパン窯の構造
Museum der Brotkultur, Ulm
図50　ポンペイのパン窯の一例
Mayeske: Plate V, Fig. 2
図51　ポンペイのパン屋跡の外観
写真：舟田詠子　1981年
図52　ポンペイのパン屋の見取り図の一例
Mau: Fig. 221
図53　八等分できるポンペイのパン
Museo Archeologici di Napoli e Pompei. 107 DLgs 42/04　写真：Wikimedia Commons 2013年
図54　ポンペイの菓子型
Museo Archeologici di Napoli e Pompei. 107 DLgs 42/04　写真：舟田詠子　1981年
図55　横型ストーブ
オーストリア　マリア・ルカウ村　写真：舟田詠子　1985年
図56　縦型ストーブ
Frilandsmuseet, Sorgenfri, Haus 6　写真：舟田詠子　1984年
図57　串焼きパンを焼く木版画
Epulario, Aufl. 1547, Titelblatt. Bayerische Staatsbibliothek, München. Oecon 557
図58　ふたの上で薪を焚いてパンを焼く
Nordiska Museet, Stockholm　写真：舟田詠子　1984年
図59　川原慶賀《御菓子所》 Kawara Keiga《Sweet Shop》
Rijksmuseum voor Volkenkunde, Leiden. 360-4321
図60　カステラの引き釜
写真提供：福砂屋
図61　バンコックの引き釜
写真：林のり子　1973年
図62　マリア・ルカウ村のパン窯の台数推移と粉を買い始めた時期
作図：舟田詠子
図63　テレジアのパン窯
オーストリア　マリア・ルカウ村　写真：舟田詠子　1989年
図64　二段式のパン窯
オーストリア　マリア・ルカウ村　写真：舟田詠子　1981年
図65　電気のパン窯
オーストリア　マリア・ルカウ村　写真：舟田詠子　1981年

bpk - Ägyprisches Museum und Papyrussammlung, Staatliche Museen zu Berlin Preussischer Kulturbesitz. 23679
図35　古代エジプトの壺パン焼きの像
©Roemer- und Pelizaeus-Museum Hildesheim. 2140. Photo: Sh. Shalchi
図36　古代エジプトの壺焼きの壁画
G. Steindorff: Plate 86
図37　古代エジプトの壺の断面図
Jacquet-Gordon: Fig. 1–1, 1–5, 4–1
図38　古代エジプトの円錐形の壺パン図
G. Steindorff: Plate 43
図39　古代ギリシャの網焼き
Staatliche Museen zu Berlin, Antikensammlung. TC6674 Foto: Johannes Laurentius
図40　古代ギリシャの串焼きパン
American School of Classical Studies Athens, Agora Excavations. P23907
図41　古代ギリシャのポータブルオーヴン　アテネの市場跡から出土
Sparkes: 1962, Fig. 2　実物は American School of Classical Studies Athens, Agora Excavations. P14165, P2116
図42　古代ギリシャのパン屋の人形
Museum der Brotkultur, Ulm
図43　古代ギリシャの幌馬車形のパン窯
Staatliche Antikensammlungen und Glyptothek München. SL77 Foto: Blow-up SW-Fotofachlabor
図44　古代ギリシャのベイキングカバー
American School of Classical Studies Athens, Agora Excavations. P10133
図45　石製のベイキングカバー、ビュドォショー
Szilády, Zoltán: Fig. 4–V
図46　現代の鉄製ベイキングカバー、ペカ
所有 Lenko Monković, Dubrovnik, Croatia　写真：舟田詠子　2011年
図47　鉄器時代（ハルシュタット文化）の４連のパン窯　（復元）
Aus Großweikersdorf. Foto Niederösterreiches Landesmuseum, St. Pölten
図48　青銅器時代末期のベイキングカバー
所有 Niederösterreiches Landesmuseum, St. Pölten　展示 Heimat-

ノルウェー　Photo: Magne Aarstadvold, Verdal. 1997. Mitwirkung: Odd Erik Ramberg, Paula Holmli
図18　ナーン
アフガニスタン　ヘラート　写真：市倉浩二郎　1975年
図19　ナーンとケバブ
トルコ　西北部　写真：阪本寧男　1982年
図20　ドーナツ形の発酵パン
トルコ　西北部　写真：阪本寧男　1982年
図21　ピッツァ風発酵パン
トルコ　西北部　写真：阪本寧男　1982年
図22　アエーシ
エジプト　カイロ　写真：舟田詠子　1981年
図23　アルプスの村のサワー種づくり
イタリア　サン・カンディド　写真：舟田詠子　1989年　Mitwirkung: Irma Watschinger
図24　トゥワン遺跡のムギ食表
Währen: 1984　作表：舟田詠子
図25　5500年前のパン
archaeologie der Schweiz. 7-1 1984. Photo: Nach freundlicher Genehmigung von Dr. Max Währen
図26　ベドウィンの灰焼きパン
シナイ半島　写真：NHK「人間は何を食べて来たか」取材班　1984年
図27　タヌールの断面図
柳本杏美「アフガニスタンの料理」「世界の食べもの」5－73を参照
図28　中国のタヌールのヴァリエーション
陝西省扶風県　写真：量博満　1970年
図29　ジャルモ遺跡のパン窯状の設備
Braidwood, Howe, Reed, Watson: 1983, Fig. 34
図30　古代エジプト人のパンとビールづくり
ケナモン墓　Wreszinski: 1988, Taf. 301
図31　古代エジプト人のナーン
Wreszinski: 1988, Taf. 125
図32　ラメセス３世の墓に描かれたパン焼き
ウィルキンソンによる線画　Wreszinski: 1988, Taf. 374
図33　古代エジプトの三角パンの実物
British Museum. Three cornered loaf of bread. Reg. No. 1904,1008.42; BM Big No. EA40942; PRN. YCA14150
図34　古代エジプトのタヌール

図版リストとクレジット

図1　コムギの穂の構造（略図）
作図：舟田詠子
図2　コムギの粒の構造（略図）
作図：舟田詠子
図3　西アジア、旧石器時代の石臼と石杵
Horowitz: Fig. 8, 17, 18
図4　粉挽き女とサドルカーン
Kunsthistorisches Museum Vienna. AEOS 7500
図5　古代ギリシャのつき臼
Staatliche Antikensammlungen und Glyptothek München. SL76
図6　パンコムギの祖先
阪本寧男　1966年　図3－1を参照
図7　種々のコムギの穂
所蔵・写真：舟田詠子
図8　世界のパンの代表例
作図：舟田詠子
図9　古代中国の平焼きパンづくり
中華人民共和国、新疆ウィグル自治区博物館蔵　写真：東京国立博物館
日本中国文化交流協会、読売新聞社主催「中華人民共和国シルクロード文物展」(1979.3.20–5.13) カタログ図版番号102
図10　チャパティ
パキスタン　フンザ地方　写真：阪本寧男　1987年
図11　トルティーヤ
メキシコ・シティ　写真：山本紀夫　1985年
図12　フブス
イラク　Zarzi　写真：松谷敏雄　1971年
図13　ユフカ
中央トルコ　クエルシェヒール県　写真：大村次郷　1996年
図14　ナン・サンジャッキ
イラン　テヘラン　写真：松谷敏雄　1971年
図15　タンナワー
イラク　スライマニア　写真：阪本寧男　1970年
図16　シシャウ
パキスタン　カフィリスタン　写真：丸山純　1984年
図17　フラット・ブロー

Bäckerhandwerks von 1302-1982.
Baravalle, Robert: Das Steirische Bäckergewerbe. In: Kulturreferat der Steiermärkischen Landesregierung (veranstaltet): Das Steirische Handwerk. Graz 1970.
エーリヒ・ケストナー、高橋健二訳『わたしが子どもだったころ』(ケストナー少年文学全集7)岩波書店　1984。

〔パンと飢餓〕

朝日新聞経済部『食糧』(朝日文庫) 1986。
フランセス・ムア・ラッペ、ジョセフ・コリンズ、鶴見宗之介訳『世界飢餓の構造』三一書房　1988。
フェルディナント・ザイプト、永野藤夫他訳『図説中世の光と影』原書房　1996。
ヤコブス・デ・ウォラギネ、前田敬作、今村孝訳『黄金伝説(1)』人文書院　1987。
ハンス・ヴェルナー・ゲッツ、轡田収他訳『中世の日常生活』中央公論社　1989。(前出)
W・ブラウンフェルス、渡辺鴻訳『西ヨーロッパの修道院建築』鹿島研究所出版会　1974。
Mollat, Michel: Die Armen im Mittelalter. München 1984 (Paris 1978).
Stein, Elke: Hungrige Speisen. Ulm 1966.
Koren, Hanns: Die Spende. Graz/Wien/Köln 1954.
Bayer, Dorothee: O Gib Mir Brot. Ulm 1966.

『初版グリム童話集（1）』吉原高志、吉原素子訳、白水社　1997。
Brüder Grimm: Kinder- und Hausmärchen. Ausgabe Letzter Hand. (hrsg.) Rölleke, Heinz. (Reclam) Bd. 3, Stuttgart 1984.
Die Älteste Märchensammlung der Brüder Grimm. (hrsg.) Rölleke, Heinz. Cologny-Genéve 1975.（1810年手稿本と1812年初版）
Brüder Grimm (gesammelt): Kinder- und Hausmärchen. (hrsg.) Rölleke, Heinz. Diederichs Verlag Köln 1982. (Berlin 1819 第二版)
Brüder Grimm (gesammelt): Kinder- und Hausmärchen. (hrsg.) Rölleke, Heinz. Deutscher Klassiker Verlag 1985. (Göttingen 1837 第三版)
Brüder Grimm (gesammelt): Göttingen 1840.（第四版　ベルリン国立図書館）
Brüder Grimm (gesammelt): Göttingen 1843.（第五版　ベルリン国立図書館）
Brüder Grimm (gesammelt): Kinder- und Hausmärchen. Göttingen 1850.（第六版　エッセン大学図書館）
Brüder Grimm, Kinder- und Hausmärchen. (hrsg.) Rölleke, Heinz. Bd. 1. Stuttgart 1984. (Göttingen 1857. 第七版)
Stöber, August (hrsg.): Elsässisches Volksbüchlein. Nr. 243. Straßburg 1842.
Rölleke, Heinz: August Stöbers Einfluß auf die Kinder- und Hausmärchen der Brüder Grimm. In: Fabula. 24. Bd. 1983, 11–20.
Böhm-Korff, Regina: Deutung und Bedeutung von Hänsel und Gretel. (Röhrich, Lutz (hrsg.), Artes Populares 21), Frankfurt a. M./Bern/New York/Paris 1991.
Eschenbach, Ursula: Hänsel und Gretel. Das Geheime Wissen der Kinder. Zürich 1986.

〔パン屋〕

レーモン・カルヴェル、山本直文訳『パン』（文庫クセジュ）白水社 1965年。
Kratse, Adalbert: Der Markt Admont und seine Bäcker. In: Das Steirische Handwerk. Katalog zur 5. Landesausstellung 1970, 1. Teil. Graz.
Bäckerinnung Nürnberg (hrsg.): Chronik des Nürnberger

Nürnberg 1688 (Verlag Heyn 1975).
Görzer Urbar: HHSTA, Hs.B756. Haus- und Hof-, Staatsarchiv, Wien.

〔パン焼き設備、道具、共同パン焼き小屋〕

Kapfhammer, Günter: Gemeindebacköfen im nördlichen Unterfranken. In: Bayerisches Jahrbuch für Volkskunde. 1969.
Keßler-Mächler, Josef: Ein Gemeindebackofen in Steinen aus der Zeit um 1300. In: Steinen. (Separatabdruck aus den Mitteilungen des Historischen Vereins des Kantons Schwyz. Heft 61, 1968.
Blümel-Boog: 5000 Jahre Backofen. Ulm o. J.
Szilády, Zoltán: Alte Siebenbürgische Feuerherde. In: Anzeiger der Ethnographischen Abteilung des Ungarischen National-Museums. Budapest 1916.
Simon, Franz: Bäuerliche Bauten im Südburgenland. Oberschützen 1974.

〔ブリューゲル〕

森洋子『ブリューゲル全作品』中央公論社　1988。

森洋子『ブリューゲルの諺の世界』白凰社　1992。

『カンヴァス世界の大画家（11）ブリューゲル』中央公論社　1991。

『ピーテル・ブリューゲル全版画展』ブリヂストン美術館　1989・1・7－2・26。

『ブリューゲルの世界』東武美術館　1995・3・28－6・25。

Demus, Klaus u. a.: Flämische Malerei von Jan van Eyck bis Pieter Bruegel d. Ä. (Katalog der Gemäldegalerie) Wien 1981, 61–118.

「ベルギー王立図書館所蔵　ブリューゲル版画の世界展」図録、読売新聞社　2010年。

〔「ヘンゼルとグレーテル」〕

小澤俊夫『グリム童話の誕生』（朝日選書455）1992。

野村泫『目で見るグリム童話』筑摩書房　1994。

ジョン・エリス、池田香代子、薩摩竜郎訳『一つよけいなおとぎ話』新曜社　1993。

ウラジーミル・プロップ、斎藤君子訳『魔法昔話の起源』せりか書房　1983。
Burgstaller, Ernst: Österreichisches Festtagsgebäck. Linz 1983.
Höfler, Max: Bretzelgebäck. Archiv für Anthropologie - Neue Folge Bd. 3, Heft 2. Braunschweig 1904.
Heyne, Moriz: Das Deutsche Nahrungswesen. Leipzig 1901.（前出）
Eckstein, F.: Bretzel. In: Handwörterbuch des Deutschen Aberglaubens.（前出）Bd. 1
Grimmelshausen, Hans Jakob Christoffel: Der Abenteuerliche Simplicissimus. Düsseldorf/Zürich, 1997（1683）.
Gotthelf, Jeremias: Der Bauernspiegel.（Sämtliche Werke）Bd. 1. Zürich 1916（1836）.
Riedhauser, Hans: Essen und Trinken bei Jeremias Gotthelf.（Diss. Zürich 1984）Stuttgart 1985.
David, Elizabeth: English Bread and Yeast Cookery.（Penguin Books）London 1977.（前出）
Kramer, Samuel Noah: The Sumerians. Chicago/London 1963.
Kosler, Barbara u. Krauß, Irene: Die Brez'l. München 1993.

〔アルプスの暮らしとパン〕
舟田詠子『アルプスの谷に亜麻を紡いで』筑摩書房　1986。
舟田詠子『アルプスの村のクリスマス』リブロポート　1989。
舟田詠子「マリア・ルカウ村のパン焼き」「季刊民族学」（66）千里文化財団　1993、90–98。
舟田詠子「一粒の麦とパンのめぐみ」「銀花」（94）1993、161–168。
小谷明「パン焼き竈から紫煙が流れる」「季刊民族学」（39）千里文化財団　1987、27–35。
Rachewiltz, Siegfried W. de: Brot. Schlanders 1983（3. Aufl.）.
Rachewiltz, Siegfried W. de: Tiroler Brot. Innsbruck/Wien 1984.
Heß-Haberlandt, Gertrud: Bauernleben. Innsbruck 1988.
Wopfner, Hermann: Das Brot des Bergbauern. In: Zeitschrift des deutschen Alpenvereins, 70. 1939, 113–131.
Dorschner, Fritz: Das Brot und seine Herstellung in Graubünden und Tessin.（Diss. Univ. Zürich 1936）.
Johann Weichard Valvasor: Topographia Archiducatus Carinthiae.

〔中世と暮らしとパン〕

ハインリヒ・プレティヒャ、関楠生訳『中世への旅』白水社　1982。

ラブレー、渡辺一夫訳『ガルガンチュワ物語』（世界文学大系８）筑摩書房　1961。

ハンス・ヴェルナー・ゲッツ、轡田収他訳『中世の日常生活』中央公論社　1989。

「エッダ」『中世文学集』（筑摩世界文学大系10）松谷健二訳　1974。

「伝カール大王御料地令国訳嘗試」『ドイツ中世の社会と経済』上原専祿訳（上原専祿著作集４）評論社　1994（弘文堂　1950）。

サントニーノ、舟田詠子訳『中世東アルプス旅日記』筑摩書房　1987。

ブリジット・アン・ヘニッシュ、藤原保明訳『中世の食生活』（叢書ウニベルシタス）法政大学出版局　1992。

フランソワーズ・デポルト、見崎恵子訳『中世のパン』白水社　1992年。

阿部謹也『中世を旅する人びと』平凡社　1978。

ミッチェル／リーズ、松村赳訳『ロンドン庶民生活史』みすず書房　1981。

マドレーヌ・P・コズマン、加藤恭子、平野加代子訳『中世の饗宴』原書房　1989。

Ekkehard IV, Die Benedictiones ad mensas. In: Mitteilungen der Antiquarischen Gesellschaft in Zürich. Bd. 3, 1846.

Mittelalterliches Kriminalmuseum (hrsg.): Justiz in alter Zeit. Rothenburg o. d. T. 1989.

Schlager, J. E.: Wiener Skizzen aus dem Mittelalter. Wien o. J.

Hundsbichler, Helmut: Nahrung; Wirtschaften-Essen-Trinken; Der gedeckte Tisch. In: Kühnel, Harry (hrsg.): Alltag im Spätmittelalter. Graz/Wien/Köln 1984.

〔パンの民俗〕
ヘロドトス、松平千秋訳「歴史」『ヘロドトス』（筑摩世界古典文学全集10）1988。（前出）
フレイザー、永橋卓介訳『金枝篇（二）』（岩波文庫）1951。
「悪魔を呼び出す遍歴学生」『ハンス・ザックス謝肉祭劇集』（1551年）藤代幸一訳　南江堂　1979。

Mau, August: Pompeji in Leben und Kunst. Leipzig 1900.
Fordyce, G. J.: P. Vergili Maronis Aeneidos. Libri Ⅶ-Ⅷ. Oxford 1977.
C. Plinii Secundi: Naturalis Historiae. XVIII. (Sammlung Tusclum) (übers.) König/Bayer. Zürich 1995.

〔ヨーロッパ遺跡のパン関係〕

Währen, Max: Die Entwicklungsstationen vom Korn zum Brot im 5. und 4. Jahrtausend. In: Getreide, Mehl und Brot, 39. Bochum 1985.
Währen, Max: Brote und Getreidebrei von Twann aus dem 4. Jahrtausend vor Christus. In: archäologie der Schweiz. 7-1984-1.
Währen, Max: Pain, pâtisserie et religion en Europe Pré- et Protohistorique. In: Civilisations—Revue internationale d'anthropologie et de sciences humaines. 49/2002, 381–400.
Stokar, Walter von: Die Urgeschichte des Hausbrotes. Leipzig 1951.
Hampl, Franz: Das Museum für Urgeschichte des Landes Niederösterreich. (Katalog) Wien 1976.

〔天火〕

エドワード・モース、石川欣一訳『日本その日その日（第１）』（東洋文庫171）平凡社　1970。

『食道楽』（村井弦斎編）五月書房　1984（明治38）。

山口昌伴『図説台所道具の歴史』柴田書店　1978。

越中哲也『長崎の西洋料理』第一法規出版　1982。

『川原慶賀展』西武美術館　1980・４・19－５・21。

粟津則雄、山内昶、安野真幸他『カステラ文化誌全書』（企画）福砂屋、平凡社　1995。

〔大航海時代〕

『完訳コロンブス航海誌』青木康征訳　平凡社　1993。

『コロンブス航海誌』林屋永吉訳（岩波文庫）1977。

Petrus de Crescentiis: New Felt und Ackerbaw. Lazarus Zetzner, Straßburg 1602. (Univ. bibliothek Graz Ⅲ 20608 Rara-1).

〔古代ギリシャ、ローマ〕

アテナイオス、柳沼重剛訳『食卓の賢人たち』（岩波文庫）1992。（抄訳版）
アテナイオス、柳沼重剛訳『食卓の賢人たち』（1，2）京都大学学術出版会　1997-1998。（全訳版）
Athenaeus: The Deipnosophists. (The Loeb Classical Library) (tr.) Gulick, Ch. B. London/Cambridge/Massachusetts 1937-1957.
『プリニウス博物誌　植物篇』（大槻真一郎編）八坂書房　1994。
ヘーシオドス、松平千秋訳『仕事と日』（岩波文庫）1993。
『ギリシア悲劇全集』岩波書店　1991。
アピーキウス、ミュラ＝ヨコタ・宣子訳『古代ローマの料理書』三省堂　1987。
オウィディウス、高橋宏幸訳『祭暦』（叢書アレキサンドリア図書館Ⅰ）国文社　1994。
塚田孝雄『シーザーの晩餐』（朝日文庫）1996。
ヘロドトス、松平千秋訳「歴史」『ヘロドトス』（筑摩世界古典文学全集10）1988。
ウェルギリウス、泉井久之助訳『アエネーイス』（岩波文庫）1976。
『ストラボン　ギリシア・ローマ世界地誌』（Ⅱ）飯尾都人訳　龍渓書舎　1994。（前出）
Mayeske, Betty: Bakeries, Bakers, and Bread at Pompeii. A Study in Social and Economic History. (Diss. Maryland 1972) UMI 1997.
Georgivs Thilo, Hermannvs Hagen (hrsg.): Servii Grammatici qvi fervntvr in Vergilii Carmina Commentarii. (Olms) Hildesheim 1961.
Sparkes, B. A.: The Greek Kitchen. In: JHS 82. London 1962.
Sparkes, B. A.: The Greek Kitchen, Addenda. In: JHS 85. London 1965.
Cato, Marcus Porcius: On Agriculture. (The Loeb Classical Library) (tr.) Hooper, W. D. London/Cambridge/Massachusetts 1967 (1933).
Publius Ovidius Naso: Fasti. (Sammlung Tusculum) (übers.) Holzberg, Niklas. Zürich 1995.

〔古代エジプト〕
吉村作治『ファラオの食卓』（小学館ライブラリー）1992。
Helck, Wolfgang: Das Bier im Alten Ägypten. Berlin 1971.
Klebs, Luise: Die Reliefs und Malereien des mittleren Reiches. Heidelberg 1922.
Klebs, Luise: Die Reliefs und Malereien des neuen Reiches. Heidelberg 1934.
Jacquet-Gordon, Helen: A Tentative Typology of Egyptian Bread Moulds. In: Arnold, Dorothea (hrsg.): Studien zur altägyptischen Keramik. Mainz am Rhein 1981.
Währen, Max: Brot und Gebäck im Leben und Glauben der alten Ägypter. Bern 1963.
Borchardt, Ludwig: Ein Brot. In: Steindorff, Georg (hrsg.): Zeitschrift für Ägyptische Sprache. Bd. 68, Osnabrück 1967 (1932).
Grüss, Johannes: Untersuchung von Broten aus der Ägyptischen Sammlung der Staatlichen Museen zu Berlin. In: Steindorff, Georg (hrsg.): Zeitschrift für Ägyptische Sprache. Bd. 68, Osnabrück 1967 (1932).
Leek, F. Filce: Further Studies Concerning Ancient Egyptian Bread. In: The Journal of Egyptian Archaeology. Vol. 59, London 1973, 199-204.
Wreszinski, Walter: Atlas zur Altaegyptischen Kulturgeschichte. 1. Teil. Genéve/Paris 1988.

〔串焼きパン、菓子〕
マーガレット・ミッチェル、大久保康雄、竹内道之助訳『風と共に去りぬ（1）』（世界文学全集22）河出書房新社　1989。
Epulario. Stampato in Venecia per Francesco Bindoni & Mapheo Pasini, Nelmese di Luio M. D. XLVII.（バイエルン国立図書館）
Balthassar Staindl von Dillingen (gedrucked): Ain künstlichs und nuzlichs kochbuch. 1547.（バイエルン国立図書館）
Marx Rumpolt (gedruckt): Ein new Kochbuch. Franckfort am Mayn 1581 (Olms Presse Hildesheim/New York 1980).

学」(39) 千里文化財団　1987、78–93。
高橋孝一「ザンスカールの子どもたち」「季刊民族学」(51) 千里文化財団　1990、24–33。
Bringemeier, Martha: Bäuerliches Brotbacken in Westfalen (Beiträge zur Volkskultur in Nordwestdeutschland.). Hf. 22. Münster 1980.
Waldheim, Hella Schürer von: Zur Geschichte und Verbreitung des Fladenbrotes in Europa. In: Zeitschrift für Österreichische Volkskunde. Wien 1914.

〔パンをふくむ旅〕

NHK取材班『人間は何を食べてきたか』日本放送出版協会　1985。

大村次郷『アジア食文化の旅』(朝日文庫) 1989。

大村次郷「豊穣アジアII　備蓄」「中央公論」(12月号) 1996。

大村次郷「アジアの常食」「中央公論」(1月号－) 1998。

藤本徹『パンの源流を旅する』編集工房ノア　1992。

竹野豊子『もっとおいしいパンを焼く』主婦の友社　1997。

竹野豊子『地中海手作りパンの旅』講談社　1997。

竹野豊子『世界焼きたてパン物語』東京書籍　1997。

池田裕＝文・横山匡＝写真『遥かなるパン』(聖書の国の日常生活3 パン) 教文館　1996。

スーザン・セリグソン著、市川恵里訳『パンをめぐる旅』河出書房新社　2004年。

〔発酵、パン種〕

吉野精一『パン「こつ」の科学』柴田書店　1993。

松本博『製パンの科学――パンはどうしてふくれるか』日本パン技術研究所　1988。

阿久津正蔵『パン科学』生活社　1955。

日清製粉編『パンの原点 発酵と種』1985。

小泉武夫『発酵』(中公新書939) 1989。

石川耕一郎訳『ミシュナ――ペサヒーム』(エルサレム文庫10) エルサレム宗教文化研究所　1987。

ジョーンズ，M. 編、左近義慈監修、佐藤陽二訳『図説・旧約聖書の歴史と文化』新教出版社　1978。

『ストラボン　ギリシア・ローマ世界地誌』（II）飯尾都人訳　龍渓書舎　1994。
Maresch, Franz und Gerhard: Die Pichl-Mühle in der Loich. (Sonderdruck aus Öterr. Zs. f. Volkskunde) Wien 1970.
Wittich, Richard: Romantik und Wirklichkeit der alten Mühlen. Kassel 1980.

〔ムギ、穀物〕

阪本寧男『ムギの民族植物誌』学会出版センター　1996。
阪本寧男『雑穀のきた道』（NHKブックス546）1988。
田中正武『栽培植物の起原』（NHKブックス245）1975。
ハーバード・ベイカー、阪本寧男、福田一郎訳『植物と文明』東京大学出版会　1979。
日本麦類研究会編『小麦粉』1981。
財団法人製粉振興会篇『小麦粉の話』1989。
Körber-Grohne, Udelgard: Nutzpflanzen in Deutschland. Stuttgart 1988.
Harlan, Jack R.: The Origins of Cereal Agriculture in the Old World. In: Reed, Charles (ed.): Origins of Agriculture. Paris 1977.
Watson, Patty Jo: Archaeological Ethnography in Western Iran. Arizona 1979.
Hopf, Maria: s. v. Dinkel. In: Reallexikon der Germanischen Altertumskunde.（前出）
Gradmann, R.: Der Dinkel und die Alemannen. In: Württembergische Jahrbücher für Statistik und Landeskunde. 1901, 103–159.

〔現代のパンをふくむフィールドワーク〕

「世界の食べもの」。（前出）

中尾佐助『料理の起源』（NHKブックス173）1972。

阪本寧男『ムギの民族植物誌』（前出）の随所。

『世界の食事文化』（石毛直道編）ドメス出版　1975。

丸山純「カフィリスタン　ムンムレット谷の一年」「季刊民族学」（35）千里文化財団　1986、82–111。

丸山純「カフィリスタン・ムンムレット谷　チョウモス祭」「季刊民族

立原翠軒「楢林雑話」『海表叢書　第二巻』（復刻版）成山堂書店　1985。
安達巖『ぱん由来記』東京書房社　1969。
安達巖『パン』（ものと人間の文化史80）法政大学出版局　1996。
安達巖『パンの日本史』ジャパンタイムズ　1989。
安達巖『パン食文化と日本人』新泉社　1985。
日本のパン四百年史刊行会『日本のパン四百年史』1956。
パンの明治百年史刊行会『パンの明治百年史』1970。

〔西アジアの先史時代、古代のパンに関連する研究〕
藤井純夫『植物と文明』岡山市立オリエント美術館　1982。
藤井純夫「レヴァント初期農耕文化の研究」『岡山市立オリエント美術館研究紀要』1981、1-87。
藤井純夫「ムギはなぜ、パンになってしまったのか」『古代中近東の食の歴史をめぐって』中近東文化センター　1994、10-19。
吉川守「シュメール史料に見る食文化――パンを中心に」『古代中近東の食の歴史をめぐって』中近東文化センター　1994、20-27。
左近義慈、南部泰孝『聖書時代の生活』（1）創元社　1980。
マイケル・ローフ、松谷敏雄監訳『古代のメソポタミア』朝倉書店　1994。
Währen, Max: Brot und Gebäck im Leben und Glauben des Alten Orient. Bern 1967.
Braidwood, L.; Braidwood, R. J.; Howe, B.; Reed, Ch. A.; Watson, P. J.: Prehistoric Archeology along the Zagros Flanks. Chicago/Illinois 1983.
Horowitz, Aharon: The Quaternary of Israel. New York 1979.

〔粉挽きの道具、水車〕
三輪茂雄『「粉」の文化史』（NHK市民大学）日本放送出版協会　1985。
三輪茂雄『臼』（ものと人間の文化史25）法政大学出版局　1978。
三輪茂雄『粉の文化史』（新潮選書）1987。
レイノルズ，T. S.、末尾至行他訳『水車の歴史』平凡社　1989。
『技術の歴史』（四）シンガー他編、平田寛、八杉龍一他訳　筑摩書房　1978。
出水力『水車の技術史』思文閣出版　1987。

Heidelberg 1973.
Handwörterbuch des Deutschen Aberglaubens. (hrsg.) Hoffmann-Krayer, Bächtold-Stäubli. Berlin/Leipzig 1927 – Berlin 1942.

〔パンの文化史関係〕
ジャーク・モンタンドン、山本直文、林憲一郎訳『パンの本』パンニュース社　1978。
締木信太郎『パンの百科』中央公論社　1977。
締木信太郎『パンの文化史』中央公論社　1956。
Jacob, Heinrich E.: Sechstausend Jahre Brot. Hamburg 1954.
Brotkultur. (hrsg.) Eiselen, Hermann, Deutsches Brotmuseum Ulm 1995.
Brood. (hrsg.) Museum Boymans Van Beuningen Rotterdam, Katalog 2. okt. – 14. nov. 1983.
Währen, Max: Brot seit Jahrtausenden. Bern 1953.
邦訳は、マックス・ヴェーレン、佐藤勝一、唯野啓子共訳、渡辺幸監修『パンの歴史』岩手県パン工業組合　1969。
Zier, Wilhelm: Das Brot. Luzern 1984.
邦訳は、ウィルヘルム・ツィアー、中澤久（日本語版監修）『パンの歴史』同朋社　1985。
David, Elizabeth: English Bread and Yeast Cookery. (Penguin Books) London 1977.
Wiegelmann, Günter: Alltags- und Festspeisen. Marburg 1967.

〔日本のパン関係〕

「イソポのハブラス」新村出、柊源一校注『吉利支丹文学集２』（東洋文庫570）平凡社　1993。

尾原悟『キリシタン版について――「おらしよ断簡」』上智大学キリシタン文庫　1979。

「どちりいなきりしたん」H・チースリク、土井忠生、大塚光信校注『キリシタン書、排耶書』（日本思想大系25）岩波書店　1970。

「天地始之事」田北耕也校注『キリシタン書、排耶書』（日本思想大系25）岩波書店　1970。

大槻玄沢（口授）「蘭説弁惑」『紅毛談・蘭説弁惑』（江戸科学古典叢書）恒和出版　1979。

参考文献紹介

下記のとおり、注に引用、および参考にした文献を分類して挙げ、深く感謝申し上げる。そのほか、本書と直接かかわりなくとも、パンの文化に関心をおもちの読者のために、知りえた範囲の関連書物もアトランダムにくわえてある。なお、刊年は使用した文献に記載の年号とする。

〔辞書、辞典の類〕

聖書　新共同訳　日本聖書協会　1996。
『聖書大事典』教文館　1989。
『聖書語句大辞典』教文館　1967。
「世界の食べもの」（週刊朝日百科）朝日新聞社　1981–1983。
『歴史学事典』（2・からだとくらし）弘文堂　1994。
A Dictionary of Selected Synonyms in the Principal Indo-European Languages. (ed.) Buck, Carl Darling. Chicago/London 1949.
Lexikon für Theologie und Kirche. (hrsg.) Höfer, Josef und Rahner, Karl. Freiburg 1957.
Magyar Nérajzi Lexikon. (hrsg.) Ortutay, Gyula. Budapest 1980.
Reallexikon der Germanischen Altertumskunde. (hrsg.) Beck, Heinrich u. a., Berlin/New York.
Lexikon der Ägyptologie. (hrsg.) Helck, Wolfgang und Otto, Eberhard. Wiesbaden 1975.
Dictionnaire Etymologique de la Langue Croate ou Serbe. (éd.) Jonke, Deanović, Académie Yougoslave des Sciences et des Beaux-Arts. Zagreb 1971.
Lateinisches Etymologisches Wörterbuch. (hrsg.) Walde-Hoffmann. Heidelberg 1982.
Stephanus, Thesavrvs Graecae Linguae. Graz 1954 (1572).
Dictionnaire des Antiquités grecques et romaines. (hrsg.) Daremberg, Ch.; Saglio, Edm. Paris 1877–1919 (Graz 1969).
Realencyclopädie der classischen Altertumswissenschaft. (hrsg.) Pauly-Wissova-Kroll. Stuttgart 1893–1980.
A Greek-English Lexicon. (ed.) Liddell, Scott, Jones. Oxford 1968.
Griechisches Etymologisches Wörterbuch. (hrsg.) Frisk, H.

ら　行

わ　行

ま 行

や 行

バノス、サージ、サチ、釣り鐘、サチュ、チェレプヤ、ズェスト、ツリエープニャ、テストゥ、バックグロッケ、ビュドォショー、ポットオーヴン、天火、パン窯、引き釜)
引き釜　149, 150
柄杓　118, 201-204, 206
ビスキュイ［biscuit（仏・英), sponge（英）泡立てた卵入りの生地］152, 154
ビスケット［biscuit (英), biscotte (仏), rusk (英), Biskotte (独)］(→二度焼きパン）152-154
ビスコッチョ［bizcocho, biscote (西)］152, 153
ピストル［pistor（ラテン語）粉屋兼パン屋］89, 258
ピタ［pitǎ（ルーマニア語、ブルガリア語、スラヴ語), pitta (現代ギリシャ語), pide（トルコ語), pita（ヘブライ語）近東、バルカン半島一帯で作るパン］51, 59, 60
ピッツァ［pizza］57, 62, 191, 249
一粒系コムギ　45, 47, 90
「肥沃な三日月地帯」43, 46, 48, 49, 74, 86, 90, 124
ビュドォショー［bujdosó ハンガリーのパン焼き用かぶせもの］124-126, 151
平焼き　50-63, 76, 92, 93, 103, 106, 116, 145, 146, 214
ビール　42, 75, 106-108, 114, 156, 280
フィェッシャ　139
風車　35, 36
フォカッチャ［focaccia（伊）炉の中で焼いたことにちなむ中世のパンや菓子］139, 140, 193
フォクス［focus（ラテン語）炉、暖炉］139, 193
藤井純夫　105
フスマ　29-31, 73, 78, 156, 163, 246, 248, 251, 258
二粒系コムギ　45, 47
ブドウ　67, 73, 74, 79, 96, 141, 142, 156, 157
フブス［khubzu（アラビア語）鉄板で焼く薄い無発酵パン］51, 53, 55, 58, 62, 100
冬送り　227-230
フラット・ブロー［Flatbrød ノルウェーの祝祭用の薄い無発酵パン］51, 52, 56, 63
フランスパン　27, 51, 67, 256, 257
フリーザー　175, 186, 208, 221
プリニウス　73, 88, 96, 120, 258
ブリューゲル、P.　229, 244, 270
フルヌス［furnus（ラテン語）パン窯］133, 134
ブレッツェル［Bretzel（独）めの字のような形の発酵パン］226-230, 258, 259, 263
ブレッド［bread（英)］66
プレモントレ修道院　284
ブロー［brød（ノルウェー語）パン］66
ブロート［Brot (独・蘭)］24, 66

な　行

は　行

た 行

さ　行

か　行

索 引

あ 行

KODANSHA

本書の原本は、一九九八年に朝日新聞社より刊行されました。

舟田詠子（ふなだ　えいこ）
上智大学独文科卒。78年よりパンの文化史を研究。ウィーン在住，ヨーロッパでフィールドワークをする。千葉大学，東海大学元非常勤講師。著書に，『アルプスの谷に亜麻を紡いで』『誰も知らないクリスマス』„Brot – Teil des Lebens“，訳書に，パオロ・サントニーノ著『中世東アルプス旅日記』。映像作品に《パンの民俗誌》。［E-mail］pan8@mac.com
［HP］http://funadaeiko.wordpress.com/

講談社学術文庫

定価はカバーに表示してあります。

パンの文化史《ぶんかし》

舟田詠子《ふなだえいこ》

2013年12月10日　第１刷発行
2022年６月７日　第６刷発行

発行者　鈴木章一
発行所　株式会社講談社
東京都文京区音羽 2-12-21 〒112-8001
電話　編集（03）5395-3512
販売（03）5395-4415
業務（03）5395-3615

装　幀　蟹江征治
印　刷　株式会社ＫＰＳプロダクツ
製　本　株式会社国宝社
本文データ制作　講談社デジタル製作

ISBN978-4-06-292211-1

「講談社学術文庫」の刊行に当たって

これは、学術をポケットに入れることをモットーとして生まれた文庫である。学術は少年の心を養い、成年の心を満たす。その学術がポケットにはいる形で、万人のものになることは、生涯教育をうたう現代の理想である。

こうした考え方は、学術を巨大な城のように見る世間の常識に反するかもしれない。また、一部の人たちからは、学術の権威をおとすものと非難されるかもしれない。しかし、それはいずれも学術の新しい在り方を解しないものといわざるをえない。

学術は、まず魔術への挑戦から始まった。やがて、いわゆる常識をつぎつぎに改めていった。学術の権威は、幾百年、幾千年にわたる、苦しい戦いの成果である。こうしてきずきあげられた城が、一見して近づきがたいものにうつるのは、そのためである。しかし、学術の権威を、その形の上だけで判断してはならない。その生成のあとをかえりみれば、その根は常に人々の生活の中にあった。学術が大きな力たりうるのはそのためであって、生活をはなれた学術は、どこにもない。

開かれた社会といわれる現代にとって、これはまったく自明である。生活と学術との間に、もし距離があるとすれば、何をおいてもこれを埋めねばならない。もしこの距離が形の上の迷信からきているとすれば、その迷信をうち破らねばならぬ。

学術文庫は、内外の迷信を打破し、学術のために新しい天地をひらく意図をもって生まれた。文庫という小さい形と、学術という壮大な城とが、完全に両立するためには、なおいくらかの時を必要とするであろう。しかし、学術をポケットにした社会が、人間の生活にとってより豊かな社会であることは、たしかである。そうした社会の実現のために、文庫の世界に新しいジャンルを加えることができれば幸いである。

一九七六年六月　　　　野間省一

文化人類学・民俗学

C・レヴィ＝ストロース著／室　淳介訳
悲しき南回帰線（上）（下）
「親族の基本構造」によって世界の思想界に波紋を投じた著者が、アマゾン流域のカドゥヴェオ族、ボロロ族など四つの部族調査と、自らの半生を紀行文の形式でみごとに融合させた「構造人類学」の先駆の書。
711・712

宮本常一著（解説・田村善次郎）
民間暦
民間に古くから伝わる行事の底には各地共通の原則が見られる。それらを体系化して日本人のものの考え方、労働の仕方を探り、常民の暮らしの折り目をなす暦の意義を詳述した宮本民俗学の代表作の一つ。
715

宮本常一著（解説・山崎禅雄）
ふるさとの生活
日本の村人の生き方に焦点をあてた民俗探訪。祖先の生活の正しい歴史を知るため、戦中戦後の約十年間にわたり、日本各地を歩きながら村の成立ちや暮らしの仕方、古い習俗等を丹念に掘りおこした貴重な記録。
761

宮本常一著（解説・田村善次郎）
庶民の発見
戦前、人々は貧しさを克服するため、あらゆる工夫を試みた。生活の中で若者をどう教育し若者はそれをどう受け継いできたか。日本の農山漁村を生きぬいた庶民の内側からの目覚めを克明に記録した庶民の生活史。
810

折口信夫著（解説・岡野弘彦）
日本藝能史六講
まつりと神、酒宴とまれびとなど独特の鍵語を駆使して藝能の発生を解明。さらに田楽・猿楽から座敷踊りまで日本の歌謡と舞踊の歩みを通観。藝能の始まりと展開を平易に説いた折口民俗学入門に好適の名講義。
994

柳田國男著（解説・桜田勝徳）
新装版**明治大正史　世相篇**
柳田民俗学の出発点をなす代表作のひとつ。明治・大正の六十年間に発行されたあらゆる新聞を渉猟して得た資料を基に、近代日本人のくらし方、生き方を民俗学的方法によってみごとに描き出した刮目の世相史。
1082

外国の歴史・地理

モンゴルと大明帝国
愛宕《おたぎ》松男・寺田隆信著

征服王朝の元の出現と漢民族国家・明の盛衰。チンギス＝カーンによるモンゴル帝国建設とそれに続く元の中国支配から明の建国と滅亡までを論述。耶律楚材の改革、帝位簒奪者の永楽帝による遠征も興味深く説く。

1317

朝鮮紀行　英国婦人の見た李朝末期
イザベラ・バード著／時岡敬子訳

百年まえの朝鮮の実情を忠実に伝える名紀行。英人女性イザベラ・バードによる四度にわたる朝鮮旅行の記録。国際情勢に翻弄される十九世紀末の朝鮮とその風土、伝統的文化、習俗等を活写。絵や写真も多数収録。

1340

アウシュヴィッツ収容所
ルドルフ・ヘス著／片岡啓治訳（解説・芝　健介）

大量虐殺の責任者R・ヘスの驚くべき手記。強制収容所の建設、大量虐殺の執行の任に当ったヘスは職務に忠実な教養人で良き父・夫でもあった。彼はなぜ凄惨な殺戮に手を染めたのか。本人の淡々と語る真実。

1393

古代中国　原始・殷周・春秋戦国
貝塚茂樹・伊藤道治著

北京原人から中国古代思想の黄金期への歩み。原始時代に始まり諸子百家が輩出した春秋戦国期に到る悠遠な時間の中で形成された、後の中国を基礎づける独自の文明。最新の考古学の成果が書き換える古代中国像。

1419

中国通史　問題史としてみる
堀　敏一著

歴史の中の問題点が分かる独自の中国通史。中国の歴史をみる上で、何が大事で、どういう点が問題になるのか。書く人の問題意識が伝わることに意を注ぎ古代から現代までの中国史の全体像を描き出した意欲作。

1432

コーヒー・ハウス　18世紀ロンドン、都市の生活史
小林章夫著

珈琲の香りに包まれた近代英国の喧噪と活気。十七世紀半ばから一世紀余にわたりイギリスの政治や社会、文化に多大な影響を与えた情報基地。その歴史を通し、爛熟する都市・ロンドンの姿と市民生活を活写する。

1451

文化人類学・民俗学

性の民俗誌
池田弥三郎著

民俗学的な見地からたどり返す、日本人の性。一夜妻、一時女郎、女のよばい等、全国には特色ある性風俗が伝わってきた。これらを軸とし、民謡や古今の文献に拠りつつ、日本人の性への意識と習俗の伝統を探る。

1611

日本文化の形成
宮本常一著（解説・網野善彦）

民俗学の巨人が遺した日本文化の源流探究。生涯の実地調査で民俗学に巨大な足跡を残した筆者が、日本文化の源流を探査した遺稿。畑作の起源、海洋民と床住居など、東アジア全体を視野に雄大な構想を掲げる。

1717

神と自然の景観論　信仰環境を読む
野本寛一著（解説・赤坂憲雄）

日本人が神聖感を抱き、神を見出す場所とは？　人々を畏怖させる火山・地震・洪水・暴風、聖性を感じさせる岬・洞窟・淵・滝・湾口島・沖ノ島・磐座などの自然地形。全国各地の聖地の条件と民俗を探る。

1769

麵の文化史
石毛直道著

麵とは何か。その起源は？　伝播の仕方や製造法・調理法は？　厖大な文献を渉猟し、「鉄の胃袋」をもって精力的に繰り広げたアジアにおける広範な実地踏査の成果をもとに綴る、世界初の文化麵類学入門。

1774

人類史のなかの定住革命
西田正規著

「不快なものには近寄らない、危険であれば逃げてゆく」という基本戦略を捨て、定住化・社会化へと方向転換した人類。そのプロセスはどうだったのか。遊動生活から定住への道筋に関し、通説を覆す画期的論考。

1808

石の宗教
五来《ごらい》　重《しげる》著（解説・上別府　茂）

日本人は石に霊魂の存在を認め、独特の石造宗教文化を育んだ。積石、列石、石仏などは、先祖たちの等身大の信心の遺産である。これらの謎を解き、記録に残らない庶民の宗教感情と信仰の歴史を明らかにする。

1809

《講談社学術文庫　既刊より》

松前　健著
日本の神々
イザナギ、イザナミ、アマテラス、そしてスサノヲ。歴史学と民族学・比較神話学の二潮流をふまえ、神々の素朴な「原像」が宮廷神話へと統合される過程を追い、信仰や祭祀の形成と古代国家成立の実像に迫る。
2342

矢野憲一著
魚の文化史
イワシの稚魚からクジラまで。世界一の好魚民族といわれる日本人の魚をめぐる生活誌を扱うユニークな書。誰でも思いあたることから意表を突く珍しい事例まで、魚食、神事・祭礼、魚に関する信仰や呪術を総覧！
2344

宮家　準著
霊山と日本人
私たちはなぜ山に手を合わせるのか。神仏や天狗はなぜ山に住まうのか。修験道研究の第一人者が日本の山岳信仰を東アジアの思想の一端に位置づけ、人々の生活と関連づけながらその源流と全体像を解きあかす。
2347

丹羽基二著
神紋総覧
出雲大社は亀甲紋、諏訪神社は梶の葉紋、八幡神社は巴紋……。家に家紋があるように、神社にも紋章＝「神紋」がある。全国四千社以上の調査で解きあかす〈神の紋〉の意味と歴史、意匠と種類。三百以上収録。
2357

吉野裕子著（解説・小長谷有紀）
日本古代呪術　陰陽五行と日本原始信仰
古代日本において、祭りや重要諸行事をうごかした原理とは？　白鳳期の近江遷都、天武天皇陵、高松塚古墳、大嘗祭等に秘められた幾重にもかさなる謎を果敢に解きほぐし、古代人の思考と世界観に鋭くせまる。
2359

柳田國男著（解説・佐谷眞木人）
故郷七十年
齢八十をこえて新聞社に回顧談を求められた碩学は言った。「それは単なる郷愁や回顧の物語に終るものでないことをお約束しておきたい」。故郷、親族、官途、そして詩文から民俗学へ。近代日本人の自伝の白眉。
2393

文化人類学・民俗学

八木谷涼子著
キリスト教の歳時記 知っておきたい教会の文化

世界中のキリスト教会が備えている一年サイクルの暦。イエスやマリアに関わる日を中心に、諸聖人を記念した祝祭日で種々の期節が彩られる。クリスマス、イースターはじめ、西方・東方ほか各教派の祝祭日を詳述。

2404

小泉武夫著
漬け物大全 世界の発酵食品探訪記

梅干しからキムチ、熟鮓《なれずし》まで、食文化研究の第一人者による探究の旅。そもそも「漬かる」とは？　日本列島を縦断し、催涙性の珍味「ホンオ・フェ」とは？　東南アジアで芳香を楽しみ、西洋のピクルスに痺れる。

2462

中沢新一著（解説・松岡心平）
精霊の王

蹴鞠名人・藤原成通、金春禅竹の秘伝書『明宿集』。中世の技芸者たちが密かに敬愛した宿神とは？　諏訪で再発見する縄文的なものとは？　甦る人類普遍の精神史。『石神問答』を超える思考のオデッセイ！

2478

ヨハン・ホイジンガ著／里見元一郎訳
ホモ・ルーデンス 文化のもつ遊びの要素についてのある定義づけの試み

「人間の文化は遊びにおいて、遊びとして、成立し、発展した」――。遊びをめぐる人間活動の本質を探究、「遊びの相の下に」人類の歴史を再構築した人類学の不朽の大古典！　オランダ語版全集からの完訳。

2479

《講談社学術文庫　既刊より》